dictionnaire de la civilisation romaine

dictionnaire de la civilisation romaine

Jean-Claude Fredouille
professeur à l'université de Paris X - Nanterre

Le Grand Livre du Mois

Responsable de la collection
Emmanuel de Waresquiel

Correction-révision
Bernard Dauphin
Hugues Gerhards

Mise en page
Gudrun Fricke

Fabrication
Michel Paré

« Édition exclusivement réservée aux adhérents du Club »
Le Grand Livre du Mois
15, rue des Sablons 75116 Paris
avec l'autorisation des éditions Larousse-Bordas

Distributeur exclusif au Canada : les Éditions Françaises Inc.

ISBN 2-7028-1315-1

Préface

Il y a quelque paradoxe à présenter une civilisation sous la forme d'un dictionnaire adoptant l'ordre le plus arbitraire qui soit, l'ordre alphabétique. N'est-ce pas détruire l'édifice cohérent que de nombreuses et austères études de détail, patiemment réunies et ordonnées, ont permis aux historiens-architectes de construire en accordant la place qui leur revenait aux institutions, à la vie matérielle, à la religion, à la culture ? Sans doute, mais l'objection n'est pas pleinement justifiée. En effet, un tel dictionnaire est conçu comme une sorte de puzzle, dont chaque élément serait intéressant pour lui-même, mais gagnerait encore à être replacé dans l'ensemble dont il a été détaché. Les lecteurs pressés pourront donc se contenter de lire l'article qui les renseignera sur un point précis, les autres reconstitueront à loisir l'image de Rome qui a été artificiellement brisée.

En écrivant ces pages, nous avons pensé à différentes catégories de lecteurs qui, sans être des spécialistes, ne sont point trop incurieux des choses de Rome : élèves des lycées, étudiants des facultés qui doivent s'initier à l'étude du latin, adultes qui voudraient rajeunir leurs souvenirs ou, pourquoi pas ?, préparer un voyage touristique et « archéologique ». Les ruines ne cessent d'être des ruines que si le visiteur est en mesure de restituer, autour d'elles, un peu de la vie d'autrefois.

Il va sans dire que ce livre, sommaire par nécessité (ses dimensions le montrent), ne saurait se substituer aux dictionnaires scientifiques ou aux ouvrages de synthèse comme celui de P. Grimal (la Civilisation romaine, 1964) *auquel nous renvoyons les lecteurs qui auront contracté en nous lisant le goût d'être mieux informés. Ce dictionnaire s'insère dans une collection dans laquelle ont déjà paru un* Dictionnaire de la Mythologie grecque et romaine *et un* Dictionnaire de la Littérature latine : *nous avons tenu compte de leur existence quand nous avons établi la liste de nos rubriques. Ainsi avons-nous exclu systématiquement toutes les divinités romaines et réduit les notices littéraires. Il n'était pas question d'être exhaustif : nous avons dû faire un choix, tant en ce qui concerne les mots-souches qu'en ce qui concerne leur développement. Il s'ensuit parfois, et à notre sens presque inévitablement, un certain nivellement dans l'information, qu'il ne faudrait pas pour autant interpréter comme un nivellement dans l'ordre des valeurs. Pour prendre un exemple topique, lorsque Livius Andronicus traduit au IIIe s. av. J.-C.* l'Odyssée, *il ne fait peut-être pas un chef-d'œuvre littéraire, mais, dans la perspective qui est la nôtre, l'existence même de cette traduction, à cette date, et son influence ont une importance qu'il est bon de souligner. Les lecteurs s'étonneront peut-être qu'au seuil de ce dictionnaire nous ne leur proposions pas une définition lapidaire de ce qui en est l'objet. Nous ne croyons pas qu'il soit possible de caractériser judicieusement une civilisation en quelques mots. Pour assez de gens déjà, Rome n'est que trop souvent et exclusivement une armée conquérante ou un peuple de paysans ou le* Code civil *ou l'horreur des combats de l'amphithéâtre ! Une civilisation est une réalité complexe et évolutive :* celle de Rome, *à laquelle l'Occident doit tant, a duré une dizaine de siècles. Il est difficile de prétendre la saisir dans son mouvement et dans son originalité en une formule, si brillante soit-*

elle, sans en donner une image déformée, et parfois pour longtemps. Grâce au jeu des renvois d'un article à un autre et à certaines rubriques plus générales, nos lecteurs seront, croyons-nous, en mesure de se faire une idée assez juste et précise des aspects de la civilisation romaine, voire, s'il leur plaît, de porter un jugement sur elle. Pour nous, nous nous sommes contenté de décrire et de fournir des éléments d'explication. Si la civilisation romaine leur paraît dans son unité plus diverse et plus riche qu'ils ne le pensaient, ce dictionnaire n'aura pas été inutile.

CHRONOLOGIE

Dates	Événements militaires	Faits politiques et sociaux	Événements culturels et religieux
753		Date légendaire de la fondation de Rome par Romulus.	Cabanes du Palatin.
509		Expulsion des rois.	Temple Capitolin de Jupiter, Junon et Minerve.
497			Temple de Saturne.
494		Sécession de la plèbe.	
493		Création des tribuns de la plèbe.	Temple de Cérès, Liber et Libera.
488	Guerre contre les Volsques.		
458	Guerre contre les Eques.		
450		Loi des XII Tables.	
445		Autorisation des mariages entre plébéiens et patriciens *(lex Canuleia).*	
406-396	Siège et prise de Véies.		
390	Invasion gauloise.		
366		Accès de la plèbe au consulat pour la 1re fois.	
356		Un plébéien dictateur.	
351		Un plébéien censeur.	
350		Fondation de la colonie d'Ostie.	
348			Premiers jeux Séculaires.
343-291	Guerres samnites.		
340-338	Guerre et dissolution de la ligue latine.	Antium colonie romaine.	
321	Défaite des Fourches Caudines.		
312-308		Censure d'Appius Claudius Caecus.	
312-308		Via Appia : de Rome à Capoue (312).	
306		Traité entre Rome et Carthage.	

Dates	Événements militaires	Faits politiques et sociaux	Événements culturels et religieux
300		Accès de la plèbe au pontificat.	
281-272	Guerre contre Tarente et Pyrrhus, prise de Tarente (272).		Influence plus marquée de l'hellénisme.
265	Soumission de l'Étrurie.	Rome maîtresse de l'Italie moins la Gaule Cisalpine.	
264-241	Première guerre punique.	La Sicile, première province romaine (241). Via Aurelia : de Rome à Pise (241).	Introduction des combats de gladiateurs (264).
254			Naissance de Plaute.
240			Première pièce de Livius Andronicus jouée à Rome.
239			Naissance d'Ennius.
234			Naissance de Scipion l'Africain et de Caton.
231		Sardaigne et Corse provinces romaines.	
225-218	Soumission de la Gaule Cisalpine.		
220		Via Flaminia : Rome-Cisalpine. Construction du cirque Flaminius.	
218-201	Deuxième guerre punique.		
215		Premières sociétés de publicains.	
204			Introduction de Cybèle à Rome.
200-188	Intervention de Rome en Grèce et en Orient.		
196		Proclamation par Flaminius de la liberté de la Grèce.	
190			Naissance de Térence.
186			Scandale des Bacchanales.
185-184		Censure de Caton.	Basilique Porcia.
181			Temple de Vénus Erycine.
180		Loi sur la « carrière des honneurs ».	
179			Basilique Aemilia.

Dates	Événements militaires	Faits politiques et sociaux	Événements culturels et religieux
173			Expulsion de deux philosophes épicuriens.
168	Victoire de Pydna.		
161			Expulsion des philosophes et des rhéteurs.
155			Ambassade à Rome des philosophes Carnéade, Diogène et Critolaos.
154			Interdiction du Sénat de construire un théâtre permanent.
150-129			« Cercle des Scipions ».
148-146	Troisième guerre punique.		
148			Le grand pontife Mucius Scaevola fait rédiger et publier les *Annales Maximi*.
146	Destruction de Carthage.	Province romaine de Macédoine Achaïe. L'Afrique proconsulaire province romaine.	
142			Pont Aemilius.
133	Destruction de Numance.	Province d'Asie.	
133-121		Les Gracques.	
125-118		Province de Gaule Narbonnaise.	
113-101	Invasion des Cimbres et des Teutons.	Tribunat de Marius.	
112-105	Guerre de Jugurtha.		
107-101		Consulats de Marius.	
106			Naissance de Cicéron et de Pompée.
100			Naissance de César.
98			Naissance de Lucrèce.
91-88	Guerre Sociale.		
88-85	Guerre contre Mithridate.		
87			Naissance de Salluste.
83-82	Guerre civile.		
82-79		Dictature de Sulla.	
80-72	Guerre contre Sertorius, lieutenant de Marius.		
74		Province de Bithynie.	

Dates	Événements militaires	Faits politiques et sociaux	Événements culturels et religieux
73-71	Guerre contre Spartacus.		
70		Consulat de Pompée.	Naissance de Virgile.
67-63	Campagne de Pompée en Orient.		
65			Naissance d'Horace.
64			Naissance de Tite-Live.
63		Province de Syrie. Consulat de Cicéron. Conjuration de Catilina.	Naissance d'Octave.
60		Premier triumvirat.	
58-50	Guerre des Gaules.		
55			Premier théâtre en pierre à Rome (dû à Pompée).
54			Basilique Julia.
52		Anarchie à Rome. Pompée consul unique.	Le *Pour Milon* de Cicéron.
51		La Gaule province romaine jusqu'au Rhin.	
49-44	Guerre civile.		Forum de César.
48	Pharsale.		
46			Calendrier Julien.
45-44		Dictature de César.	
44-30	Guerre civile.		
44-43			Les *Philippiques* de Cicéron.
43		Deuxième triumvirat.	
42	Philippes.		
31	Actium.		
30		L'Égypte province romaine.	
29			Les *Géorgiques* de Virgile.
27		Début du principat. Organisation des provinces.	
27-14 apr. J.-C.		Règne d'Auguste.	
21			Les *Épîtres* d'Horace.
19			Mort de Virgile, publication de l'*Énéide*. Pont du Gard.
17			Jeux Séculaires.

Dates	Événements militaires	Faits politiques et sociaux	Événements culturels et religieux
13			Construction de l'autel de la Paix *(ara Pacis).*
11			Théâtre de Marcellus.
6			Trophée de la Turbie.
5-4			Naissance du Christ.
2			Forum d'Auguste. Naissance de Sénèque.
		apr. J.-C.	
14-37		Règne de Tibère.	
17		La Germanie, province impériale.	
29			Mort du Christ.
37-41		Règne de Caligula.	
39			Naissance de Lucain.
40		Province de Mauritanie.	
41-54		Règne de Claude.	
43	Conquête de la (Grande-) Bretagne.		Aménagement du port d'Ostie.
45			Traités philosophiques de Sénèque.
51-63	Guerre contre les Parthes.		
54-68		Règne de Néron.	
54			Naissance de Tacite.
64		Incendie de Rome. Premières persécutions contre les chrétiens.	
65			*Lettres à Lucilius* de Sénèque.
69		Année des quatre empereurs : Galba, Othon, Vitellius, Vespasien.	
69-79		Règne de Vespasien.	
70	Prise et destruction de Jérusalem par Titus.		
70-80			Construction du Colisée.
79		Éruption du Vésuve et destruction de Pompéi et Herculanum.	
79-81		Règne de Titus.	
81-96		Règne de Domitien.	
82			Arc de Titus.

Dates	Événements militaires	Faits politiques et sociaux	Événements culturels et religieux
96-98		Règne de Nerva.	
98-117		Règne de Trajan.	
100		Consulat de Pline le Jeune, qui prononce le panégyrique de Trajan.	Constructions nombreuses en Gaule : les « arènes » (amphithéâtres de Nîmes et d'Arles) ; l'arc d'Orange.
101-102	Première expédition contre les Daces.		
103			Port de Trajan à Ostie.
105-106	Seconde expédition contre les Daces.	L'Arabie province impériale.	
107		La Dacie province impériale.	
111-114			Forum de Trajan.
113-114			Colonne Trajane.
114	Guerre contre les Parthes.	Trajan est proclamé « le meilleur des princes » *(optimus)*.	
116			Les *Annales* de Tacite.
117		L'Empire romain atteint sa plus grande extension.	
117-138		Règne d'Hadrien.	Reconstruction du Panthéon édifié par Agrippa en 27 av. J.-C.
121-126		Voyages d'Hadrien dans l'Empire.	
124			Naissance d'Apulée.
125			Construction de la villa d'Hadrien à Tibur (Tivoli).
128-134		Voyages d'Hadrien.	
131		Publication de l'édit perpétuel.	
138-161		Règne d'Antonin le Pieux.	
161-180		Règne de Marc Aurèle.	
166-180	Guerres contre les Germains.	Fin de la « Paix romaine ».	
180-192		Règne de Commode.	
193-211		Règne de Septime Sévère.	Grands travaux d'urbanisme.
197			L'*Apologétique* de Tertullien.
203			Arc de Septime Sévère.

Dates	Événements militaires	Faits politiques et sociaux	Événements culturels et religieux
211-217		Règne de Caracalla.	
212		Édit de Caracalla accordant le droit de cité à toutes les provinces.	
216			Thermes de Caracalla.
218-235		Règnes d'Elagabal, puis de Sévère Alexandre.	
231-232	Guerre contre les Perses.		
235-284	Les frontières de l'Empire menacées de toutes parts.	Anarchie militaire. Des empereurs éphémères se succèdent. Épidémie de peste.	
248-258			Saint Cyprien évêque de Carthage.
250			Persécutions contre les chrétiens. Naissance de Lactance.
271	Aurélien construit une enceinte fortifiée.		
284		Avènement de Dioclétien.	
293		Organisation de la tétrarchie.	
300		Unification de l'administration de l'Italie et des provinces.	
301		Édit du maximum établissant une taxation générale des prix.	
302-304			Persécutions contre les chrétiens.
306-337		Règne de Constantin.	Basilique de Constantin. Maxence (306-311).
313		Édit de Milan : tolérance religieuse.	
315			Arc de Constantin.
325			Concile œcuménique de Nicée condamnant l'hérésie arienne.
326			Construction de la basilique de Saint-Jean-de-Latran.

Dates	Événements militaires	Faits politiques et sociaux	Événements culturels et religieux
330		Constantinople capitale de l'Empire.	Construction de la basilique de Saint-Pierre.
337		Partage de l'Empire : Constant en Occident (337-350) ; Constance en Orient (337-361).	
340			Naissance de saint Jérôme.
351-361		Constance seul maître de l'Empire.	
354			Naissance de saint Augustin.
355-357	Guerre en Gaule.		
358-363	Guerre en Asie contre les Perses.		
361-363		Règne de Julien : réaction païenne.	
364-395		Dynastie valentinienne et Théodose.	
381			Interdiction du paganisme.
395		Partage de l'Empire entre les fils de Théodose : Honorius (395-423) a l'Occident (capitale : Milan, puis Ravenne) ; Arcadius (395-408) a l'Orient (Constantinople).	
400			Les *Confessions* de saint Augustin.
406	Invasions barbares.		
410	Prise de Rome par Alaric, chef des Goths.		
427			*La Cité de Dieu* de saint Augustin.
455	Pillage de Rome par le Vandale Genséric.		
476		Chute de Romulus Augustule. Prise de Rome par Odoacre, roi des Hérules.	

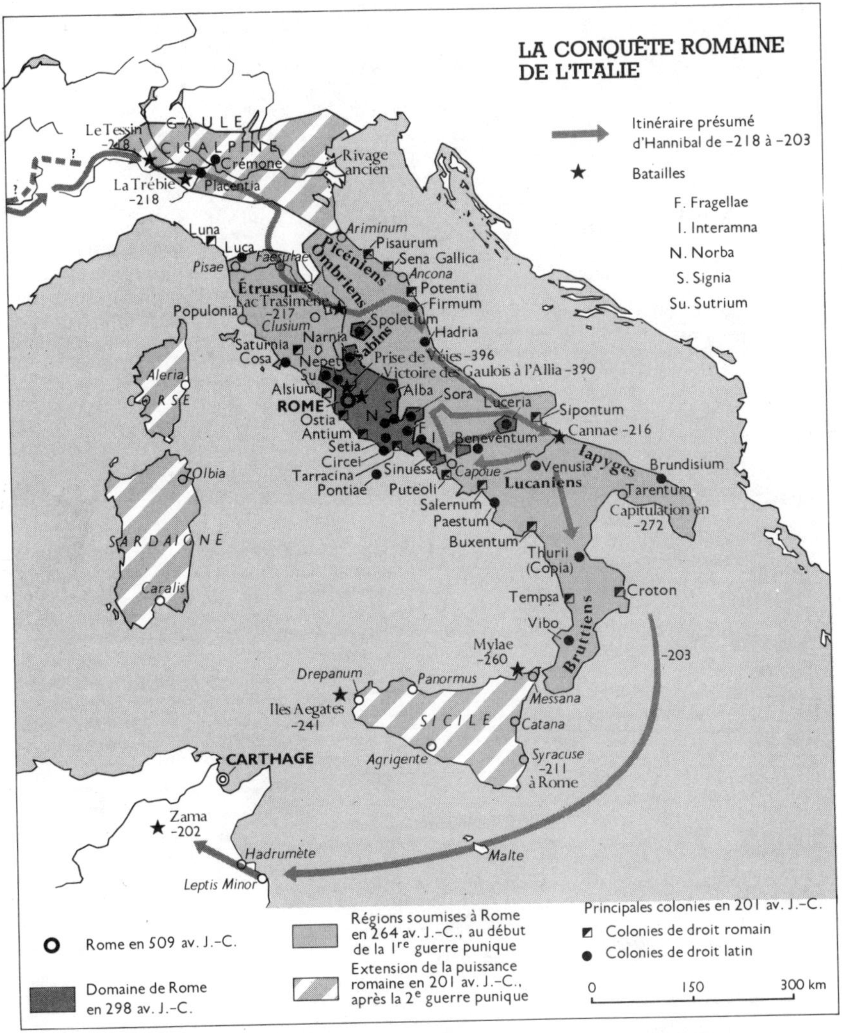
LA CONQUÊTE ROMAINE DE L'ITALIE
Itinéraire présumé d'Hannibal de -218 à -203
Batailles
F. Fragellae
I. Interamna
N. Norba
S. Signia
Su. Sutrium
GAULE CISALPINE
Le Tessin -218
La Trébie -218
Crémone
Placentia
Rivage ancien
Luna
Luca
Pisae
Faesulae
Ariminum
Pisaurum
Sena Gallica
Ancona
Potentia
Firmum
Picéniens
Ombriens
Étrusques
Lac Trasimène -217
Populonia
Clusium
Spoletium
Hadria
Saturnia
Narnia
Sabins
Cosa
Nepet
Prise de Véies -396
Victoire des Gaulois à l'Allia -390
Alsium
Alba
ROME
Sora
Luceria
Sipontum
Ostia
Antium
Cannae -216
Setia
Circei
Beneventum
Iapyges
Brundisium
Tarracina
Sinuessa
Capoue
Venusia
Pontiae
Puteoli
Lucaniens
Tarentum
Capitulation en -272
Salernum
Paestum
Buxentum
Thurii (Copia)
Croton
Tempsa
Vibo
Bruttiens
Mylae -260
-203
Aleria
CORSE
Olbia
SARDAIGNE
Caralis
Drepanum
Panormus
Messana
Iles Aegates -241
SICILE
Catana
Agrigente
Syracuse -211 à Rome
CARTHAGE
Zama -202
Hadrumète
Leptis Minor
Malte
Rome en 509 av. J.-C.
Domaine de Rome en 298 av. J.-C.
Régions soumises à Rome en 264 av. J.-C., au début de la 1re guerre punique
Extension de la puissance romaine en 201 av. J.-C., après la 2e guerre punique
Principales colonies en 201 av. J.-C.
Colonies de droit romain
Colonies de droit latin
0
150
300 km

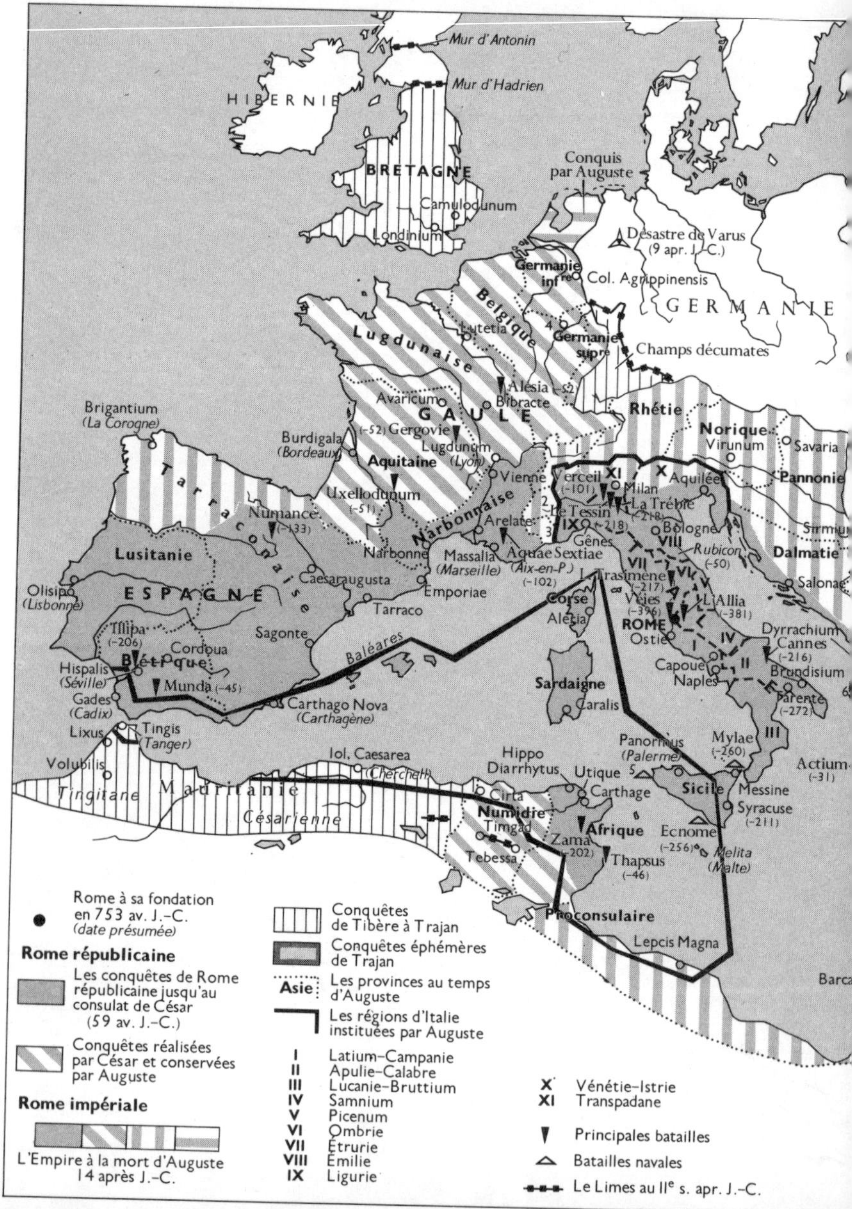
Mur d'Antonin
Mur d'Hadrien
HIBERNIE
BRETAGNE
Camulodunum
Londinium
Conquis par Auguste
Désastre de Varus (9 apr. J.-C.)
Germanie infre
Col. Agrippinensis
GERMANIE
Belgique
Lutetia
Germanie supre
Champs décumates
Lugdunaise
Alésia (-52)
Bibracte
Avaricum
GAULE
Rhétie
Norique
Virunum
Savaria
Pannonie
Brigantium (La Corogne)
Burdigala (Bordeaux)
(-52) Gergovie
Lugdunum (Lyon)
Aquitaine
Vienne
Tarraconaise
Uxellodunum (-51)
Numance (-133)
Narbonnaise
Verceil (-101)
Milan
La Trébie (-218)
Aquilée
Le Tessin (-218)
Arelate
Bologne
Sirmium
Lusitanie
Narbonne
Massalia (Marseille)
Aquae Sextiae (Aix-en-P.) (-102)
Gênes
Rubicon (-50)
Dalmatie
Olisipo (Lisbonne)
ESPAGNE
Caesaraugusta
Emporiae
Tarraco
L. Trasimène (-217)
Véies (-396)
L'Allia (-381)
Salonae
Corse
Aleria
ROME
Ostie
Ilipa (-206)
Cordoua
Sagonte
Dyrrachium
Cannes (-216)
Bétique
Hispalis (Séville)
Munda (-45)
Baléares
Capoue
Naples
Brundisium
Tarente (-272)
Gades (Cadix)
Carthago Nova (Carthagène)
Sardaigne
Caralis
Lixus
Tingis (Tanger)
Volubilis
Iol. Caesarea (Cherchell)
Hippo Diarrhytus
Utique
Carthage
Panormus (Palerme)
Mylae (-260)
Actium (-31)
Tingitane
Mauritanie
Césarienne
Cirta
Numidie
Timgad
Sicile
Messine
Syracuse (-211)
Afrique
Ecnome (-256)
Zama (-202)
Thapsus (-46)
Tebessa
Melita (Malte)
Proconsulaire
Lepcis Magna
Barca
Rome à sa fondation en 753 av. J.-C. (date présumée)
Rome républicaine
Les conquêtes de Rome républicaine jusqu'au consulat de César (59 av. J.-C.)
Conquêtes réalisées par César et conservées par Auguste
Rome impériale
L'Empire à la mort d'Auguste 14 après J.-C.
Conquêtes de Tibère à Trajan
Conquêtes éphémères de Trajan
Asie
Les provinces au temps d'Auguste
Les régions d'Italie instituées par Auguste
I Latium-Campanie
II Apulie-Calabre
III Lucanie-Bruttium
IV Samnium
V Picenum
VI Ombrie
VII Étrurie
VIII Émilie
IX Ligurie
X Vénétie-Istrie
XI Transpadane
Principales batailles
Batailles navales
Le Limes au IIe s. apr. J.-C.

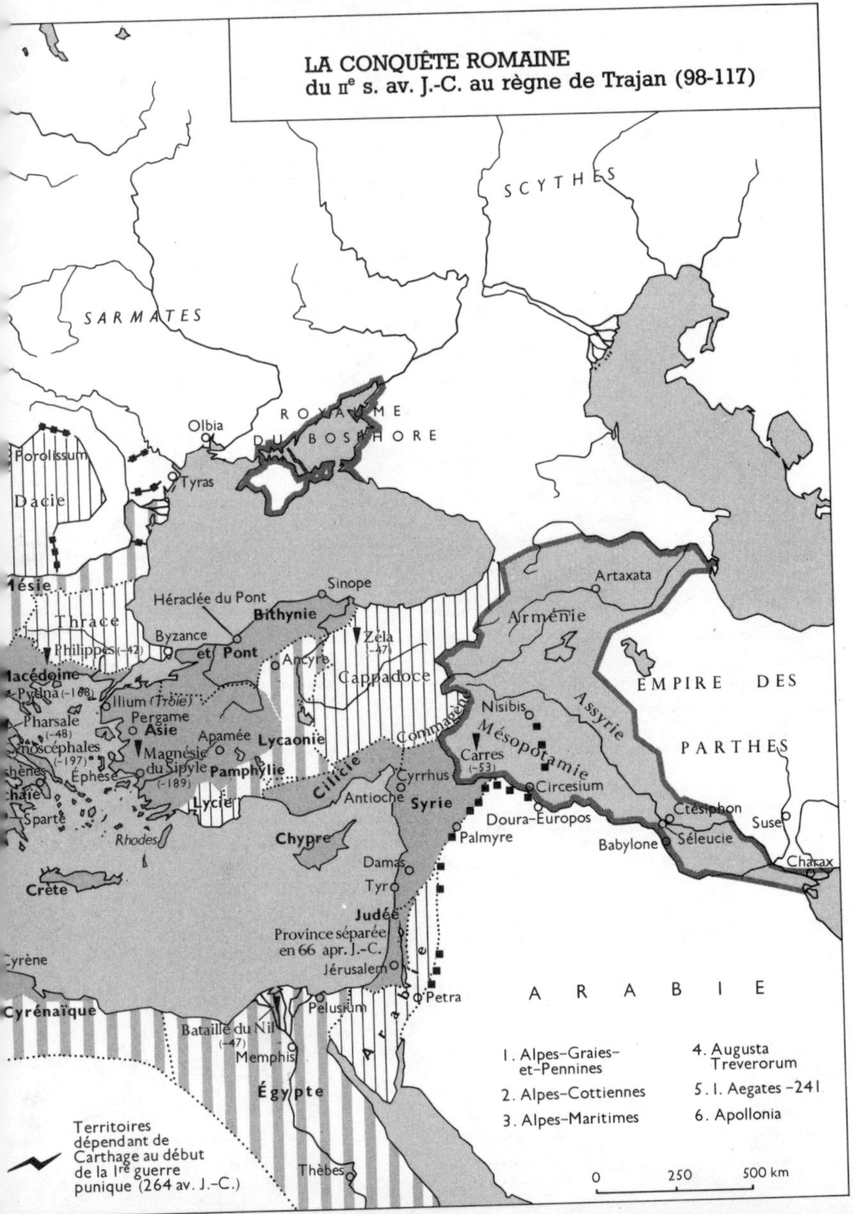
LA CONQUÊTE ROMAINE
du IIe s. av. J.-C. au règne de Trajan (98-117)
SCYTHES
SARMATES
ROYAUME DU BOSPHORE
Olbia
Porolissum
Tyras
Dacie
Mésie
Thrace
Sinope
Héraclée du Pont
Bithynie et Pont
Byzance
Philippes (-42)
Macédoine
Pydna (-168)
Zéla (-47)
Ancyre
Cappadoce
Ilium (Troie)
Pergame
Asie
Pharsale (-48)
Cynoscéphales (-197)
Apamée
Lycaonie
Magnésie du Sipyle (-189)
Pamphylie
Éphèse
Lycie
Sparte
Rhodes
Crète
Chypre
Cilicie
Commagène
Antioche
Cyrrhus
Syrie
Artaxata
Arménie
Assyrie
Mésopotamie
Nisibis
Carres (-53)
Circesium
Doura-Europos
Palmyre
EMPIRE DES PARTHES
Ctésiphon
Séleucie
Babylone
Suse
Charax
Damas
Tyr
Judée
Province séparée en 66 apr. J.-C.
Jérusalem
Petra
Arabie
ARABIE
Pelusium
Bataille du Nil (-47)
Memphis
Égypte
Thèbes
Cyrène
Cyrénaïque
1. Alpes-Graies-et-Pennines
2. Alpes-Cottiennes
3. Alpes-Maritimes
4. Augusta Treverorum
5. I. Aegates -241
6. Apollonia
Territoires dépendant de Carthage au début de la Ire guerre punique (264 av. J.-C.)
0 250 500 km

ROME SOUS LA RÉPUBLIQUE

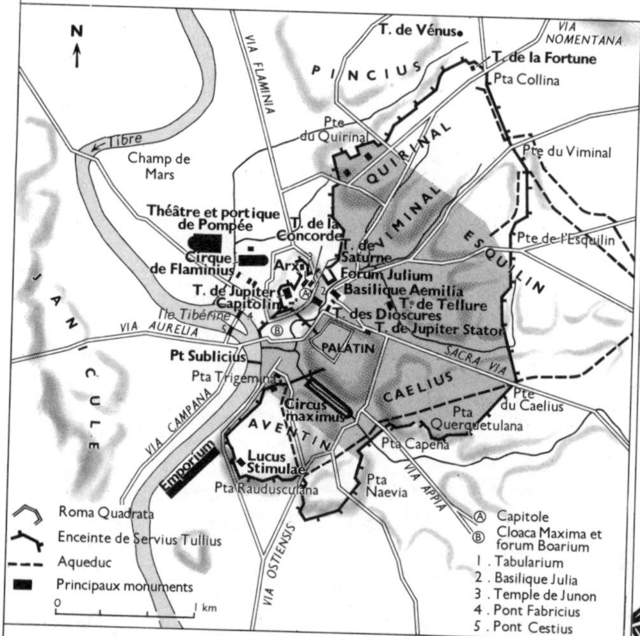

RÉGIONS DE ROME
Divisions administratives

I. PORTA CAPENA
II. CAELI MONTIUM
III. ISIS ET SERAPIS
IV. TEMPLUM PACIS
V. ESQUILIAE
VI. ALTA SEMITA
VII. VIA LATA
VIII. FORUM ROMANUM
IX. CIRCUS FLAMINIUS
X. PALATIUM
XI. CIRCUS MAXIMUS
XII. PISCINA PUBLICA
XIII. AVENTINUS
XIV. TRANSTIBERIM

Limite de quartier

Zone supposée habitée

C. COLONNE
D. DOMUS
F. FORUM
M. MAUSOLÉE
P. PORTIQUE
PA. PALAIS
PT. PONT
T. TEMPLE
TH. THÉÂTRE
TM. THERMES

1. TEMPLE DE JUPITER
2. TABULARUM
3. PRISON
4. BASILIQUE JULIA
5. MAISON DES VESTALES
6. TEMPLE DE CYBÈLE
7. MAISON DE LIVIE
8. TEMPLE DE LA FORTUNE VIRILE
9. FORUM BOARIUM
10. FORUM OLITORIUM
11. THERMES DE TITUS
12. PANTHÉON
13. TM. D'AGRIPPA
14. P. DE PHILIPPE
15. TH. DE BALBUS

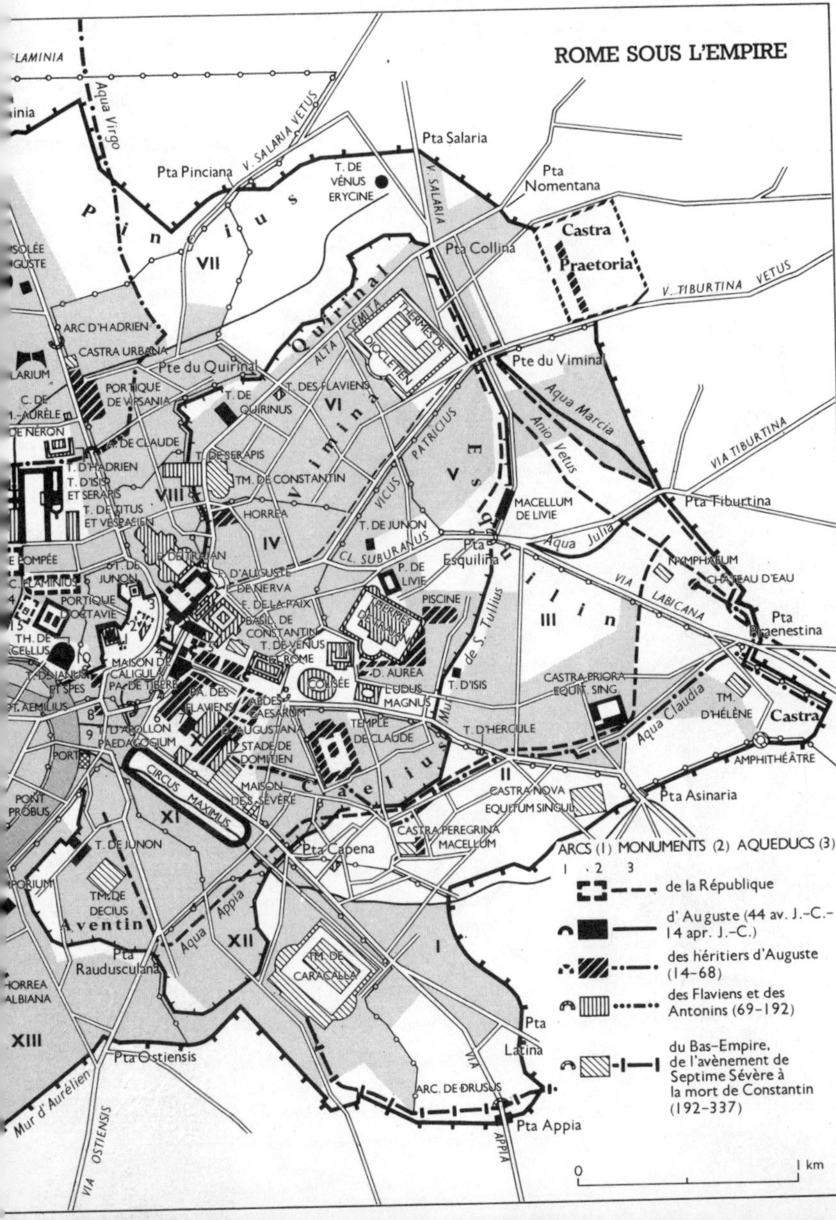
ROME SOUS L'EMPIRE
FLAMINIA
Aqua Virgo
V. SALARIA VETUS
Pta Salaria
Pta Pinciana
T. DE VÉNUS ERYCINE
Pta Nomentana
V. SALARIA
Pincius
VII
Castra Praetoria
Pta Collina
V. TIBURTINA VETUS
Quirinal
ALTA SEMITA
THERMES DE DIOCLÉTIEN
ARC D'HADRIEN
CASTRA URBANA
Pte du Quirinal
Pte du Viminal
PORTIQUE DE VIPSANIA
T. DE QUIRINUS
T. DES FLAVIENS
VI
Aqua Marcia
Anio Vetus
VIA TIBURTINA
C. DE M.-AURÈLE
DE NÉRON
A. DE CLAUDE
T. DE SERAPIS
Viminal
VICUS PATRICIUS
V
Esquilin
T. D'HADRIEN
T. D'ISIS ET SERAPIS
TM. DE CONSTANTIN
VIII
T. DE TITUS ET VESPASIEN
HORREA
MACELLUM DE LIVIE
Pta Tiburtina
T. DE JUNON
IV
Aqua Julia
F. DE TRAJAN
CL. SUBURANUS
Pta Esquilina
F. D'AUGUSTE
DE NERVA
P. DE LIVIE
NYMPHAEUM
CHATEAU D'EAU
T. DE JUNON
C. FLAMINIUS
PORTIQUE D'OCTAVIE
F. DE LA PAIX
BASIL. DE CONSTANTIN
THERMES DE TRAJAN
PISCINE
VIA LABICANA
III
Pta Praenestina
TH. DE MARCELLUS
T. DE VÉNUS ET ROME
MAISON DE CALIGULA
PA. DE TIBÈRE
D. AUREA
COLISÉE
LUDUS MAGNUS
T. D'ISIS
Mur de S. Tullius
CASTRA PRIORA EQUIT. SING.
T. DE JANUS ET SPES
PA. DES FLAVIENS
AEDES CAESARUM
TM. D'HÉLÈNE
Castra
Aqua Claudia
PT. AEMILIUS
T. D'APOLLON
PAEDAGOGIUM
D. AUGUSTANA
TEMPLE DE CLAUDE
T. D'HERCULE
STADE DE DOMITIEN
AMPHITHÉÂTRE
PORT
CIRCUS MAXIMUS
Caelius
II
MAISON DES SÉVÈRE
CASTRA NOVA EQUITUM SINGUL.
Pta Asinaria
PONT PROBUS
XI
CASTRA PEREGRINA
MACELLUM
T. DE JUNON
Pta Capena
ARCS (1) MONUMENTS (2) AQUEDUCS (3)
1 2 3
de la République
EMPORIUM
TM. DE DECIUS
d' Auguste (44 av. J.-C.-14 apr. J.-C.)
Aventin
Aqua Appia
XII
I
Pta Raudusculana
TM. DE CARACALLA
des héritiers d'Auguste (14-68)
HORREA ALBIANA
des Flaviens et des Antonins (69-192)
XIII
Pta Ostiensis
Pta Latina
du Bas-Empire, de l'avènement de Septime Sévère à la mort de Constantin (192-337)
VIA
ARC. DE DRUSUS
Mur d'Aurélien
VIA OSTIENSIS
Pta Appia
APPIA
0
1 km

LES VOIES ROMAINES
EN ITALIE
V. Cl. Augusta
Aquilée
Mediolanum
Vérone
Concordia
Tarsatica
Save
Pô
Via Postumia
Via Flavia
GAULE
CISALPINE
Dertona
Plaisance
Pola
Vada Sabatia
Parme
Mutina
Via Popilia
Via Aemilia
Bononia
Gênes
D A L M A T I E
Luna
Ariminum
-187
-109 Via
Aemilia Scauri
Pisae
Florentiae
Tibre
Via Flaminia
-220
Ancône
Vada Volaterrana
Populonia
Arretium
Firmum
Asculum
Via Clodia
Via Salaria
Castrum novum
Mariana
Via Caecilia -177
Aternum
C O R S E
Cosa
Via Aurelia
-241
Corfinium
ROME
Via Latina
Lissus
Palla
Ostie
Sipontum
Beneventum
Via Traiana
Via Appia
-312
Capoue
Via Appia
Venusia
Brundisium
Olbia
Via Domitiana
Naples
Tarente
Via Popilia
S A R D A I G N E
Corcyra
Caralis
Messine
Panormus
Via Valeria
Drepanum
Rhegium
Lilybée
Via Pompeia
SICILE
Catane
Agrigente
Carthage
Syracuse
A F R I Q U E
Melita
Voies importantes
Voies moins importantes
Délimitation des principales voies romaines
Régions soumises à Rome en 121 av. J.-C.
N Via Claudia Nova
V Via Claudia Valeria
C Via Cassia (177 av. J.-C.)
J Via Julia Augusta
0
150
300

Dictionnaire

Les mots suivis d'un * renvoient à une entrée du dictionnaire.
La → correspond à des renvois d'entrées dont le sens est proche dans le texte.

a

Accusateur → délateur.

acteurs (histriones). Les premiers artistes qui vinrent à Rome en 364 av. J.-C. étaient étrusques* (chanteurs, danseurs, vêtus de costumes rituels). En fait, ce n'est qu'en 240, date de la représentation de la première pièce de Livius* Andronicus, que se sont constituées des troupes d'acteurs. Elles comprenaient, sous la direction d'un chef de troupe (*dominus gregis*), des acteurs, des musiciens, des figurants, des machinistes. Il n'y avait pas de femmes, sauf pour les mimes. Le costume était grec (*pallium*) pour les pièces à sujet grec (*palliatae*), romain (toge ordinaire ou prétexte) pour les pièces à sujet romain (comédies, *togatae ;* tragédies, *praetextae*). Le cothurne était la chaussure* des acteurs tragiques, le *soccus* celle des acteurs comiques. La perruque (blanche pour les vieillards, rousse pour les esclaves, noire pour les hommes jeunes) permettait de distinguer les rôles. Le masque* ne fut introduit qu'au temps de Cicéron*. La profession d'acteur fut longtemps décriée et interdite aux citoyens ; toutefois, à partir du Ier s. av. J.-C., on se montra moins sévère à son égard. → représentations dramatiques ; théâtre.

actions de la loi (actiones legis), **procédure civile qui fut seule en usage jusqu'au IIe s. av. J.-C. (Elle fut alors remplacée par la procédure dite « formulaire* et, finalement, abrogée sous Auguste.)**

Dans la procédure des « actions de la loi », le demandeur choisit la formule qui lui paraît convenir pour présenter sa requête. Les formules d'actions étaient rédigées une fois pour toutes, et l'on ne pouvait utiliser que les actions reconnues par la loi. Elles se réduisaient à cinq types : trois étaient introductives du procès*, deux servaient de voies d'exécution. Les inconvénients de cette procédure étaient son formalisme (la moindre erreur entraînant la perte du procès) et son caractère immuable.

Actium, promontoire d'Acarnanie (au nord de l'Étolie), où Octave* et Agrippa* écrasèrent la flotte d'Antoine* (2 sept. 31 av. J.-C.). Cette bataille, au cours de laquelle Antoine semble s'être montré piètre tacticien, fut de grande conséquence, puisque, par sa victoire, Octave resta seul maître de Rome.

adoption (adoptio), acte juridique par lequel un père de famille prend sous sa puissance paternelle (*patria potestas**), en qualité de fils ou de fille, un membre d'une autre famille qui est lui-même sous puissance paternelle (les juristes disent un *alieni juris*). Cet acte se fait devant le préteur* ou, dans les provinces, devant le gouverneur* : il consiste en une triple vente fictive qui détruit la *potestas* du père naturel → **puis-**

sance paternelle. Puis l'adoptant revendique comme son fils celui qu'il veut adopter. Le magistrat lui adjuge alors l'adopté. Ces dernières formalités sont en fait celles de tel mode de transfert de propriété. L'adopté, auquel, d'ailleurs, on n'a pas demandé son consentement, jouit dans sa nouvelle famille de la même situation que s'il y était né : il prend le nom* de son nouveau père, devient son héritier, vénère les dieux* domestiques, etc. Il n'est plus uni à sa famille que par les liens du sang (*cognatio*). Toutefois la *potestas* de l'adoptant ne s'étend pas sur les descendants de l'adopté. On adopte le plus souvent quand on n'a pas d'enfant, pour assurer la continuité du nom et le culte des dieux domestiques. Sous l'Empire*, l'adoption a joué un grand rôle en contribuant à former des dynasties (les Julio-Claudiens, les Antonins). Les Romains distinguaient de l'adoption une institution voisine, l'adrogation*.

adrogation (adrogatio), **forme d'adoption* en vigueur lorsque l'adopté est une personne soustraite à la *patria potestas** (c'est-à-dire un *sui juris*).**

Les conséquences et les formalités de l'adrogation sont plus importantes que celles de l'adoption proprement dite. En effet, pratiquement, l'adrogation est l'adoption d'un *pater familias** par un autre *pater familias* : elle entraîne donc la suppression d'une *familia*, les cultes familiaux disparaissent, le patrimoine de l'adrogé passe aux mains de l'adrogeant et, enfin, les descendants de l'adrogé tombent sous la puissance de leur nouveau *pater familias*. La procédure consiste en une enquête des pontifes sur les conditions de l'adrogation, et une décision des comices curiates* ; de plus l'adrogé doit être consentant, ce qui n'est pas nécessaire dans le cas de l'adoption.

Aerarium (de *aes*, airain, monnaie). **Trésor public, déposé dans le temple* de Saturne, au pied du Capitole*, d'où son nom d'*Aerarium Saturni*.**

Sous la République*, deux questeurs* l'administrent; sous l'Empire*, ce sont deux préfets* qui en ont la direction. Mais, à cette époque, il perd de son importance, car il existe, en plus, le trésor de l'empereur (*fiscus*) ; au IIIe s. apr. J.-C., l'*Aerarium Saturni* n'est qu'une caisse municipale.

L'*Aerarium sanctius* désigne un fonds de réserve spécial, constitué de lingots d'or. L'*Aerarium militare* est la caisse militaire créée par Auguste* et destinée à servir de caisse de retraite pour les soldats*.

affiche (proscriptio). Les affiches ont existé à Rome comme dans toute l'Antiquité : on les utilisait à des fins publicitaires, électorales, administratives, etc. → **proscriptions.**

affranchissement (manumissio), **procédure donnant à l'esclave le statut d'affranchi (*libertinus, libertus*).**

Il y avait trois modes d'affranchissement : *per vindictam* (« par la baguette »), simulacre de procès*, au cours duquel un citoyen*, en présence d'un magistrat*, du maître et de l'esclave*, touchait la tête de ce dernier avec sa baguette, en déclarant : « Je dis que cet homme est libre » ; *censu* (« par le cens* »), le maître fait inscrire son esclave sur les registres du cens ; *per testamentum* (« par testament* »), à la mort du maître, l'esclave était libéré directement, ou bien par un héritier. Au cours d'une cérémonie, l'affranchi coiffait parfois le bonnet phrygien*, symbole de sa liberté. Il prenait désormais les nom* et prénom de son ancien maître, son nom d'esclave devenant son surnom : ainsi Tiron, affranchi par Cicéron*, s'appela *Marcus Tullius Tiro*. Mais l'affranchi ne jouit pas encore de tous les droits du citoyen : il ne peut épouser une « ingénue* » ; il n'est pas éligible ; inscrit dans une des quatre tribus* urbaines, il n'exerce pratiquement pas son droit de vote* ; jusqu'à Marius* il ne peut servir dans une légion* ; son ancien maître demeure son patron*. Toutefois, les enfants d'un affranchi sont ingénus*. Pour empêcher des affranchissements trop nombreux, certaines lois* visèrent à restreindre les conditions dans lesquelles il était permis à un maître d'affranchir ses esclaves.

D'autre part, sous l'Empire*, on créa d'autres modes d'affranchissement, donnant un statut civique inférieur (par ex., les affranchis latins juniens). Bien que tenus à l'écart par la « bonne société », les affranchis ont souvent joué un grand rôle dans la vie de la cité. Parmi eux se recrutent les médecins*, les architectes*, les musiciens*, les grammairiens*; Livius* Andronicus, Térence*, Phèdre* étaient des affranchis; Horace* était fils d'affranchi; sous l'Empire, ils ont souvent occupé d'importantes fonctions dans les services impériaux; certains empereurs* eurent des affranchis pour conseillers (par ex., Pallas et Narcisse à la cour de Claude).

ager publicus (« domaine public »). L'*ager publicus* est constitué par tous les biens immeubles que l'État acquérait par la conquête (Rome prenait en effet le tiers ou la moitié de leurs terres aux populations vaincues), dont il héritait (par ex., Attale légua à Rome le royaume de Pergame en 134 av. J.-C.), ou qu'il confisquait à des condamnés. Selon leur nature, ces biens avaient une destination différente; les uns étaient exploités par Rome (les mines* et les forêts surtout), d'autres (les terres cultivées) étaient attribués à des colons ou à des particuliers, moyennant une redevance, d'autres enfin (terres non cultivées) servaient de pâturages publics, moyennant une taxe; mais en principe l'*ager publicus* n'était cédé qu'à titre de « possession » (jouissance) et non de « propriété » (*dominium*) et, comme tel, révocable. En fait, à la fin de la République*, quelques grands propriétaires se partagent l'*ager publicus* d'Italie* et le considèrent comme leur propriété personnelle.

âges de la vie. D'une manière générale, les Romains étaient moins précis que nous quand il s'agissait de dire l'âge de quelqu'un. De la naissance à l'âge de 7 ans, le jeune Romain est *infans* (« qui ne parle pas »); jusqu'à 16 ans, il est *puer*; la 17e année est celle de sa majorité politique : au cours d'une cérémonie qui a lieu lors de la fête de Bacchus, le 16 mars (*Liberalia*), le jeune homme abandonne la toge* prétexte pour revêtir la toge virile, toute blanche; il dépose sa « bulle d'or* », qu'il dédie au Lare* de la maison*; il est conduit solennellement au forum*, symbole de son entrée dans la vie publique, à laquelle il commencera à participer (droit de vote, service militaire); mais, en droit privé, il n'atteindra sa majorité qu'à l'âge de 25 ans; il est *adulescens* jusqu'à 30 ans, *juvenis* de 30 à 45 ans, *senior* de 46 à 60 ans et *senex* de 60 à 80 ans; au-delà, le Romain est dit *grandis natu*, ou *provectus aetate* (« d'un âge avancé »). Les Romains peuvent se marier dès l'âge de 14 ans; ils doivent le service militaire de 17 à 60 ans (de 17 à 46 ans, ils figurent dans l'armée* active; de 46 à 60 ans, dans l'armée sédentaire).

Pour les Romaines, les désignations se font selon leur « état civil »; jusqu'à l'âge de 7 ans, la Romaine est *infans*; jeune fille, elle est dite *puella*; elle peut se marier à 12 ans : elle est alors *uxor* (épouse), *matrona**, *mater* (mère de famille); la femme âgée est dite *anus*.

Agricola (C. Julius Agricola : 40-93 apr. J.-C.), général romain, originaire de Fréjus (*Forum Julii*). Sa famille appartenait à l'aristocratie locale; il fit ses études à Marseille* et commença une carrière* sénatoriale : questeur* en Asie (64), consul* en 78, puis gouverneur* de (Grande-)Bretagne. Il pacifia la région et remporta de belles victoires. Il vécut dans une demi-disgrâce sous Domitien. Son gendre, le grand historien Tacite*, lui a consacré une biographie.

agriculture. La tradition représente les premiers habitants de Rome (Latins) comme des éleveurs; la culture serait venue ensuite, avec l'arrivée des Sabins. En fait, il est vraisemblable que la culture et l'élevage ont été pratiqués concurremment. S'il est vrai que, dans les premiers siècles, Rome ne connaissait pas la propriété individuelle, on peut penser que parmi les terres qui appartenaient à une *gens** les unes étaient partagées en lots, sur lesquels les familles de la même *gens* cultivaient les produits dont elles avaient besoin, tandis que, sur les autres terres, paissait en commun le troupeau. En dehors des céréales, qui ont été pendant longtemps la richesse de l'Italie, les productions sont variées : légumineuses, arbres fruitiers (certaines espèces d'Asie et d'Afrique ayant été acclimatées), plantes textiles. Mais, peu à peu, quand Rome a commencé à importer du blé de ses provinces* (Sicile et Sardaigne, puis Espagne, Afrique, enfin Égypte), l'agriculture romaine s'est intéressée surtout à la vigne et à l'olivier. Il n'est pas certain que les *lati-*

*fundia** aient été aussi largement répandus qu'on le dit dans toute l'Italie. Il semble, en particulier dans l'Italie du Nord, que les riches propriétaires aient souvent possédé et mis en valeur des terres morcelées. Pour améliorer le rendement, les Romains ont utilisé les engrais (organiques et minéraux) et pratiqué, de préférence à la jachère, la rotation des cultures. Contre les maladies, ils recouraient au vin, à l'eau résiduelle des olives, au carbonate de soude. L'irrigation des cultures était courante.

Agrippa (M. Vipsanius Agrippa : 63-12 av. J.-C.). Il épousa en 21 la fille d'Auguste*, Julie*, veuve de Marcellus ; homme de guerre, il sut organiser efficacement la lutte contre les Pompéiens après Pharsale* et fut chargé de la guerre d'Illyrie. En 18, Auguste l'appela au pouvoir à ses côtés, créant ainsi un « principat* double ». Mais la célébrité d'Agrippa est due surtout aux grands travaux urbains qu'il entreprit à Rome* : thermes*, jardins*, Panthéon, réorganisation des égouts*. Il fut un homme soucieux de bien servir Auguste et l'Empire* naissant.

Agrippine. Deux Romaines illustres ont porté ce nom :

1° Agrippine l'Aînée (*Vipsania Agrippina*), épouse de Germanicus*, dont elle eut neuf enfants ; parmi eux, le futur empereur Caligula et Agrippine la Jeune, mère de Néron* ; ses rapports avec Tibère* furent assez mauvais ; elle fut exilée dans l'île de Pandataria, où elle mourut (33 apr. J.-C.)

2° Agrippine la Jeune(*Julia Agrippina*), fille de la précédente et épouse de Cn. Domitius Ahenobarbus, dont elle eut un fils, Néron. Elle vécut à la cour de son frère, l'empereur Caligula ; mais, compromise dans une conjuration, elle fut exilée dans l'île de Pontia (39 apr. J.-C.). À la mort de Messaline, elle épousa Claude (49), qu'elle persuada d'adopter Néron. Quand Claude mourut, vraisemblablement empoisonné, Néron accéda à l'Empire (54). Il échappa bientôt à l'influence de sa mère et, finalement, la fit assassiner (59).

Albe → **Horaces ; origines de Rome.**

album, tout ce qui est blanc ou blanchi (mur, tablettes*...) et, en particulier, tout ce qui est utilisé pour annoncer quelque communication.

Sur l'*album centuriae* étaient inscrits les noms des citoyens* de chaque centurie* ; sur l'*album judicum*, ceux des citoyens susceptibles d'être nommés juges* ; sur l'*album pontificum*, exposé à la porte du Grand Pontife*, étaient consignés les *Annales Maximi* ; l'*album praetoris* portait l'édit* annuel du préteur* ; l'*album senatorum*, la liste des sénateurs*, etc.

Allia, rivière qui se jette dans le Tibre, en pays sabin, à 18 km en amont de Rome. Près de cette rivière, les Romains subirent une défaite (390 av. J.-C.) devant les Gaulois, dont l'aspect sauvage et les méthodes de guerre provoquèrent leur débandade.

alliés → **colonies latines ; guerre Sociale ; villes fédérées.**

alphabet. L'alphabet latin dérive de l'alphabet grec, par l'intermédiaire des Étrusques*. À l'époque classique, il est constitué de 21 lettres : A B C D E F G H I K L M N O P Q R S T V X. Au Iᵉʳ s. av. J.-C., on le compléta par les deux signes Y et Z pour la transcription des termes grecs. La lettre G n'apparut qu'au IIIᵉ s. av. J.-C., ce qui explique que, dans les abréviations, on ait continué à utiliser la lettre C (C. = Gaius) ; jusqu'alors, en effet, la distinction entre la gutturale sourde et la gutturale sonore n'était pas notée. Il faut remarquer que les signes I et J, que nous distinguons, sont notés en latin par I, de même que U et V sont notés par V. Mais cet usage n'est pas respecté dans nos éditions scolaires de textes latins.

ameublement (suppelex). L'ameublement romain était beaucoup plus réduit que le nôtre, même dans les riches *domus**. Lits*, sièges*, tables*, armoires constituaient l'essentiel du mobilier ; à quoi l'on peut ajouter les tentures* et les tapis*. Une seconde caractéristique de ce mobilier, c'est que le bois semble avoir été moins utilisé que dans le monde moderne.

amphithéâtre (amphitheatrum). L'amphithéâtre ne dérive pas du théâtre* mais est à peu près sûrement une invention campanienne. Le plus ancien amphithéâtre de Rome ne date que de la fin du Iᵉʳ s. av. J.-C. Un amphithéâtre comporte trois parties essentielles : — les gradins, où prennent place les spectateurs ; — l'arène (*arena*, « sable »), où évoluent les combattants ; — les coulisses, ménagées sous l'arène et sous les gradins, où sont disposées des cages pour les bêtes et des pièces pour les combattants. Certains amphithéâtres étaient susceptibles d'être transformés en bassins pour les naumachies*. C'est dans les amphithéâtres qu'avaient lieu les combats de gladiateurs* et les chasses*.

Le plus célèbre et le plus grand est l'amphithéâtre Flavien, plus connu sous le nom de Colisée, qu'il doit sans doute au « colosse de Néron », gigantesque statue de l'empereur représenté en dieu-Soleil, qui s'élevait à proximité. Extérieurement, le Colisée forme une vaste ellipse de 188 sur 156 m, et mesure 48,50 m de hauteur. Il pouvait contenir environ 50 000 spectateurs. Commencé sous Vespasien, il fut achevé sous Domitien.

amulette (amuleta), **objet doté d'un pouvoir magique, susceptible de détourner le mauvais œil, de conjurer le mauvais sort, de prévenir les accidents, etc.**

La matière (pierres et métaux précieux), la forme (anneaux, bijoux*, bulles*...), le dessin (animaux*, végétaux...) sont très variés. Les amulettes peuvent porter ou contenir des formules magiques.

Ancus Martius → origines de Rome.

animaux.

1. *Animaux domestiques* : l'Antiquité gréco-romaine a connu tous nos animaux domestiques, excepté le dindon, venu d'Amérique au XVIᵉ s.

2. *Animaux familiers* : il y avait généralement plus d'animaux dans les maisons romaines qu'il n'y en a aujourd'hui dans les nôtres : singes, perdrix, colombes, serpents, moineaux et, bien entendu, des chiens. Les oiseaux en cage et les chats semblent avoir été rares. Les enfants élevaient des souris, qu'ils attelaient à des chars miniatures pour imiter les courses* du cirque*.

3. *Animaux sacrés* : il n'y a eu chez les Romains ni totémisme ni zoolâtrie ; mais certains animaux ont un caractère sacré, en ce sens qu'ils sont associés, d'une façon ou d'une autre, au culte d'une divinité (attributs traditionnels, animaux familiers, victimes préférées pour les sacrifices). Par ex., l'aigle est associé à Jupiter, la colombe à Vénus ; on sacrifie un bœuf blanc à Jupiter, une truie à Cérès, un cheval à Mars ; aux fêtes des Lupercales, les luperques* (les « prêtres-loups »), après le sacrifice d'un bouc, courent autour du Palatin, en frappant avec les lanières provenant de la peau du bouc sacrifié les femmes qui veulent être mères. → poulets sacrés.

anneau d'or (anulus aureus), **insigne honorifique porté par les sénateurs* et les chevaliers*. Sous l'Empire*, il n'est plus qu'une décoration généreusement octroyée.**

anniversaire. Comme aujourd'hui, on fêtait à Rome les anniversaires de naissance* et ceux des grands événements publics. Sous l'Empire, l'anniversaire de la naissance de l'empereur* et celui de son avènement étaient célébrés par des réjouissances publiques.

Antoine (M. Antonius : 82-30 av. J.-C.). Marc Antoine commença sa carrière à l'ombre de César*, qu'il suivit en Gaule* (54-50) et grâce à qui il obtint le tribunat* de la plèbe en 50. Toutefois, au sénat*, il ne fut pas en mesure de s'opposer au vote* d'un décret qui ôtait ses pouvoirs à César, et il rejoignit celui-ci dans la guerre contre le pouvoir légal. Il prend part aux campagnes d'Italie et de Grèce : il est à Pharsale* en 48. Quatre ans plus tard, il est le collègue de César au consulat*. Mais après les ides* de mars 44, il devait entrer en conflit avec Octave*, fils adoptif de César, qui revendiquait aussi la première place dans l'État. Cicéron* prend parti pour Octave et prononce contre Antoine ses *Quatorze Philippiques* (sept. 44-avril 43), ainsi appelées par analogie avec les célèbres discours de Démosthène. En avril 43, Antoine est battu par Octave à Modène. Toutefois, et bien que déclaré « ennemi* public » par la sénat, Antoine demeure dangereux. En Narbonnaise, il reçoit l'appui de Lépide, l'ancien maître de cavalerie* de César, qui lui donne son armée*. Entre-temps, Octave a occupé Rome et, changeant de politique, s'entend avec Antoine et Lépide pour former le « deuxième triumvirat* » (oct. 43). Cette entente est suivie de proscriptions*, dont une des plus célèbres victimes fut Cicéron, sacrifié par Octave à la vengeance d'Antoine.

En 42, celui-ci bat à Philippes (Macédoine) les troupes de Brutus* et Cassius qui, fidèles au parti pompéien, avaient assassiné César et voulaient restaurer la République*. Devenu maître du monde oriental, Antoine retrouva Cléopâtre et la suivit en Égypte ; néanmoins, il épousa Octavie*, sœur d'Octave, et renouvela en 37 le triumvirat pour cinq ans encore.

En 36, il essuie une défaite devant les Parthes ; et tandis que, de plus en plus, Octave assure son pouvoir en Occident, Antoine se laisse aller à mener la vie d'un despote oriental, fournissant ainsi des arguments contre lui-même à la propagande d'Octave. En janvier 32, les pouvoirs des triumvirs expiraient, et Octave fait déclarer la guerre à Cléopâtre par le sénat ; la flotte de la reine est battue à Actium* (31). Cette défaite entraîna le suicide d'Antoine et de Cléopâtre (30), peu avant l'entrée d'Octave à Alexandrie.

Antonin le Pieux **(Imperator Caesar Aelius Hadrianus Antoninus Augustus Pius : 86-161 apr. J.-C.).** Né à Lanuvium d'une famille de riches propriétaires, il suivit la carrière* sénatoriale qui le mena au consulat* en 120, et au proconsulat* d'Asie de 133 à 136. En 138, il est adopté par Hadrien, qui appréciait sa sagesse. Il fut un empereur pacifique, humain et économe.

Son surnom « le Pieux » lui vient de la piété* qu'il montra envers son père adoptif, Hadrien, qu'il eut quelque mal à faire diviniser. Il fit élever un temple à la mémoire de son épouse Faustine (temple d'Antonin et de Faustine). Avec son règne, l'Empire* atteint son apogée.

apiculture. L'apiculture a tenu une grande place dans l'Antiquité gréco-romaine. Il existait sur ce sujet de nombreux traités, et Virgile* y a consacré un chant de ses *Géorgiques*. On utilisait des ruches de liège et d'osier tressé ; le miel était récolté par enfumage des abeilles ; il y avait deux ou trois récoltes annuelles.

On distinguait plusieurs qualités de miel selon les plantes butinées, les régions et les saisons. Les Romains appréciaient particulièrement le miel d'Hybla (Sicile). On le consommait naturellement, en rayons, comme dessert, ou encore comme sucre en pâtisserie. Quant à la cire, la plus recherchée était la « cire punique », blanche, préparée avec de l'eau de mer et du carbonate de soude. Selon les usages, on la teignait de différentes couleurs. On l'utilisait comme vernis, comme enduit (pour le bois des navires*, pour les tablettes*, etc.), assez tardivement pour la fabrication des bougies. Elle servait également à la confection de statuettes, de poupées*, de bustes ; enfin, elle entrait dans la composition de nombreux médicaments.

apothéose. C'est, sur une décision du sénat*, la divinisation d'une empereur* à sa mort (*consecratio*). Le rite en est minutieusement réglé. Au terme de cérémonies qui durent plusieurs jours, l'empereur est déclaré *divus* (dieu). Son culte est assuré par un collège de prêtres* et un flamine*. Parfois, outre l'empereur, certains membres de la famille impériale reçoivent l'apothéose, avec le titre de *divus* ou *diva* (Livie, épouse d'Auguste ; Trajan père ; Faustine, épouse de Marc Aurèle...). En principe, seuls les « bons empereurs » étaient divinisés ; mais, à partir de Nerva (fin du Ier s. apr. J.-C.), l'apothéose devint pratiquement une règle. → **augustales ; culte impérial ; flamines.**

appel au peuple, possibilité pour un citoyen* de faire appel à l'assemblée* du peuple (*jus provocationis ad populum*) de toute décision comportant à son égard la peine de mort ou d'exil*.

Cette disposition qui restreignait l'*imperium** du magistrat* fut battue en brèche dès le IIIe s. av. J.-C. ; d'autre part, la création des tribunaux* permanents, qui en principe offraient les mêmes garanties et dont les décisions étaient sans appel, la rendit inutile.

Appius Claudius Caecus. Il est le célèbre censeur* de 312 av. J.-C. et la première grande personnalité de l'histoire romaine. D'origine patricienne*, il eut une carrière extrêmement brillante : deux fois consul*, dictateur*, censeur. Il mena une politique favorable aux affranchis* et aux plébéiens*, qu'il fit entrer au sénat*, et répartit de façon plus équitable dans les centuries* et les tribus*, de manière que le droit de vote* fût moins théorique. Mais ces mesures n'eurent guère de suite. De même, pendant sa censure, il fit divulguer les formules de procédure* permettant d'utiliser la loi des XII Tables*. On lui doit la construction de la *via Appia* (route* de Rome à Capoue) et de l'*aqua Appia* (aqueduc* de 16,500 km amenant l'eau des collines à l'est de Rome). En 280, il persuada le sénat de ne pas accepter le traité de paix que lui proposait Pyrrhus, vainqueur des Romains à Héraclée (au sud-ouest de Tarente). Attiré par l'hellénisme* et le pythagorisme, il a laissé un recueil de sentences morales écrites en vers saturniens* (*Carmina de moribus*) et un traité de droit*.

Apulée, romancier et philosophe (Madaure, Numidie, v. 125-170 apr. J.-C.). Il étudia à Carthage* et à Athènes ; platonicien, initié aux mystères d'Éleusis, de Mithra, d'Isis, il a laissé un chef-d'œuvre, *les Métamorphoses* ou *l'Âne d'or* ; ce roman d'aventures contient des scènes savoureuses de réalisme, mais aussi des pages d'une grande délicatesse et d'un mysticisme profond.

aqueduc (aquaeductus). Sans doute a-t-on construit des aqueducs avant les Romains, mais ce sont eux qui ont généralisé les constructions en hauteur, les préférant aux conduites à ras du sol ou souterraines. La technique de la voûte et du blocage a permis la construction de superstructures qui, franchissant les accidents de terrain, diminuaient la longueur des tracés, permettaient d'établir la pente la plus favorable à l'écoulement (les ingénieurs romains n'aimaient guère avoir recours aux siphons) et de préserver l'eau des souillures et des vols.

L'aqueduc romain le plus ancien est l'*aqua Appia* (« l'eau appienne »), construit par Appius* Claudius Caecus (312 av. J.-C.), d'une longueur de 16,500 km, mais ne parcourant qu'une centaine de mètres au-dessus du sol ; trois autres furent construits sous la République*, dont l'*aqua Marcia* (91 km), qui allait chercher l'eau en pays sabin. Au Ier s. apr. J.-C., on construisit encore six aqueducs pour alimenter Rome en eau : ainsi vers la fin du Ier s. apr. J.-C., pour une population d'environ 1 million d'habitants, les différents aqueducs déversaient 992 200 m^3 d'eau : les Romains disposaient donc en moyenne de 600 à 900 litres d'eau par habitant. Sous l'Empire*, le « Service des eaux » occupe un personnel considérable, et la charge de « curateur* des eaux » (*curator aquarum*) est l'une des plus hautes.

arc de triomphe (arcus). Porte monumentale comprenant généralement une ou trois baies en plein cintre, entourées de colonnes et de bas-reliefs, et surmontées de statues, qui aujourd'hui ont disparu. Certains arcs ont quatre faces, percées chacune d'une baie (*quadrifrons*). L'origine des arcs de triomphe n'est pas hellénistique, mais proprement romaine. Ils dérivent des *fornices*, arcs constitués de deux pylônes reliés par une voûte et surmontés d'un attique, mais sans colonnes et de dimensions modestes. Leur signification originelle est vraisemblablement religieuse : après une campagne, les armées* doivent passer sous une porte sacrée pour déposer leur potentiel destructeur. Par la suite, l'arc de triomphe en vint à manifester la transcendance du vainqueur sur le reste de l'humanité. Sous l'Empire*, les arcs célèbrent moins une victoire pour elle-même que l'empereur, unique et perpétuel vainqueur. Mais certains arcs, élevés dans les provinces* par exemple, commémorent souvent un événement d'histoire locale. Parmi les plus célèbres, ceux de Titus, Septime Sévère, Constantin* à Rome, celui d'Orange, celui de Timgad...

architecture. Deux traits caractérisent l'architecture romaine et font son originalité : elle est essentiellement urbaine et « fonctionnelle ». En effet, alors que la Grèce s'était souciée avant tout d'honorer ses dieux* en leur élevant des temples*, Rome n'a pas oublié le confort des citoyens* et l'intérêt public. Mettant au point des techniques et usant de méthodes de construction ignorées des Grecs (appareil de blocage, voûte, coupole), les architectes et les ingénieurs romains (*architecti, machinatores*) surent construire des ouvrages audacieux, solides, et maîtriser les paysages.

C'est ainsi qu'ils édifièrent des constructions monumentales dont beaucoup demeurent encore aujourd'hui : thermes*, amphithéâtres*, aqueducs*, marchés*, théâtres*.

À cet égard, le célèbre pont du Gard illustre assez bien le goût de la beauté grandiose allié au souci de l'efficacité. Dans les villes, sens de l'urbanisme* et sens du décor architectural se mariaient harmonieusement.

Parmi les auteurs romains qui se sont préoccupés d'architecture, il convient de citer : Varron*, soucieux de la place qui devait revenir à l'enseignement de l'architecture ; Vitruve (*Sur l'architecture*, époque augustéenne) ; Frontin, deux fois consul*, curateur* du service des eaux (*Sur les aqueducs de la Ville*, mort en 103 apr. J.-C.). Nous connaissons certains architectes : Severus et Celer, qui ont bâti la Maison d'Or de Néron* (« villa » grandiose en pleine ville) ; Rabirius, auteur du Palais de Domitien sur le Palatin (*domus Flavia*), qui restera la résidence impériale ; Apollodore de Damas, l'architecte de Trajan* (forum*, marchés*). Ceux-ci toutefois, quoique fort considérés, ne donnèrent pas leur nom* aux constructions qu'ils édifièrent ; en effet, à Rome, le véritable « auteur » d'un monument reste le magistrat* ou l'empereur* qui en a eu l'idée : l'architecte n'est que son conseiller. → **Ordres architecturaux.**

archives (tabularium). Les archives familiales étaient conservées dans une pièce que l'on réservait à cet effet. Les archives officielles (textes de lois*, sénatus-consultes*, listes de recensement*, rapports...) étaient déposées dans le temple* de Saturne sous la République*, et sous l'Empire* dans le *Tabularium*, élevé au temps de Sulla sur le flanc sud-est du Capitole*.

Argées (Argei). On conservait à Rome*, dans un certain nombre de chapelles, des mannequins de jonc et d'osier appelés Argées (on ne connaît pas le sens exact du mot). Le 15 mai, on en précipitait une trentaine dans le Tibre du haut du pont Sublicius : les citoyens*, les vestales* et les pontifes* assistaient à ce sacrifice* de substitution, qui, avec la permission d'Hercule, remplaçait les sacrifices humains.

armée (exercitus). La composition et l'organisation de l'armée romaine ont beaucoup évolué au cours des siècles et il convient de distinguer plusieurs périodes.

1. *L'armée royale.* Seuls, à l'origine, les patriciens* et leurs clients* fournissent les effectifs militaires. Chaque curie* donnait 100 fantassins et 10 cavaliers, soit au total, pour les 30 curies, 3 000 fantassins et 300 cavaliers : cet ensemble constituait une « levée » (*legio*, légion).

2. *L'organisation « servienne ».* La répartition des citoyens (patriciens et plébéiens) en classes et centuries* a modifié sensiblement le visage de l'armée romaine. Les 18 centuries équestres constituent la cavalerie ; les cinq classes suivantes l'infanterie, lourde (les trois premières classes) et légère (les deux dernières classes) ; enfin les centuries les plus pauvres forment les corps du génie et de la musique* militaire. Ainsi s'établit une hiérarchie dans l'équipement et l'armement, qui correspond à la fortune, ce qui est normal étant donné que les citoyens s'équipent à leurs frais.

L'obligation de servir s'étend de l'âge de 17 ans à l'âge de 60 ans : mais les *juniores* (17 à 46 ans) font partie de l'armée active ; les *seniores* (46 à 60 ans) font partie de l'armée sédentaire à Rome* même. La légion comprend environ 4 000 hommes. L'ordre de combat est la phalange : une ligne continue de soldats sur six rangs.

3. *L'armée du IVe siècle.* La tradition attribue à Camille* une série de réformes : il institue la solde, rendue nécessaire par la prolongation des campagnes au-delà de l'été et la répartition des troupes non plus d'après la fortune, mais d'après la valeur et l'âge ; d'autre part, il choisit comme unité tactique le manipule (120 hommes, soit deux « centuries » de 60 hommes) et la légion comprend 30 manipules ; au combat, les manipules sont disposés sur trois rangs, en quinconce : le 1er rang est constitué des plus jeunes (*hastati*), le 2e des hommes d'âge mûr (*principes*), le 3e des légionnaires les plus expérimentés (*triarii*). Cette infanterie est soutenue par une infanterie plus légère (les vélites), par la cavalerie légionnaire (300 cavaliers répartis en 10 escadrons [*turmae*], et par les troupes alliées* (Italiens) et auxiliaires (mercenaires non italiens : fantassins gaulois, archers crétois, frondeurs des Baléares, cavaliers numides...). Au total, la légion et ses troupes annexes comptent environ 4 200 hommes. Au IVe s., on lève normalement 4 légions ; mais, en cas de nécessité, Rome aurait été capable d'en lever une dizaine.

4. *Réformes de Marius**. Marius créa une armée de métier en ouvrant l'armée romaine aux plus pauvres : les soldats, désormais, s'engagent pour une durée de 16 ans, pendant laquelle ils ne cessent de porter les armes. Cette décision lui permit de recruter une armée nombreuse, d'autant qu'en 89, après la « guerre Sociale* » l'Italie jusqu'à la Gaule* Cispadane comprise, a reçu le droit de cité*. D'autre part, Marius adopte comme unité tactique la cohorte (600 hommes), comprenant un manipule de *hastati*, un de *principes*, un de *triarii*. Il y a 10 cohortes par légion, auxquelles s'ajoutent 1 000 cavaliers étrangers.

5. *L'Empire**. Auguste* ne modifia pas sensiblement l'organisation de l'armée ; toutefois il apporta quelques changements à la cavalerie, notamment en réintroduisant la cavalerie légionnaire. Mais surtout il ouvrit l'armée aux provinciaux*, qui, au moment de leur engagement, obtenaient le droit de cité. L'abondance des enrôlements volontaires suffisait à maintenir les effectifs sans avoir recours à tous les citoyens. La durée du service est de 20 ans, et il est permanent. L'armée d'Auguste comprend 25 légions, soit environ 150 000 hommes. Mais il y a en plus les troupes auxiliaires (cohortes d'infanterie, de cavalerie, cohortes mixtes), à peu près aussi nombreuses ; le service y est de 25 ans ; ces corps sont recrutés dans les provinces (les troupes auxiliaires ne sont plus synonymes d'« étrangères »). Il faut ajouter les corps spéciaux : cohortes prétoriennes, vigiles urbains...

La hiérarchie militaire, dans une légion, est la suivante : 1° *République* : à la tête, les tribuns militaires* ; ils ont sous leurs ordres des centurions*, qui sont des officiers subalternes ; enfin, les sous-officiers (*principales*) ; 2° *Empire* : le commandement de la légion passe au légat de légion ; le grade de tribun militaire devient honorifique.

Le commandement général des armées relève, sous la République*, des magistrats* possédant l'*imperium**, et donc avant tout des consuls*. Sous l'Empire*, l'empereur est le chef permanent des armées.

armement. Les Romains ont su emprunter aux peuples qu'ils combattaient les armes qu'ils jugeaient efficaces, et adapter les leurs selon les circonstances. Ainsi ont-ils pris aux Gaulois leur cotte de mailles, mais non leur longue épée sans pointe, à la cavalerie macédonienne sa cuirasse, mais non son bouclier rond ; de la même façon, ils remplacèrent la courte épée du légionnaire par la glaive espagnol, et, pour combattre contre les Gaulois, César* allégea l'équipement du légionnaire, trop lourd pour manœuvrer dans un pays boisé. Les principales armes romaines sont : parmi les armes offensives, la lance*, le javelot*, l'épée*, le poignard* ; parmi les armes défensives, le bouclier*, le casque*, la cuirasse*.

arpentage. L'arpentage a tenu une grande place dans la civilisation romaine, car la division et le partage des terres ont toujours conservé une valeur religieuse. Sous l'Empire*, les *agrimensores* (« ceux qui mesurent les champs ») étaient formés dans des écoles spécialisées.

arts mineurs.

1. *La céramique*. La poterie à vernis rouge constitue la production la plus typique de la céramique romaine. Au IIe s. av. J.-C., les ateliers d'Arezzo (au sud de Florence) ont fabriqué une poterie décorée en relief (*terra sigillata*), mais ces ateliers ont été supplantés au début de notre ère par les ateliers de

Gaule et de Germanie (Lezoux, dans le Puy-de-Dôme ; Westerndorf, près de Trèves, par exemple). En plus de la céramique à vernis rouge, à relief ou lisse, les Romains ont fabriqué couramment une céramique commune, grossière, non vernissée (rouge, jaune, grise ou noire), qui, le plus souvent, n'est pas décorée. La céramique romaine n'a jamais prétendu à faire des œuvres d'art, mais surtout des objets utilitaires (vases et récipients de toutes sortes).

2. *La glyptique.* Le travail des pierres fines apparaît dès le IIe s. av. J.-C.. Mais c'est à l'époque augustéenne que l'on trouve les plus beaux camées, tel le célèbre camée d'Auguste* à Vienne ou le grand camée de France. Les graveurs étaient généralement des Grecs.

3. La toreutique. Les objets d'or ou d'argent sculpté (vaisselle, vases) ont eu la faveur des Romains riches. Les motifs, allégoriques, historiques, ornementaux, sont d'une grande finesse. Comme pour la glyptique, cet art de luxe atteint son apogée sous Auguste.

4. La verrerie. L'art de la verrerie, venu d'Orient et d'Égypte, apparaît à Rome au Ier s. av. J.-C. et devient rapidement un art local. Soufflé ou taillé, gravé ou peint, le verre est utilisé pour les coupes et les vases de types variés. À l'époque impériale, le verre entre dans l'usage courant.

assemblée → assemblée de la plèbe; comices; contio.

assemblée de la plèbe (concilium plebis). Au début du Ve s. av. J.-C., à la suite des sécessions de la plèbe* sur le mont Sacré ou l'Aventin, les patriciens* accordèrent à celle-ci des institutions propres, le tribunal* et l'édilité* de la plèbe, ainsi que le droit de se réunir en assemblées, convoquées et présidées par un tribun. Les plébéiens prirent pour cadre de leur organisation la division en tribus* ; dans leurs assemblées, ils élisaient leurs magistrats* (tribuns et édiles) et votaient des lois* valables pour la plèbe seulement : les plébiscites* (*plebis scita*). Progressivement, semble-t-il, les plébiscites furent considérés comme des lois, d'abord s'ils étaient ratifiés par le sénat* (449), puis s'ils avaient reçu son autorisation préalable (339) ; en fait, ces deux étapes ne sont pas certaines. En revanche, il est assuré que la loi *Hortensia*, en 287, assimila les plébiscites à des lois valables pour tous, plébéiens et patriciens ; peut-être même ces lois-plébiscites étaient-elles dispensées de toute ratification ou autorisation du sénat. Mais, à partir de cette date (287), le problème des rapports entre les assemblées de la plèbe et les comices tributes* est difficile à préciser. On ne sait pas, en effet, de façon certaine si les *concilia plebis* ont continué de fonctionner comme par le passé, en conservant leur caractère d'assemblée plébéienne interdite aux patriciens, avec cette différence que leurs plébiscites étaient désormais des lois, ou bien s'ils sont devenus des comices tributes, ouverts aux patriciens aussi, convoqués par les consuls, préteurs ou tribuns, avec compétence politique (élection des magistrats inférieurs), législative et judiciaire. Pour certains auteurs même, la transformation des *concilia plebis* en *comitia tributa* se serait faite dès 449.

astrologue → divination.

atrium, **partie originale et essentielle de la maison* romaine.**

Le plafond était percé d'une ouverture (*compluvium*) au-dessous de laquelle était creusé un bassin recevant les eaux de pluie (*impluvium*). Autour de l'*atrium*, où parfois est installé le laraire*, sont disposées différentes pièces (*alae*) servant de chambres à coucher ou de petites salles à manger. Quand le centre de la vie intime s'est déplacé vers le péristyle*, l'*atrium* est resté une pièce de réception.

Atticus (T. Pomponius Atticus : 109-32 av. J.-C.). Ami intime et correspondant de Cicéron*. Son surnom* (Atticus) lui vient d'un séjour fait à Athènes pour échapper aux proscriptions* de Sulla*. De retour à Rome* (en 65), il ne prit aucune part à la politique, mais garda des relations dans tous les milieux. Épicurien* au sens le plus élevé du terme, il était grand amateur d'art et homme de lettres. Il fut également le premier « éditeur » romain, faisant copier par ses esclaves les ouvrages grecs et latins.

auberge (caupona). Les Romains n'ont pas eu — ou très rarement — d'hôtels confortables ; dans les auberges, mal tenues, mal fréquentées, ne logeaient que les petites gens de passage ou ceux qui se voyaient contraints de le faire. Les personnages importants en voyage (missions officielles, échanges commerciaux, tourisme...) logeaient chez des amis (des « hôtes »).

augure (augur ; de *augeo*, accroître). Les augures constituent un collège, institué par Numa*, de trois membres à l'origine, de seize membres au temps de César*. Ils sont les interprètes de la volonté des dieux* et assistent les magistrats* qui prennent les auspices*. Leur rôle était considérable, puisqu'ils intervenaient dans tous les actes importants de la vie publique : ils pouvaient faire différer une assemblée, une décision grave, une bataille. Aussi tendit-on à restreindre leur importance. Ils se cooptèrent entre eux jusqu'à la fin du IIe s. av. J.-C., puis furent élus. Leur insigne est le *lituus*, baguette recourbée en spirale, qu'ils utilisent pour tracer le *templum** à l'intérieur duquel ils observent les signes divins : phénomènes météorologiques, vol des oiseaux, mouvements des animaux terrestres, incidents survenus pendant l'auspication. Sous l'Empire*, le collège des augures subsiste, mais n'a plus aucun rôle politique. Toutefois leur compétence proprement religieuse demeure : ils étaient en effet chargés d'« inaugurer* » (en assurant que les dieux étaient favorables) temples, locaux divers, villes, prêtres. Ils eurent leurs archives secrètes, comme les pontifes* ; mais elles tombèrent dans le domaine public vers le Ier s. av. J.-C..

augustales, collège de prêtres*, choisis dans l'ordre* sénatorial, chargés d'assurer le culte de l'empereur*.

Les *sodales augustales* furent créés à la mort d'Auguste*, et par la suite voués au culte de la famille julio-claudienne. On créa également d'autres sodalités : les *augustales flaviales* voués ou culte des Flaviens, les *augustales Hadriani* voués au culte d'Hadrien* ; enfin les *augustales antoniniani* voués au culte d'Antonin* et de tous les empereurs divinisés ensuite, puisque ses successeurs portèrent son nom.

Auguste (C. Octavius Thurinus : 63 av. J.-C.. 14 apr. J.-C.). Octave est né à Rome*. Son père fut gouverneur* de Macédoine et sa mère, Atia, était la nièce de César*. Celui-ci adopta en 45 son petit-neveu, qui dès lors s'appela C. Julius Caesar Octavianus. Parmi les maîtres qui le formèrent, l'un d'eux eut une influence particulière, le stoïcien* Athénodore de Tarse, et demeura son conseiller. Octave était à Apollonie (Illyrie), où il complétait son éducation, quand il apprit la mort de son père adoptif (15 mars 44). Il rentre à Rome, où il se heurte bientôt à Antoine*. Le conflit dégénère et se termine par la victoire d'Octave à Modène en 43. Il réclame le consulat, mais, devant le refus du sénat*, marche sur Rome, où il se fait élire. Il s'entend avec Antoine et Lépide, le maître de cavalerie* de César, pour conclure un accord destiné officiellement à donner une « constitution » aux Romains : c'est le second triumvirat* (oct. 43). En janvier 42, Octave fait diviniser César. Au mois d'octobre de la même année, Octave et Antoine battent les armées républicaines de Brutus* et Cassius à Philippes* ; deux mois plus tard, Octave sacrifie à son collègue l'auteur des *Philippiques**, qui meurt, assassiné par les émissaires d'Antoine. Les proscriptions* s'accompagnent d'un partage des terres entre les vétérans*, ce qui provoque une révolte de la part des mécontents, révolte soutenue par le frère d'Antoine, Lucius Antonius, mais maîtrisée par Octave à Pérouse. À Brindes, en octobre 40, les triumvirs reconduisent leur accord pour cinq ans. Celui-ci est scellé par le mariage d'Antoine et d'Octavie *, sœur d'Octave. Les triumvirs se partagent l'Empire : Lépide reçoit l'Afrique, Antoine s'installe en Orient, Octave demeure à Rome. Toutefois, Sextus Pompée*, le fils du Grand Pompée, est toujours maître de la mer : il ne sera vaincu qu'en 36 par Agrippa* à Nauloque (Sicile) ; la même année, Lépide est déposé de sa charge. À Rome, Octave se livre à de grands travaux d'urbanisme* et assure sa popularité. En 32, les pouvoirs des triumvirs, qui ne sont plus que deux, expirent. Octave déclare la guerre à Cléopâtre, dont Antoine est l'amant. Ce conflit se termine rapidement par la victoire d'Octave à Actium* (sept. 31), suivie du suicide d'Antoine et de

Cléopâtre. Octave est désormais le seul maître. A partir de 31, il est consul* tous les ans ; en 30, il obtient la puissance tribunitienne* ; en août 29, il célèbre un triple triomphe* (Dalmatie, Actium, Alexandrie) ; en 28, il est censeur* et s'inscrit en tête de la liste des sénateurs (*princeps senatus*) : il a pour dix ans le gouvernement des provinces* non pacifiées. En janvier 27, le sénat lui décerne le titre d'*Augustus** et celui de *princeps**. À partir de ce moment, rien en apparence n'est changé au fonctionnement des institutions, mais la république est devenue une monarchie. En 23, malade et découragé par la découverte d'un complot, il abdique le consulat : il semble avoir pensé se démettre du pouvoir civil à Rome et ne conserver que l'*imperium** dans les provinces. En réalité, son pouvoir sortit affermi de cette crise ; en 18, le sénat lui renouvelle les pouvoirs exceptionnels. Il s'adjoint Agrippa*, mais la mort de celui-ci, en 12, met fin à ce système de « principat double ». En 2 av. J.-C., il reçoit le titre de « père de la patrie* ». Les dernières années de son principat* sont assombries : deuils familiaux, inconduite de sa fille et de sa petite-fille, conspiration de Cornelius Cinna, soulèvement de l'Illyrie, désastre de Varus en Germanie (9 apr. J.-C.), famine à Rome. Auguste mourut à Nole, en Campanie.

Fondateur du régime impérial, Auguste laisse derrière lui une œuvre durable : réforme du sénat, définition des classes sociales*, législation morale, finances, administration centrale et provinciale, justice*, restauration religieuse, annexion de la Germanie, etc. Le principat n'est pas seulement un régime politique : c'est aussi une mystique. Les grands poètes, Virgile*, Horace*, Properce*, contribuèrent à créer l'idéologie augustéenne.

Augustin [saint] **(Aurelius Augustinus : 354-430).** Né à Thagaste (Numidie), d'un père païen et d'une mère chrétienne (sainte Monique), Augustin étudie successivement dans sa ville natale, à Madaure et à Carthage*. La lecture de l'*Hortensius* de Cicéron* (une défense de la philosophie) joue un rôle déterminant en éveillant sa vocation intellectuelle. Vers la même époque (373), il adhère au manichéisme qui lui paraît apporter une réponse à ses inquiétudes. De 373 à 384, il enseigne à Carthage, Rome* et Milan. Il s'est détaché du manichéisme et s'est tourné vers le néo-platonisme, qui le rapproche du christianisme. À Milan, il écoute les sermons de saint Ambroise, étudie la Bible, a des entretiens avec le prêtre Simplicien. Quand, en 386, il se convertit au christianisme, il renonce à l'enseignement* et se retire dans les environs de Milan où il médite et travaille. Il est ordonné prêtre en 392 et nommé évêque d'Hippone (Bône) en 396. Ce méditatif oublie alors ses propres exigences et se met au service de la communauté chrétienne.

Son œuvre est considérable par ses dimensions et sa variété : ouvrages philosophiques, polémiques, dogmatiques, exégétiques, sermons, etc. Ses deux chefs-d'œuvre sont les *Confessions* et *la cité de Dieu*. Écrites pendant les dernières années du IVe s., les *Confessions* racontent la vie de l'auteur jusqu'à sa conversion : c'est à la fois un livre d'aveux et une louange à Dieu ; la connaissance du « moi » mène à la connaissance de Dieu. *La Cité de Dieu* (22 livres, écrits de 413 à 426) est une réponse aux païens qui accusent le christianisme d'être responsable des maux qui s'abattent sur Rome (prise et pillage de la ville par Alaric en 410). L'ouvrage dépasse largement le dessein apologétique ; il se présente comme une vaste synthèse de la doctrine chrétienne et une philosophie de l'histoire.

Augustus, titre honorifique décerné à Octave* par le sénat*, en janvier 27 av. J.-C..

Ce surnom, de la même famille que *augur* et *auctoritas*, a une valeur religieuse : une autorité divine émane de celui qui le porte. Tous les empereurs*, par la suite, se l'approprièrent.

Quant au titre d'*Augusta*, il fut décerné à Livie* après la mort d'Auguste. Beaucoup d'impératrices le reçurent du sénat.

Aurélien (L. Domitius Aurelianus : 215-275 apr. J.-C.). Proclamé empereur* en 270 par ses soldats à Sirmium (Pannonie), il sut restaurer l'unité de l'empire fortement menacée par les invasions (Vandales, Alamans, Parthes...). Son règne, qui dura à peine six ans, est marqué par le progrès de l'autorité monarchique. Aurélien se fit appeler « dieu » de son vivant et accorda un culte prépondérant au Soleil. Il ordonna en 271 la construction d'une enceinte fortifiée autour de Rome (le « mur d'Aurélien ») destinée à protéger la Ville contre toute attaque.

auspices (auspicium; de *avis*, oiseau, et *specio*, voir). Au sens étroit du terme, l'*auspicium* est un présage fourni par le vol des oiseaux, mais très tôt son acception s'est étendue et le mot désigna des présages* divers : foudre, tonnerre, rencontres fortuites, appétit des poulets sacrés*. On « prend les auspices », avant toute action importante, pour savoir si les dieux, et en particulier Jupiter, sont favorables ou non. Aussi, à côté des auspices privés (tout individu a le droit de consulter les dieux pour son compte), existe-t-il des auspices publics (*auspicia populi Romani*) : en effet, dans un certain nombre de cas de la vie publique, la prise des auspices est obligatoire (convocation des comices*, entrée en charge des magistrats*, départ des armées*...). Les magistrats, assistés des augures*, en ont la charge. Selon leur dignité, ils ont les « auspices majeurs » (consul, préteur, censeur) ou les « auspices mineurs » (édile, questeur, tribun) : cette distinction avait pour but d'éviter les conflits entre magistrats : d'autre part, seuls les premiers ont le droit d'auspices hors du *pomerium** (en particulier au combat, *auspicia bellica*).

autel (ara). À l'origine, ce n'était qu'un simple tertre de terre, de gazon, ou un monticule de pierres. Cette tradition ne se perdit jamais complètement. Du reste, quand on éleva des autels de pierres, ceux-ci furent souvent indépendants des temples* (l'*Ara Maxima Herculis*, l'*Ara Pacis*). Cylindriques ou quadrangulaires, ils contiennent dans leur partie supérieure une cavité où sont brûlés victimes et parfums. Il y avait des autels à l'intérieur des temples, mais les sacrifices* se faisaient sur l'autel placé à l'extérieur, sur le parvis ou les marches d'accès. On élevait aussi des autels dans les maisons* (culte* domestique), aux carrefours, sur les routes*, etc. Les autels funéraires contenaient les urnes cinéraires* et étaient utilisés pour le culte des morts. → **monuments funéraires.**

avocat (patronus). La profession d'avocat est aux yeux des Romains la plus brillante qui soit : c'est elle qui permet de gravir, grâce au pouvoir de l'éloquence, tous les échelons de la carrière des honneurs*. Les plus grands hommes de la République ont été avocats : Caton le Censeur*, C. Gracchus*, Hortensius, Cicéron*. La République* fut en effet la grande époque de l'éloquence; les procès politiques permettaient aux avocats de donner toute la mesure de leur talent. Sous l'Empire*, avec la perte des libertés, la profession perdit beaucoup de son éclat : l'éloquence devint alors celle du conférencier.

Avant le Bas-Empire, époque à laquelle ils constituèrent une corporation et où les honoraires furent tarifés, les avocats n'étaient pas (officiellement) rémunérés; mais les donations, les legs étaient permis. Autre différence avec nos habitudes, la distinction entre le « conseil » (*juris consultus*) et le « défenseur » (*patronus, orator*). Le premier étudiait l'aspect juridique d'un litige et conseillait sur la manière d'engager le procès; le second assistait son client et lui prêtait l'appui de son talent oratoire. Les séances étaient publiques (au forum*, dans une basilique*) et les plaidoiries souvent longues (Pompée les limita à trois heures) et beaucoup plus « spectaculaires » qu'aujourd'hui.

La conception très élevée que Cicéron* s'est faite de l'avocat s'est imposée : pour lui, l'avocat idéal est un orateur* (*orator*) magicien du verbe, mais aussi un penseur et un homme politique. Au contraire, le *causidicus* (de *causa*, cause, et *dico*, parler) est l'avocat laborieux, chargé de causes mineures. Notons que le terme *advocatus* (dont le français *avocat* est le décalque) désigne à Rome toute personne (parent, ami) qui vient au procès réconforter de sa présence l'une des deux parties.

b

Banquiers (argentarii). Installés dans leurs boutiques, le long du forum*, les banquiers contrôlaient et changeaient la monnaie*, prêtaient de l'argent à intérêt, recevaient des dépôts de fonds, tiraient des lettres de change (*perscriptiones*). Mais, à la différence des publicains*, ils ne se sont jamais constitués en sociétés. La profession était rigoureusement contrôlée et jouissait d'une grande considération.

barbe. Suivant les époques, les Romains ont porté la barbe ou l'ont rasée. Ainsi, vers le début du IIe av. J.-C., ils cessèrent de porter la barbe, et au temps de Cicéron* les Romains se rasent tous les jours et les jeunes gens consacrent leur première barbe à une divinité. Porter la barbe est alors un signe de deuil ou de négligence. Toutefois, jusqu'à 40 ans, le port d'une petite barbe (*barbula*) est admis. Hadrien*, qui, dit-on, avait quelques petites imperfections à cacher, remit à la mode la barbe longue : cette mode dura jusqu'à Constantin*, qui se rasa, ainsi que ses successeurs, sauf Julien. La façon de la porter a du reste elle-même changé au cours des âges. Traditionnellement, les philosophes*, en particulier les cyniques, portaient la barbe.

basilique (basilica, « portique royal » ?). La basilique est un monument public dont l'origine est discutée. Elle est constituée d'un vaste hall rectangulaire, divisé à l'intérieur en plusieurs nefs (généralement une nef centrale et des bas-côtés) par des colonnades. Selon l'emplacement de la porte d'entrée, on distingue deux types : dans le « type grec », l'entrée est située sur l'un des petits côtés, et sur le petit côté opposé il peut y avoir une abside ; dans le « type oriental », l'entrée est placée sur l'un des grands côtés, et, dans ce cas, il peut y avoir une abside sur chacun des deux petits côtés. Mais cette distinction demeure théorique, car il existe bien des constructions intermédiaires.

C'est Caton le Censeur qui fit construire la première basilique à Rome (*basilica Porcia*) au pied du Capitole* (début du IIe s. av. J.-C.) ; mais il n'en subsiste aucun vestige. En revanche, on voit encore sur le forum les ruines de deux basiliques : l'une, la *basilica Aemilia*, construite quelques années après la *basilica Porcia*, longe la *Sacra Via infima* au nord du forum ; la seconde, la *basilica Julia*, construite sous César, sur le côté sud du forum, en face de la précédente, mais légèrement décalée vers l'ouest : ses proportions étaient très vastes : 109 m x 40 m. Quant à la basilique de Maxence ou de Constantin, dont on voit les voûtes immenses surplomber la *Sacra Via*, à l'est du forum, elle a peu de rapports architecturaux avec la basilique Émilienne ou la basilique Julienne : elle est en effet beaucoup plus proche des grandes constructions thermales comme les thermes* de Caracalla et préfigure les grandes cathédrales voûtées du Moyen Âge.

On admet que Caton fit construire la première basilique pour suppléer le forum en cas d'intempéries : les Romains devaient ainsi pouvoir y traiter leurs affaires, se rassembler, et assister aux séances des tribunaux*. Sous l'Empire*, le caractère judiciaire des basiliques s'accentue encore, et, par exemple, la *basilica Julia* est réservée aux centumvirs*. Mais, en même temps, apparaissent des basiliques à caractère culturel. — Dans les villes de province, la basilique occupe généralement l'un des côtés du forum.

Le problème des rapports entre la basilique païenne et la basilique chrétienne est obscur : mais il est à peu près certain que celle-ci est l'héritière de celle-là.

bibliothèque (bibliotheca, du grec *biblion*, livre, et *thêkê*, armoire). Les bibliothèques privées étaient nombreuses et souvent importantes (les moralistes se moquaient déjà de ceux qui collectionnaient les livres et ne les lisaient point). La première bibliothèque publique fut créée par Asinius Pollion* dans l'*Atrium libertatis* (qui était le siège des censeurs*), sur le Palatin. Auguste*, Tibère*, Vespasien, Trajan* en firent également construire. La *bibliotheca Ulpia*, sur le forum* de Trajan, était particulièrement riche. À la fin de l'Empire*, Rome en compte une trentaine; elles constituent souvent l'annexe d'un temple* ou de thermes*.

bière. Elle était très peu répandue en Italie* même. Mais, dans les provinces*, on en utilisait diverses sortes, obtenues à partir de l'orge, du blé, du millet, de l'avoine... En Pannonie, par exemple, on buvait de la *sabaia*, bière d'orge ou de blé ; en Gaule, de la *cervesia*, mais on ne sait pas exactement avec quoi elle était faite. C'était une boisson* très bon marché.

bijoux. Les Romaines ont aimé se parer de bijoux nombreux et riches : broches (*fibulae*), colliers (*monilia*), pendentifs (*pectoralia*), bracelets (*armillae*), bagues (*anuli*), boucles d'oreilles (*inaures*), anneaux aux chevilles (*periscelides*), en bronze et le plus souvent en or, parfois sertis de pierres précieuses. D'une manière générale, ces bijoux, aux motifs compliqués, valent plus par leur poids d'or que par leur finesse. La loi *Oppia* (215 av. J.-C.), destinée à refréner le luxe, fut impopulaire et vite oubliée. Les orfèvres étaient fréquemment d'origine étrusque.

Les hommes étaient beaucoup plus discrets : ils ne portaient qu'une bague, qui leur servait de sceau.

boissons. Les plus répandues sont l'eau*, le vin*, l'hydromel* et la bière*.

bonnet phrygien (pileus). Chez les Romains, symbole de la liberté. On le donnait à un esclave* quand on l'affranchissait. Il apparaît souvent sur les bas-reliefs et les monnaies*, avec la corne d'abondance qui symbolise la prospérité.

bornes milliaires (milliaria), bornes placées sur le bord des routes*, de mille en mille (1 478, 50 m), d'où leur nom.

En Italie*, elles indiquaient la distance à partir de Rome*, dans les provinces* à partir de la capitale ou de la ville importante la plus proche. Mais elles portaient souvent d'autres indications, comme le nom des magistrats* en exercice au moment de la construction de la chaussée, plus tard celui de l'empereur* régnant, celui des hommes employés à faire la route, chargés de l'exécution des travaux...

Le « milliaire d'or » (*milliarium aureum*) était la borne placée par Auguste* dans le forum*, d'où étaient censées partir les routes de l'Empire.

bouclier. Il y a eu deux types de boucliers en usage à Rome* : le *clipeus*, rond, en bronze, coûteux et lourd, et le *scutum*, en osier ou en bois, de forme ovale ou rectangulaire. C'est ce dernier type qui se généralise à partir du ve s. av. J.-C. ; toutefois, la cavalerie* utilise un bouclier rond, plus léger et plus petit que le *clipeus*, la *parma*, qui par la suite devint une arme de parade conservée par l'ordre équestre*.

Au Ier s. av. J.-C., l'infanterie emploie un *scutum* rectangulaire et cylindrique, sans doute emprunté à l'équipement des gladiateurs*, la cavalerie un *scutum* ovale et plan, de dimensions assez restreintes. Sous l'Empire*, on continue d'utiliser le *scutum* sous ses diverses formes (rectangulaire, cylindrique, rectangulaire, plan, hexagonal...). Quelles que soient leurs formes, les boucliers portent au centre une partie bombée (*umbo*), et sont décorés d'emblèmes (motifs végétaux, animaux, géométriques...) : ceux-ci, individuels ou collectifs, ne sont pas seulement des signes de reconnaissance ; ils peuvent également avoir une valeur magique et attirer la protection des Dieux.

boucliers sacrés (ancilia). Ce sont 12 boucliers conservés par les saliens* dans la *Regia*, demeure du grand pontife*. Selon la tradition, un bouclier était tombé du ciel et Numa en avait fait faire onze autres sur ce modèle. En cas de péril, ces boucliers se mettaient d'eux-mêmes en mouvement.

Britannicus (Tib. Claudius Caesar : 41-55 apr. J.-C.), fils de Claude et de Messaline*. Il mourut empoisonné sur l'ordre de Néron*, qui voyait en lui un instrument dangereux aux mains d'Agrippine*.

Brutus

— **1. L. Junius Brutus,** le libérateur de Rome, assassina Tarquin le Superbe*, dernier roi de Rome, et fut le 1er consul* de la République* romaine (509 av. J.-C.).

— **2. D. Junius Brutus Albinus,** lieutenant de César* en Gaule*, commandant de la flotte césarienne à Marseille* (en 49 av. J.-C.), gouverneur* de Gaulle transalpine (en 46), prit part à la conjuration contre César (ides* de mars 44). Il fut ensuite gouverneur de la Gaule cisalpine, qu'il refusa de livrer à Antoine*. Il fut tué en 43, alors qu'il tentait de rejoindre les Pompéiens en Macédoine.

bucina, trompette recourbée en forme de cor, dont jouent les *bucinatores* dans les légions* pour transmettre différents ordres et en particulier pour annoncer la relève de la garde pendant la nuit.

bulle d'or → amulette ; naissance.

butin → recettes publiques ; triomphe.

C

Cadastre. Les techniques d'arpentage* ont permis peu à peu l'établissement de cadastres dans tout l'Empire*. Le plan cadastral s'organise par rapport à deux tracés perpendiculaires, le *cardo* maximus* et le *decumanus maximus*, et permet ainsi d'obtenir un quadrillage en parcelles carrées ou rectangulaires, dont l'unité est la centurie (= 50 ha). La photographie aérienne nous permet aujourd'hui de reconnaître encore les traces de cette centuriation (routes*, sentiers, fossés). Pour les Romains, seule la propriété mesurée était individuelle. Autant que possible, le plan des villes romaines respectait le cadastrage.

Caesar. C'est, à l'origine, le surnom* de la *gens* Julia*, à laquelle appartiennent César*, Auguste*, Tibère*, Caligula. Claude, le premier empereur étranger à la famille des Julii, le reprit, et désormais tous les empereurs le portèrent. À partir d'Hadrien*, ce *cognomen* fut également attribué aux personnages officiellement désignés pour succéder à l'empereur*.

calcul. Ce mot vient de *calculus*, petit caillou, jeton, que les Romains utilisaient pour « calculer » avec un abaque (planchette divisée en rainures parallèles dans lesquelles ils faisaient glisser des jetons). Mais on comptait également sur les doigts. Le système décimal était connu des Romains, mais ils employaient un système duodécimal pour les fractions : l'unité en était l'as, nom d'un poids et d'une monnaie*, et également unité arithmétique. L'as était divisé en 12 onces. C'et le maître d'école* qui apprenait à compter aux jeunes écoliers, qui, comme ceux d'aujourd'hui, chantaient collectivement : « un et un, deux »... Le calcul plus approfondi était enseigné par un spécialiste, le *calculator*. → **chiffres.**

calendes → calendrier.

calendrier (calendarium). Le calendrier romain, peut-être d'origine étrusque, fut pendant longtemps un calendrier lunaire adapté à l'année solaire. L'année commençait le 15 mars et comprenait douze mois de 29 ou 31 jours, plus un mois intercalaire (le *Mercedonius*) de 22 ou 23 jours qui revenait tous les deux ans; l'année moyenne ainsi établie comportait 366 jours 1/2. Aussi laissait-on le soin aux pontifes* de fixer au mois intercalaire le nombre de jours nécessaire, mais ceux-ci s'acquittèrent fort mal de leur tâche. En 45 av. J.-C., César décida de réformer le calendrier après avoir consulté l'astronome alexandrin Sosigène. On donne au calendrier issu de cette réforme le nom de calendrier « julien », qui est toujours le nôtre, légèrement modifié (calendrier grégorien de 1582). Depuis le milieu du IIe s. av. J.-C., l'année commençait le 1er janvier.

Calendrier romain

	Martius, Maius, Julius, October		Januarfus, Augustus December		Aprilis, Junius, September, November		Februarius	
1	Kalendis		Kalendis		Kalendis		Kalendis	
2	VI		IV	ante	IV	ante	IV	ante
3	V	ante	III	nonas	III	nonas	III	nonas
4	IV	nomas	Pridie nonas		Pridie nonas		Pridie nonas	
5	III		Nonis		Nonis		Nonis	
6	Pridie nonas		VIII		VIII		VIII	
7	Nonis		VII		VII		VII	
8	VIII		VI	ante	VI	ante	VI	ante
9	VII		V	idus	V	idus	V	idus
10	VI	ante	IV		IV		IV	
11	V	idus	III		III		III	
12	IV		Pridie idus		Pridie idus		Pridus idus	
13	III		Idibus		Idibus		Idibus	
14	Pridie idus		XIX		XVIII		XVI	
15	Idibus		XVIII		XVII		XV	
16	XVII		XVII		XVI		XIV	
17	XVI		XVI		XV		XIII	
18	XV		XV		XIV		XII	
19	XIV		XIV		XIII		XI	
20	XIII		XIII		XII		X	ante
21	XII		XII		XI	ante	IX	kalendas
22	XI		XI	ante	X	kalendas	VIII	
23	X	ante	X	kalendas	IX		VII	
24	IX	kalendas	IX		VIII		VI	
25	VIII		VIII		VII		V	
26	VII		VII		VI		IV	
27	VI		VI		V		III	
28	V		V		IV		Pridie kalendas	
29	IV		IV		III		Martias	
30	III		III		Pridie kalendas			
31	Pridie kalendas		Pridie kalendas					

N.B. — On le voit, les Romains comptaient les jours par anticipation, par rapport aux calendes, ides et nones.

Par exemple, le 9 août se dit : le 5e jour avant les ides : *ante diem quintum Idus Augustas ;* le 29 septembre : le 3e jour avant les calendes d'octobre : *ante diem tertium Kalendas Octobres.* En abrégé : a. d. V Id. Aug. ; a. d. III Kal. Oct.

Pour les années bissextiles, on intercale un jour après le 6e jour avant les calendes de mars : *ante diem bis sextum Kalendas Martias.*

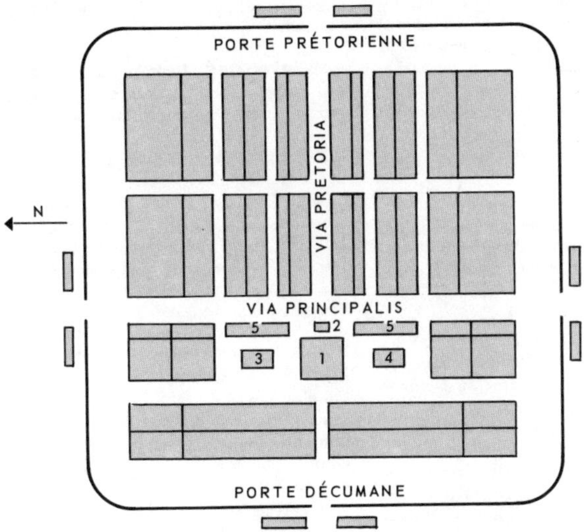

Camp type de l'époque républicaine.
1. Prétoire *(praetorium)* ;
2. Autel *(ara)* ;
3. Forum ;
4. *Quaestorium* (intendance et trésorerie) ;
5. Campement des tribuns.

Chaque mois, trois jours correspondaient (quand le calendrier était lunaire) à trois phases de la lune : les calendes à la nouvelle lune, les nones au premier quartier, les ides à la pleine lune. Chacun de ces jours, on ornait de fleurs* le foyer* domestique.

L'usage de la semaine de 7 jours se développa sous l'Empire* : il est parfaitement établi à la fin du IIe s. Les chrétiens substituèrent au « jour du Soleil *(Dies Solis)* le « jour du Seigneur » (*Dies dominica*, Dimanche), qui, au IVe s., devint un jour de repos obligatoire.

Pour ce qui est des années, les Romains les dataient généralement en indiquant le nom des consuls* alors en charge : la liste des consuls était conservée par les pontifes* → **livres pontificaux**. Mais ils les dataient également par rapport à la fondation de Rome (753 av. J.-C.), parfois à partir de la chute de la royauté* (509 av. J.-C.). → **fastes.**

Camille (M. Furius Camillus). Dictateur*, Camille s'empara de Véies en 396 av. J.-C., au cours de la guerre contre les Étrusques*. Il fut ensuite exilé, mais, après l'incendie de Rome par les Gaulois, en 390, il réussit à les vaincre et à reprendre le tribut que les Romains avaient versé à leurs envahisseurs (387). Ces exploits valurent à Camille d'être considéré comme le sauveur et second fondateur de Rome.

camp (castra). Provisoires ou définitifs, les camps romains reflètent le souci d'ordre et d'efficacité qui les a rendus célèbres. Leur installation est comparable à la fondation des villes* : le rituel religieux est respecté. Le camp est divisé en quatre parties principales, délimitées par l'intersection du *cardo* maximus* (le long duquel était aménagée la rue principale, *via principalis*) et du *decumanus maximus* (correspondant à la rue « prétorienne », *via praetoria*). Une enceinte carrée ou rectangulaire délimitait le camp. La porte du prétoire*, à la limite est de la *via praetoria*, est de bon augure : c'est par elle que les troupes sortent pour aller au combat ; la porte ouest est réservée aux soldats condamnés au supplice. Le prétoire était au centre ; devant étaient placés l'autel, le tribunal, le forum, et le *quaestorium* (service de l'intendance et de la trésorerie). Des emplacements étaient réservés pour l'infirmerie, les ateliers, etc. La disposition des troupes variait selon leur nombre et leur nature. Dans les camps provisoires, la protection était assurée par un retranchement *vallum*, fait d'une levée de terre consolidée par des pieux (*agger*) et précédée d'un fossé. Dans les camps permanents, la fortification, comme du reste les différents éléments du camp, était en pierre.

Cannes, ville d'Apulie, sur l'Adriatique, où les consuls Varron et Paul Émile* **subirent une lourde défaite devant Hannibal*, qui fit preuve d'une grande habileté tactique (en 216 av. J.-C.).**

Capitole (Capitolium), l'une des sept collines de Rome*, qui ferme au N.-O. la cuvette où a été aménagé le forum* et le domaine. Sur le sommet nord du Capitole se trouvait la citadelle (*arx*) dont le rôle militaire s'effaça rapidement; sur le sommet sud, s'élevait le temple* à triple *cella* de Jupiter Très Bon Très Grand (*Jupiter Optimus Maximus*).

Selon la tradition, ce temple aurait été commencé par Tarquin le Superbe*, mais achevé après son expulsion. Plusieurs fois incendié, il fut reconstruit sous Sulla, Vespasien et Domitien. Il est le symbole politique et religieux de Rome. Aussi bien, toutes les villes, en Italie* et dans les provinces*, eurent-elles leur Capitole.

captivité → **citoyen romain; guerre; prisonnier; triomphe.**

cardo.

— **1.** Pivot de pierre ou de métal, fiché dans le linteau et sur le seuil, autour duquel tourne une porte.

— **2.** Sur le terrain, le *cardo maximus* est l'axe principal nord-sud, tracé à partir d'un point du *decumanus maximus*, axe principal est-ouest. Le lieu où ces deux axes se croisent perpendiculairement est le centre de la ville* future ou du camp* que l'on installe. Cette opération, à laquelle participent magistrat*, augure*, arpenteur*, s'appelle l'orientation. Le long de ces deux axes principaux sont tracées les deux rues* principales; ensuite, des voies secondaires seront tracées parallèlement *(cardines, decumani)*, dessinant un échiquier. → **forum; urbanisme.**

carrière des honneurs (cursus honorum). **Cette expression désigne l'ordre dans lequel les magistratures* peuvent être obtenues.**

1. Sous la République*.À l'origine, il n'y a aucune règle : on peut être, par exemple, préteur* après avoir été consul*. Mais une loi de 180 av. J.-C. *(lex Villia annalis)* réglementa la succession des magistratures et fixa les conditions d'âge. Désormais, il faut briguer les magistratures dans l'ordre suivant : questure*, édilité* curule, préture, consulat. Avant la questure, les charges du vigintisévirat* et du tribunat militaire* constituent une sorte de noviciat qui n'est pas obligatoire; mais il est nécessaire d'avoir fait dix ans de service militaire. On ne peut donc se présenter à la questure, au plus tôt, qu'à l'âge de 27 ans. D'autre part, la « continuation » fut empêchée par l'intervalle de deux ans, qu'il fallait respecter entre l'exercice de deux magistratures; cet intervalle fut porté à dix ans entre deux consulats. Les conditions d'âge ont varié : à partir de Sulla*, on ne peut être consul qu'à l'âge de 43 ans.

La *lex Villia* n'envisage pas les magistratures plébéiennes (édilité et tribunat* de la plèbe). On peut passer d'une magistrature plébéienne à une magistrature du *cursus* et inversement, après un intervalle d'un an. Généralement, le tribunat se situe après la questure et dispense de l'édilité curule.

2. Sous l'Empire*.On distingue la carrière sénatoriale et la carrière équestre.

a) *Carrière sénatoriale.* — Elle débute par le vigintivirat* ou le tribunat militaire (à l'âge de 17 ans); puis viennent la questure (25 ans), le tribunat ou l'édilité (27 ans), la préture (30 ans) et le consulat (32 ans). Mais ces magistratures, réservées à l'ordre sénatorial, sont honorifiques et n'ont d'intérêt que pour les fonctions auxquelles elles permettent d'accéder. Les principales sont les suivantes : fonctions questoriennes (légats des gouverneurs des provinces sénatoriales); fonctions prétoriennes (légats de légions, gouverneurs légats des provinces impériales prétoriennes ou sénatoriales prétoriennes); fonctions consulaires (préfet de la Ville, gouverneurs des provinces consulaires, soit sénatoriales soit impériales). D'autre part, les membres de l'ordre sénatorial ont accès à divers sacerdoces (pontifes*, augures*, fétiaux*, flamines*...). Ces trois grandes catégories de fonctions sont normalement gérées après les magistratures correspondantes, mais l'empereur peut toujours nommer questorien, prétorien ou consulaire qui il veut, par *adlectio* (« choix »). Les membres de la noblesse sénatoriale portent le titre de *clarissimi*.

b) *Carrière équestre.* — Elle est une création d'Auguste et une grande innovation. Elle commence par des fonctions militaires (tribunat ou préfecture d'une cohorte* auxiliaire, préfecture d'une aile de cavalerie*, tribunat de légion ou de cohorte prétorienne, urbaine ou des vigiles) ; puis, vers l'âge de 27 ans, on entre dans la carrière proprement dite : celle-ci comprend deux grands échelons. D'une part, les charges de procurateurs (procurateurs financiers, gouverneurs de provinces, procurateur *a rationibus*, sorte de ministre des finances, chefs des bureaux de la chancellerie*, etc.) ; d'autre part, les fonctions de préfets (préfecture de l'annone*, des vigiles*, d'Égypte, d'une escadre de la flotte...). L'échelon le plus élevé de la carrière équestre était la préfecture du prétoire*. Les membres de l'ordre équestre* pouvaient obtenir quelques sacerdoces (luperques*, haruspices*). Ces différentes fonctions sont assorties (à partir d'Hadrien) d'appellations honorifiques, très hiérarchiques : *egregii, perfectissimi, eminentissimi*. Les magistratures sont toujours gratuites ; mais l'exercice des fonctions sénatoriales et équestres est rétribué. Le traitement annuel des fonctions sénatoriales s'échelonne de 300 000 à un million de sesterces* ; celui des fonctions équestres de 60 000 à 300 000 sesterces.

Carthage, colonie fondée par les Phéniciens en 814 ou 663 av. J.-C. Didon* en aurait été la première reine. La situation géographique de Carthage en a fait très tôt une cité commerçante, riche et peuplée, en relation avec la Méditerranée occidentale et orientale. Aux VIe et Ve s. les Carthaginois sont alliés aux Étrusques* contre les Grecs ; ils concluent des traités avec Rome en 508 et 348 av. J.-C. Après les guerres puniques* et la destruction de Carthage en 146, Tib. Gracchus* y « conduisit » une colonie*, bientôt supprimée. Auguste* la reconstruisit *(Colonia Julia Carthago)*. Sous l'Empire*, c'est un centre important dont l'apogée se situe au IIIe s. Apulée, Tertullien, Augustin lui ont assuré un renom particulier dans le domaine des lettres.

casque (galea). Jusqu'à Marius*, les casques en usage dans l'armée* romaine sont de type hellénistique. À cette époque apparaissent des casques proprement romains, dont on distingue deux types : l'un à couvre-nuque horizontal, l'autre assurant une protection plus efficace (couvre-nuque descendant jusqu'à la base du crâne, timbre couvrant le front jusqu'aux sourcils). Ces casques étaient ornés parfois de panaches, de pennes verticales ou d'une crinière. Sous l'Empire*, ils se caractérisent par leur luxe.

catacombes. Les chrétiens*, qui pratiquent l'inhumation, ont possédé des cimetières* de plein air (en Orient, en Afrique) et également des cimetières souterrains, qui ont reçu le nom de catacombes. Le terme vient de l'un d'eux, situé près de l'église actuelle de Saint-Sébastien, au sud-est de Rome, et qui se trouvait à proximité d'une dépression, ce qui l'avait fait surnommer en grec *cata coumbène* (*ad catacumbas* en latin).

L'usage des cimetières souterrains n'est pas propre aux chrétiens, mais, dans les environs de Rome, les catacombes chrétiennes prirent une extension particulière. Jusqu'au début du IIe s., d'ailleurs, sépultures païennes et sépultures chrétiennes voisinaient dans les mêmes cimetières ; puis les chrétiens préférèrent posséder pour leurs morts des lieux de repos où ils pourraient célébrer le culte. Les premières catacombes furent creusées dans des propriétés privées dont le nom actuel rappelle celui du propriétaire, par exemple celle de Praetextat, ou encore celle de Domitille, la nièce de l'empereur Domitien ; puis les chrétiens, groupés en « collèges funéraires », acquirent des domaines funéraires. Ils célébraient le culte dans les catacombes pour honorer leurs morts et se mettre sous leur protection, et également parce que ces propriétés funéraires avaient une existence légale. Mais, à la fin du IIIe s., cette protection leur fut enlevée : les catacombes, grâce à leurs nombreuses galeries et leurs niveaux différents, purent alors parfois servir de lieux de refuge.

Dès la fin du IIe s., les chrétiens décorèrent les murs des catacombes : ces premières peintures murales ne marquent pas une rupture avec la peinture « païenne » contemporaine ; les mêmes thèmes sont repris, mais infléchis dans le sens chrétien : Orphée devient le « Bon Pasteur » ; le philosophe enseignant, le Christ docteur, etc. ; puis, progressivement, les artistes représentent des scènes du Nouveau et de l'Ancien Testament.

Catilina **(L. Sergius Catilina : 108-63 av. J.-C.)**, actif lieutenant de Sulla*, célèbre par la conjuration qu'il dirigea pendant deux ans (65-63) et qui rassemblait des citoyens déçus, des propriétaires ruinés, des anarchistes. Cette conjuration était secrètement encouragée par César* et Crassus*. Cicéron* la fit échouer en prononçant à cette occasion quatre discours célèbres, les *Catilinaires*. Catilina fut tué avec les siens sur le champ de bataille de Pistoia (Étrurie). Salluste* lui a consacré une monographie.

Caton le Censeur **(M. Porcius Cato : 234-149 av. J.-C.)**. Né à Tusculum, d'une famille de petits propriétaires, il combattit pendant les guerres puniques* sous les ordres de Fabius Cunctator*, de Claudius Marcellus, et en 205 comme questeur* de Scipion l'Africain*, avec lequel il ne s'entendit pas ; en 199, il est édile* ; l'année suivante, il est préteur* et est chargé du gouvernement de la Sardaigne. En 195, il est consul* et défend la loi* *Oppia* contre le luxe des femmes. Il pacifie l'Espagne et obtient pour ses succès les honneurs du triomphe* en 193. En 185, il exerce la censure* ; il prend ouvertement parti contre l'influence grandissante de l'hellénisme* et en particulier des mœurs grecques, synonymes de mollesse et d'immoralité. La politique de cet « homme nouveau* » a suivi deux grandes lignes directrices : défiance à l'égard des grandes personnalités trop marquantes, comme celle de Scipion l'Africain, et opposition à l'oligarchie sénatoriale ; il voyait, dans un cas comme dans l'autre, une menace sérieuse pour l'équilibre des institutions romaines.

Ses œuvres littéraires reflètent son « idéal vieux-romain » qui le guidait dans sa politique. Il a écrit sept livres d'*Origines* (une histoire de Rome depuis ses débuts jusqu'à son temps) et plusieurs ouvrages destinés à son fils : sur la médecine*, l'art militaire, le droit*. De cette œuvre, qui inaugure la tradition encyclopédiste à Rome, le seul ouvrage qui nous soit parvenu est son traité *Sur l'agriculture*, où se mêlent des vues sur la modernisation de l'agriculture* romaine et des renseignements de tous ordres. Au cours de sa carrière politique, il eut l'occasion de prononcer de nombreux discours, d'une éloquence vigoureuse et combative. On lui doit la définition de l'orateur* romain : « un homme de bien qui sait parler ». Cicéron approfondira plus tard cette conception.

Caton d'Utique **(M. Porcius Cato : 95-46 av. J.-C.)**. Arrière-petit-fils de Caton le Censeur*, Caton d'Utique incarna pour la postérité le type même du sage stoïcien*, soucieux du bien public et intransigeant. Il s'opposa successivement à Pompée* et à César*. Mais, après Pharsale*, il rejoignit en Afrique les pompéiens que commandait Metellus Scipion ; après la victoire de César à Thapsus* (en 46), il se suicida à Utique (à une trentaine de kilomètres au nord de Carthage).

Catulle **(C. Valerius Catullus : vers 87 - vers 54 av. J.-C.)**. Il était d'une grande famille de Vérone, sa ville natale. Mais il passa une grande partie de sa vie à Rome, où il s'éprit de Clodia, sœur de Clodius*, l'ennemi de Cicéron*. Il est le plus original des « poètes nouveaux », cénacle de poètes qui se détournaient des classiques grecs pour leur préférer les alexandrins. Catulle a laissé un recueil de 116 pièces d'inspiration et de rythmes divers : de petites épopées (épyllions) dans le goût alexandrin *(les Noces de Thétis et Pélée, la Chevelure de Bérénice, Attis)*, des poèmes adressés à Lesbie, à ses amis, des invectives... Il a introduit la poésie personnelle à Rome. → **cercles littéraires.**

cavalerie → **armée ; ordre équestre.**

cena, repas* principal, pris vers la 9e ou 10e heure (14 ou 15 heures), c'est-à-dire à la fin de la journée de travail.

La *cena* comprend trois parties : 1° le hors-d'œuvre *(gustatio)*, dont les œufs constituent la base et au cours duquel on boit du vin miellé *(mulsum)* ; 2° la *cena* proprement dite, qui peut comprendre plusieurs services (*cena prima, secunda...*) ; on y consomme peu de vin ; 3° enfin, après une prière* et une offrande au Lare*, venait le dessert *(secundae mensae)*, composé de fruits et de gâteaux. Dans les banquets, les *secundae mensae* devenaient une *commissatio* (« fête ») : les convives se couronnaient de fleurs*, se parfumaient, élisaient un « roi du festin » *(magister bibendi)* qui fixait le nombre de coupes que chacun devait boire, la proportion dans laquelle il convenait de « couper » le vin, etc. On jouait aux dés, on écoutait des joueuses de flûte, on regardait des jongleurs et des clowns, on faisait des lectures. Généralement, les femmes se retiraient au moment de la *commissatio*, qui pouvait se prolonger fort tard dans la nuit. Pour les grands dîners, les invités revêtaient une « tenue de soirée » *(vestis cenatoria, synthesis)*, sur laquelle on est mal renseigné. On est souvent sévère pour l'abondance et la durée des dîners romains, que l'on se représente volontiers comme des orgies.

La réalité fut différente : les Romains étaient frugaux dans l'ensemble (ils ne faisaient qu'un repas par jour), et les exemples que l'on cite (Néron*, Vitellius ou le Trimalcion de Pétrone*) demeurent exceptionnels. D'autre part, il n'y avait pas à Rome de spectacles* le soir : les Romains faisaient donc venir les artistes (danseurs, acrobates, musiciens) à domicile, ce qui pouvait prolonger assez tard ces dîners-spectacles.

cens (census). Le cens désigne à la fois le recensement des citoyens* et le chiffre de leur fortune. Le recensement avait lieu tous les cinq ans et était effectué par les censeurs* *(lustrum)*. C'est à cette occasion que les citoyens étaient répartis dans les tribus*, les différentes classes et centuries*. Pour appartenir à l'ordre* équestre, il fallait avoir un cens de 400 000 sesterces* ; pour appartenir à l'ordre sénatorial (sous l'Empire), un cens de un million de sesterces.

censeur (censor). La censure est une magistrature* instituée en 443 av. J.-C. pour décharger les consuls* du soin de recenser les citoyens* et d'évaluer le chiffre de leur fortune. Il y a deux censeurs, élus tous les cinq ans par les comices* centuriates ; mais la durée de leur charge est de dix-huit mois. Le décès de l'un d'eux entraîne l'abdication de l'autre. Ils sont inviolables et irresponsables, non rééligibles. Leur tâche est triple : 1° estimer la fortune de tous les habitants, les inscrire sur les registres des tribus*, les répartir dans les classes et les centuries* ; 2° établir la liste des sénateurs* et des chevaliers* ; 3° dresser la liste des recettes* et des dépenses* de l'État. Ces fonctions leur donnent le droit et l'occasion d'exercer la police des mœurs et de trancher les différends entre l'État et les particuliers. Vers la fin de la République*, les censeurs perdent pratiquement toutes leurs attributions. Sous l'Empire*, elles sont confiées à des curateurs* ; toutefois, certains empereurs prirent le titre de censeur. Deux censeurs furent particulièrement célèbres : Appius* Claudius Caecus et Caton* le Censeur.

centumvir → justice civile.

centurie (centuria). La tradition attribue à Servius* Tullius la répartition des citoyens* en 5 classes, comprenant chacune un certain nombre de centuries : cette répartition était faite d'après la fortune. On considère que cette organisation, qui intégrait les plébéiens* à la cité, sans doute dans le dessein de les faire servir dans l'armée*, et qui a servi de cadre aux comices centuriates*, ne date que du Ve ou IVe s. av. J.-C. : du reste, même en admettant cette date plus tardive, cette organisation pose de nombreux problèmes.

Cette répartition permettait aux 18 centuries équestres et à la première classe d'avoir la majorité dans les comices centuriates. Aussi, une réforme eut-elle lieu dans le courant du IIIe s. av. J.-C. : elle combinait le système de la répartition par tribus et celui de la répartition par centuries. D'autre part, le nombre de centuries de la 1re classe fut réduit à 70, sans modification du nombre total de centuries (193), de sorte que les 18 centuries équestres et les 70 centuries de la 1re classe n'avaient plus à elles seules la majorité. Mais la prépondérance assurée à la fortune était maintenue.

Plusieurs réformes suivirent encore, mais nous sommes très mal renseignés à leur sujet.

Notons que les premières classes, les plus riches, étaient naturellement les moins nombreuses : de sorte que les centuries ne comprenaient pas non plus le même nombre de citoyens. Chaque centurie, d'autre part, était divisée en *seniores** et en *juniores** (plus et moins de 46 ans).

centurie prérogative, centurie* que le tirage au sort désignait pour voter la première *(centuria praerogativa).*

Son vote* pouvait avoir de l'influence sur les suivantes, car les Romains lui attribuaient la valeur d'un signe. Primitivement la centurie prérogative était tirée au sort parmi les 18 centuries équestres; au IIIe s. av. J.-C. ce privilège leur fut retiré; le tirage au sort fut alors pratiqué dans la première classe*.

centurion (centurio), **officier subalterne, commandant environ 100 hommes (une centurie). Entre les centurions d'une même légion* il existe une hiérarchie : le premier est le primipile.**

Les centurions sont nommés par les tribuns militaires*; leur insigne est le cep de vigne.

cercles littéraires. Cercles fermés et salons littéraires ne sont pas inconnus à Rome. Nous connaissons assez bien l'un des premiers, celui que les historiens appellent le « Cercle des Scipions » (milieu du IIe s. av. J.-C.). Il s'est constitué autour de Cornélie*, la mère des Gracques*, et de son gendre Scipion Émilien* : là, se rencontraient de jeunes hommes, imprégnés de culture grecque et ouverts à la philosophie*. Il y avait Laelius, surnommé « le Sage », Térence*, Lucilius*, le poète tragique Pacuvius, Polybe, l'historien grec, amené à Rome en otage en 168, Panetius, fondateur du moyen stoïcisme* et qui adapta la philosophie grecque à l'esprit latin. Les problèmes politiques avaient aussi leur place : Polybe s'intéressait aux institutions romaines qu'il admirait fort; Scipion devait s'opposer aux réformes agraires dont ses propres beaux-frères étaient les partisans. — Dans la première moitié du Ier s. av. J.-C., un groupe de poètes constituent un « cénacle » : rompant avec le classicisme grec et les habitudes des tragiques romains, ils se tournent vers l'alexandrinisme : Callimaque, Euphorion de Chalcis, Philétas de Cos sont les modèles de ces « poètes nouveaux ». Les uns écrivent des épopées savantes, d'autres des épigrammes, des poésies didactiques ou érotiques; certains ne renoncent pas aux épopées nationales. Mais le goût d'un art raffiné, savant, plus soucieux du détail que de l'ensemble les réunit. De leurs œuvres, si nous exceptons Catulle*, il ne nous reste guère que les titres : Helvius Cinna avait écrit une brève épopée (un épyllion), *Zmyrna*, qu'il mit neuf ans à composer; Licinius Calvus, des épigrammes, un épyllion (*Io*); Valerius Cato, leur chef de file, des ouvrages de grammaire, des poésies (*Lydia*); Cornificius également un épyllion, *Glaucus*. Certains seront les ennemis de César*, comme Cassius de Parme et Furius Bibaculus. Leur école sera éclipsée, à la génération suivante, par Virgile* et Horace*, mais leur contemporain Cicéron* se moquait déjà de leur « art poétique » et les appelait ironiquement « les panégyristes d'Euphorion » (*cantores Euphorionis*). — De l'époque augustéenne, nous connaissons trois cercles. Asinius Pollion*, qui fréquenta dans sa jeunesse les « poètes nouveaux », lança la mode des lectures publiques* et créa la première bibliothèque* publique, s'entoura, alors qu'il était gouverneur* de Cisalpine (43 av. J.-C.), d'un cercle cultivé, dans lequel on trouve Cornelius Gallus (69-26 av. J.-C.), auteur d'élégies, et surtout Virgile*, qui écrit à cette époque les *Bucoliques*. Peut-être ce groupe s'est-il désigné sous le terme d'« arcadiens », comme les bergers de Virgile. Mais, en 40, Pollion est chassé de Cisalpine et gardera toujours ses distances vis-à-vis d'Auguste*. De son côté, Mécène* rassemble bientôt autour de lui Virgile, Horace*, Properce*. La poésie n'est d'ailleurs pas leur seul lien : Mécène, comme Horace, comme Virgile, dans sa jeunesse au moins, avait été séduit par l'épicurisme*; ils sont également animés par un certain idéal politique, et ce cercle tient une grande place dans la formation de l'idéologie augustéenne. Enfin, il y eut, à la même époque, le cercle de Messalla (64 av. J.-C. - 8 apr. J.-C.), homme de guerre, orateur*, poète : il servit loyalement Auguste, sans pourtant renier ses convictions républicaines. Il s'entoura de poètes, dont les plus connus sont Tibulle*, Lygdamus, Cornelius Severus, ainsi que sa propre nièce Sulpicia. Ce groupe est plus indépendant et moins politique que le précédent. — Vraisemblablement, d'autres cercles ont dû exister, mais nous ne les connaissons guère. Les lectures* publiques qui se sont développées sous l'Empire* témoignent du goût des Romains pour les réunions et les conférences littéraires. Nous savons aussi, par les *Lettres* de Pline* le Jeune par exemple, que les Romains lettrés ont toujours aimé se réunir et converser, mêlant dans quelque villa* agréable, les charmes de l'*otium** et les préoccupations intellectuelles.

César (C. Julius Caesar: 102-44 av. J.-C.). César appartient à une vieille famille patricienne*, qu'il faisait remonter à Iule, le fils d'Énée*, et par lui à Anchise et Vénus. Au début de sa carrière, il se heurta à Sulla* et, pour éviter les proscriptions*, il quitta Rome en 83 et n'y revint qu'à la mort du dictateur* (78). En 73, il est élu au collège des pontifes* et participe bientôt aux mesures qui tendent à abolir les réformes de Sulla. En 68, il est questeur* en Espagne ; en 65, il est édile* curule et donne, à cette occasion, des jeux* restés célèbres, pour lesquels il doit contracter de lourdes dettes. En 63, il est *pontifex maximus* ; en 62, préteur*. Il a secrètement favorisé Catilina* et essayé d'éviter la mort des conjurés. En 61, il est propréteur* en Espagne avec trois légions*. En 60, il forme avec Crassus* et Pompée* le premier triumvirat*. Enfin, en 59, il obtient le consulat*. Il se fait attribuer le gouvernement de trois provinces (Cisalpine, Illyrie, Narbonnaise), fait voter deux lois* agraires, crée le Journal* officiel de Rome. Avant de partir pour le gouvernement de ses provinces, il favorise l'élection de Clodius* au tribunat* de la plèbe, et le charge d'exécuter les réformes des *populares*. En 58, il entreprend la conquête de la Gaule* : pour cela, un prétexte lui a suffi. La « guerre des Gaules »* est terminée en 50. Entre-temps, le triumvirat s'est désuni et César refuse de se laisser dépouiller de son armée. En janvier 49, il franchit le Rubicon, qui marquait la limite de la Cisalpine, poursuit Pompée jusqu'à Brindes, entre à Rome le 1er avril, défait les pompéiens d'Espagne, puis se fait nommer dictateur*. En 48, il est consul pour la seconde fois. En août de la même année, il défait Pompée à Pharsale*, presque sans combat. Il bat en Asie le fils de Mithridate, qui avait réoccupé le Pont, et rentre en octobre 47 à Rome, où il se fait élire consul pour cinq ans. En avril 46, il bat les pompéiens en Afrique à Thapsus* et en mars 45 à Munda en Espagne. Durant ses brefs séjours à Rome, il promulgue des réformes qui visent à affaiblir le sénat, flatte le peuple et songe à rétablir la monarchie. Aux fêtes des Lupercales (février 44), Antoine* lui tend le diadème, mais il le refuse.

Répartition des centuries et classes

Centuries équestres		18	centuries	
1re classe		80	—	(100 000 as)
2e —		20	—	(75 000 as)
3e —		20	—	(50 000 as)
4e —		20	—	(25 000 as)
5e —		30	—	(11 000 as)
Hors classe :	ouvriers	2	—	
	musiciens	2	—	
	capitae censi (sans fortune)	1		
		193	centuries	

Le 15 mars suivant, il est assassiné par Brutus* et Cassius. Rome est dans l'anarchie, et bientôt la succession de César va mettre aux prises Octave* et Antoine. César avait tenté d'instaurer une monarchie militaire ; Auguste choisira une formule d'apparence plus républicaine, le « principat ».

Mais César fut également un urbaniste, dont les projets grandioses (il s'agissait de modifier le plan de Rome en changeant le cours du Tibre) ne purent être mis à exécution ; toutefois il eut le temps de faire construire le forum* qui porte son nom, la Curie*, et la basilique* Julia (qu'Auguste acheva) ; enfin, César était homme de lettres : il écrivit une tragédie, des poèmes, un traité de grammaire et surtout des *Mémoires* (« Commentaires sur la guerre des Gaules », « sur la guerre civile »), où il donne des événements un tableau à la fois exact et tendancieux, susceptible de servir ses projets.

chancellerie impériale. Claude organisa systématiquement un ensemble de bureaux destinés à centraliser l'administration romaine et, désormais, ces bureaux *(scrinia)* allaient être l'un des organes du gouvernement impérial. Les fonctionnaires* qui en faisaient partie furent recrutés, dès Hadrien*, dans l'ordre* équestre.

Les principaux services sont : — 1° le bureau *ab epistulis*, qui centralise la correspondance officielle ; — 2° le bureau *a libellis*, qui reçoit les requêtes et mémoires de particuliers ; — 3° le bureau *a rationibus*, chargé des questions financières ; — 4° le bureau *a cognitionibus*, qui reçoit les dénonciations et fait trancher les litiges ; — 5° le bureau *a memoria*, créé par Caracalla, et qui empiète sur les autres, en réunissant les dossiers des différentes affaires politiques. Tous ces services font penser à nos ministères actuels ; à la tête de chacun d'eux est placé un *magister scrinii*, assisté de fonctionnaires et de jurisconsultes*.

chasse. La chasse fut à Rome un divertissement sportif* et un spectacle*. Mais il semble qu'elle n'ait été que tardivement sinon pratiquée, du moins honorée. Sans doute, vers le début du IIe s. av. J.-C., les grandes propriétés d'herbages et de prairies ont-elles permis aux Romains de s'adonner à un sport dont ils avaient découvert l'existence et les règles dans les paradis de Macédoine. Les Romains distinguaient la chasse aux oiseaux *(aucupium)*, pour laquelle ils utilisaient les pièges, les appâts, la glu, et la chasse aux quadrupèdes *(venatio)* : on levait l'animal, que l'on poursuivait (à pied ou à cheval), aidé par les chiens, vers les filets. Les armes des chasseurs étaient l'épée, la lance, la massue, le coutelas. Les grandes chasses coloniales d'Hadrien* sont célèbres : cet empereur voyageur et touriste a pratiquement chassé partout où il est passé ; ses plus grandes chasses se situent en Mysie, en Égypte, en Grèce ; l'ours et le lion furent ses plus belles pièces.

Mais la chasse fut aussi un spectacle* donné dans l'amphithéâtre*, pendant les jeux*. Les premières chasses offertes aux Romains le furent en 186 av. J.-C. par M. Fulvius Nobilior, pour célébrer sa victoire sur l'Étolie. Les Romains voulurent recréer dans les amphithéâtres les conditions d'une chasse réelle (intervention de chasseurs orientaux ou africains, mise en place d'un cadre naturel) : l'amphithéâtre, transformé brusquement en parc de chasse, évoque les paradis de Macédoine et de l'Orient.

L'apogée des chasses se situe sous l'Empire. On faisait venir de pays lointains les espèces les plus rares, que l'on élevait dans les ménageries* et les parcs zoologiques. Pour varier le spectacle, on faisait parfois s'affronter entre eux les fauves ; d'autres fois, on présentait des numéros de dressage. Tibère*, Néron* et surtout Commode descendirent dans l'arène, pour y faire la démonstration de la *virtus** impériale, égale à celle d'Hercule. En maîtrisant ou en domptant les fauves, l'empereur étalait sa puissance et triomphait, symboliquement, des forces du mal. Ainsi, par le biais de la mystique impériale, les chasses retrouvaient épisodiquement une valeur religieuse qu'elles n'avaient en fait jamais complètement perdue. Avant 186, en effet, lors de certaines fêtes *(Floralia, Cerealia)*, on lâchait dans le cirque des chèvres, des lièvres ou des renards : rituel agraire de protection des récoltes. Mais, d'une manière plus générale, toute chasse est un sacrifice sanglant *(mactatio)* et comme tel apaise les puissances chthoniennes et glorifie l'être auquel elle est adressée. De ce point de vue, les chasses de l'arène sont, comme les combats de gladiateurs*, des *munera*, c'est-à-dire les substituts des sacrifices* humains. Mais les chasses en pleine nature avaient également un caractère religieux nettement marqué (prières et sacrifices avant et après la chasse, consécration des dépouilles, des armes, etc.). Ainsi, entre la chasse-divertissement et la chasse-spectacle, il n'y a pas de rupture : la seconde fut sous l'Empire l'aboutissement de la première et permit à la *virtus romana* de se manifester.

chaussures. Hommes et femmes portaient les mêmes modèles de chaussures ; seulement, les chaussures féminines étaient plus raffinées et plus élégantes. La chaussure « habillée » est le *calceus*, sorte de bottillon à semelle épaisse, fermé par des languettes. Il en existait deux modèles, l'un en cuir rouge *(calceus mulleus, patricius)*, orné d'une boucle en forme de croissant *(lunula)*, que portaient les magistrats* curules ; l'autre, en cuir noir, sans ornement. Les esclaves* n'avaient pas le droit de porter le *calceus*. Chez soi, on mettait la sandale *(solea)*, simple semelle munie d'une courroie. Il n'était pas convenable de sortir ainsi : lorsqu'on était invité, un esclave portait les sandales que l'on chaussait en arrivant chez son hôte. Il existait encore bien d'autres modèles de chaussures, d'usages particuliers : les pantoufles *(socci)* ; les bottes *(perones)* et les sabots *(sculponeae)* portés dans les champs ; les *caligae*, chaussures militaires ; les cothurnes *(cothurni)*, à semelle très haute, que chaussaient les acteurs tragiques ; les *crepidae*, sandales d'origine grecque portées par les acteurs de comédie, qui mettaient également des *socci*, etc.

chevalier → **classes sociales ; ordre équestre.**

chiffre. Pour les nombres inférieurs à l'unité, les Romains recouraient au système duodécimal : il s'agissait moins pour eux, du reste, de fractions que de réalités concrètes. En effet, ils ne disaient pas 1/12, 1/4, 1/2..., mais une *uncia*, un *quadrans*, un *semis*, etc. Si les opérations portant sur les multiples de l'unité étaient simples, l'arithmétique des nombres duodécimaux était fort complexe. → **calcul.**

chirurgien (*chirurgus*, du grec *kheir*, main, et *ergon*, travail ; ou *medicus vulnerum*, médecin des blessures). Les chirurgiens étaient d'une grande audace et d'une grande habileté, comme en font foi les opérations qu'ils pratiquaient : trachéotomie, trépanation, amputation étaient courantes (sans asepsie ni anesthésie, ou peu s'en faut). Les décou-

Tableau des chiffres romains

1	I	50	L
2	II	100	C
3	III	200	CC
4	IV	500	D
5	V	600	DC
6	VI	900	DCCCC
7	VII	1 000	C(I) ou M ou $\overline{\mathrm{I}}$
8	VIII	2 000	C(I) C(I) ou MM ou $\overline{\mathrm{II}}$
9	VIIII ou IX	5 000	(I) ou $\overline{\mathrm{V}}$
10	X	10 000	CC(I) ou $\overline{\mathrm{X}}$
11	XI	20 000	XXM ou $\overline{\mathrm{XX}}$
12	XII	50 000	LM ou $\overline{\mathrm{L}}$
etc.		100 000	CM ou $\overline{\mathrm{C}}$
19	XVIIII ou XIX	1 000 000	$\boxed{\mathrm{X}}$
20	XX	5 000 000	$\boxed{\mathrm{L}}$
40	XL	100 000 000	$\boxed{\mathrm{M}}$

vertes archéologiques et les représentations figurées nous donnent, par ailleurs, une idée assez précise des instruments que contenait la trousse d'un chirurgien : scalpel, sonde, forceps, agrafes métalliques, pinces, ventouses, aiguilles, etc. Parmi les grands praticiens, citons Philoxène et Ammonius (Ier s. av. J.-C.), Rufus, Soranus d'Éphèse, Antyllus (IIe s. av. J.-C.).

chrétiens. Il y a des chrétiens à Rome* dès le milieu du Ier s. : les païens, d'ailleurs, les confondent encore avec les juifs. Saint Paul prêche à Rome entre 61 et 64; saint Pierre s'y trouve également à cette époque. La première persécution est due à Néron*, qui rendit les chrétiens responsables de l'incendie de Rome (64). Les accusations d'onolâtrie, de meurtre rituel, d'inceste, portées contre eux, ainsi que le reproche qu'on leur faisait de « haïr le genre humain », permirent de détourner sur eux la colère de la foule. La seconde persécution serait le fait de Domitien. Jusqu'au milieu du IIIe s., périodes de persécution et périodes de tolérance ou d'indifférence se succèdent. En effet, il n'y a pas de loi* à l'encontre des chrétiens, mais leur sort reste précaire et ils sont toujours sous la menace d'un mouvement populaire. Au milieu du IIIe s., la situation change : Dèce décrète une persécution officielle en ordonnant à tous les citoyens de participer à un sacrifice général (249), contraignant ainsi les chrétiens à se dénoncer ou à abjurer. Ces persécutions ne cesseront qu'à la mort de Valérien (259). Puis, jusqu'en 203, l'Église jouit d'une paix relative; mais, en 303-304, Dioclétien*, brusquement, déclenche la plus sanglante persécution. Ce n'est qu'en 313 que Constantin* proclame la liberté des cultes (édit de Milan) : il avait été précédé par Galère qui, deux ans plus tôt, avait reconnu officiellement le christianisme en Orient. Très vite, les usages chrétiens s'imposent dans la vie sociale. Après la brève réaction païenne de Julien (361-363), Théodose* proclame le christianisme religion d'État en 380.

chute de Rome. Pour se protéger contre les peuplades barbares massées aux frontières de l'Empire, les Romains avaient construit le *limes**. De plus, des traités conclus avec certaines d'entre elles et leur permettant de servir dans les armées romaines, de s'installer dans les régions frontalières ou, à l'intérieur, dans les campagnes désertes, offraient des avantages certains (stratégie, main-d'œuvre, recrutement, etc.). Inaugurée par Marc Aurèle, cette politique fut poursuivie par les empereurs suivants, en particulier Probus, Dioclétien*, Constantin*.

Mais dès la fin du IIe s. apr. J.-C., Rome eut à faire face à des « invasions » : simples infiltrations sans conséquences graves ou attaques massives. Ces Barbares, généralement peu nombreux, se montrent d'ailleurs souvent plus soucieux de bénéficier des avantages de la civilisation romaine que de la détruire. Les grandes invasions qui devaient aboutir à la chute de Rome se produisirent au début du Ve s. : les Germains, sous la pression des Huns, envahissent l'Italie, et en 410 Rome est pillée par les Wisigoths d'Alaric. En 452, les Huns, commandés par Attila, passent en Italie, mais Rome est épargnée. Divers royaumes barbares s'installent dans tout l'Empire : Wisigoths en Espagne, Francs dans le nord de la Gaule, Vandales en Afrique, etc. Finalement, Odoacre, chef des Hérules, bat le dernier empereur romain, Romulus Augustule*, et renvoie à Constantinople les ornements impériaux. Il se heurte très tôt à l'Ostrogoth Théodoric, qui l'emporte et règne sur l'Italie pendant le premier quart du VIe s.

Un moment, l'empereur d'Orient Justinien (527-565) parvint à reconstituer l'unité de l'Empire, mais cette œuvre fut de courte durée.

L'histoire de la civilisation romaine s'achève : celle-ci ne meurt pas, mais survit dans l'héritage qu'elle laisse aux envahisseurs. Sur les causes de la chute de Rome, les historiens, depuis longtemps, ne sont guère d'accord. Il faut en tout cas renoncer à une explication unique : causes d'ordre militaire, social, économique, institutionnel se mêlent, mais souvent le mal n'était pas récent.

Cicéron (M. Tullius Cicero : 106-43 av. J.-C.). Né à Arpinum, à une centaine de kilomètres au sud-est de Rome, issu d'une famille équestre, consul en 63, cet

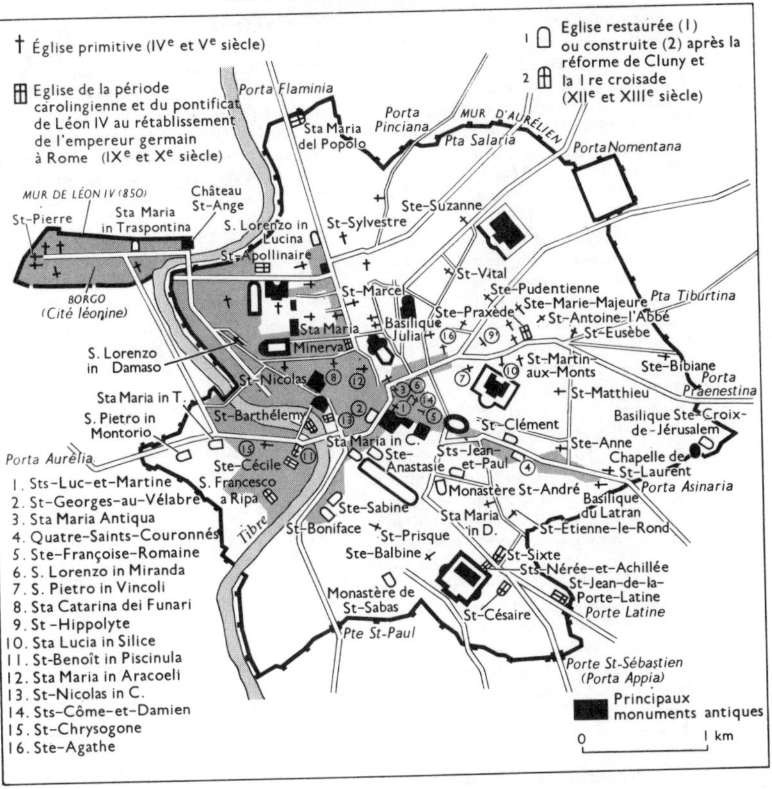

Les premières églises chrétiennes
Par indifférence aux réalités matérielles et par opposition au paganisme, les premiers chrétiens n'ont pas construit d'édifices cultuels et célébraient les offices religieux dans des maisons privées, souvent désignées par le nom de leur propriétaire (titulus Clementis, par exemple, à Rome). Par la suite, on éleva parfois sur leurs ruines des églises proprement dites (Saint-Clément, Saint-Martin-aux-Monts...). Mais les premiers édifices, qui du reste n'ont pas d'architecture caractéristique, apparaissent sans doute au début du IIIe s. On les appelle *ecclesiae, domus Dei, tituli,* ou *basilicae.* Ce n'est qu'après la paix de l'Église (313) qu'une architecture chrétienne originale se révèle. On construit essentiellement trois types de monuments, différents par leur plan et par les fonctions auxquelles ils sont destinés : les basiliques (les plus anciennes à Rome datent de Constantin : Saint-Jean-de-Latran, Saint-Pierre...), les *martyria* (édifices élevés à la mémoire de martyrs et dérivés des mausolées païens ; ils sont nombreux aux Ve et VIe s.) et les baptistères. La seule basilique constantinienne qui ait été conservée presque intacte est l'église de la Nativité du Christ, à Bethléem. À la fin du IVe s., certains édifices païens furent transformés en lieux de culte ; mais les chrétiens hésitèrent longtemps à utiliser les anciens temples (en général pas avant le IXe s., par exemple le temple d'Antonin et de Faustine).

« homme nouveau* » a été le plus grand orateur* et homme politique de Rome. Toute sa vie, il subordonna l'étude et la réflexion à l'action politique, pour servir la *respublica** en se conformant à l'idée qu'il se faisait de l'intérêt général. Ses grands succès politiques vont de pair avec ses succès d'orateur : le vote* de la *lex Manilia,* en 66, qui accorde à Pompée les pleins pouvoirs dans sa lutte contre Mithridate *(Pour la loi Manilia)* et, en 63, la lutte contre Catilina* et ses complices *(les Catilinaires),* qui fut son triomphe, à une époque où il pensait enfin avoir réalisé autour de sa personne l'union des *optimates**. Mais il devait bientôt connaître d'amères déceptions : les hommes du premier triumvirat* l'abandonnèrent et il fut exilé par Clodius*, en 58, pour avoir fait exécuter les complices de Catilina illégalement. Plus tard, lors du conflit entre Pompée* et César*, il hésita longtemps sur le parti qu'il devait suivre et finalement rejoignit Pompée en juin 49. Après l'assassinat de César (44), il crut pouvoir jouer les premiers rôles et favorisa Octave* : il prononça, entre septembre 44 et avril 43, les *Quatorze Philippiques* contre Antoine*. Mais Octave et Antoine s'unirent et Cicéron fut la victime de cet accord temporaire. Il fut assassiné fin 43 entre Formies et Gaète, alors qu'il tentait de s'enfuir ; sa tête et sa main droite furent exposées sur les rostres*.

L'œuvre de Cicéron est immense : discours *(Contre Verrès, Pour Sestius, Pour Milon...),* ouvrages de rhétorique *(Sur l'orateur, Brutus, l'Orateur),* de philosophie *(Sur la vieillesse, Sur l'amitié, Sur les devoirs),* de politique *(Sur la république, Sur les lois),* sans compter sa *Correspondance.* Mais l'unité d'une œuvre aussi variée est évidente : en effet, Cicéron n'a cessé de méditer sur la meilleure forme de gouvernement (« qu'une part soit faite à l'influence des nobles et que certaines choses soient réservées au jugement du peuple ») et sur le meilleur homme d'État, qui doit rassembler en lui les qualités de l'orateur, du chef militaire et du philosophe : c'est le *princeps* (le Premier) idéal. Sa pensée, centrée sur la notion de dévouement civique, est restée le symbole d'une pensée humaniste. Elle a marqué profondément la romanité.

cimetières. Ils sont situés en dehors des villes. La loi* romaine, en effet, n'admettait les sépultures* urbaines que pour les vestales* ou exceptionnellement pour quelque personnage que l'on voulait honorer particulièrement. On disposait les sépultures le long des routes*, à l'entrée des villes, et c'était là un usage répandu dans tout l'Empire*. → **catacombes.**

Cincinnatus (L. Quinctius Cincinnatus), dictateur* en 458 et 439 av. J.-C. La tradition veut qu'entre les deux exercices de cette charge, il soit retourné dans ses champs, au-delà du Tibre, et les ait cultivés lui-même. Il incarne le Romain fidèle à la terre.

Cinna (Cn. Cornelius Cinna), petit-fils de Pompée*. Il complota contre Auguste* pendant son absence en Gaule* (16-13 av. J.-C. ?). Sur les instances de Livie*, l'empereur lui accorda son pardon, et Cinna fut même consul* en 5 apr. J.-C. Il est surtout célèbre par le traité *Sur la clémence* de Sénèque* et la tragédie de Corneille qui porte son nom. Mais son rôle historique est moins important que celui de son père, **L. Cornelius Cinna,** pendant la guerre civile entre Pompée et César*, et surtout que celui de son grand-père, **L. Cornelius Cinna,** plusieurs fois consul (en 87, 86, 85 et 84 av. J.-C.), partisan de Marius* et, à la mort de ce dernier, chef du parti* populaire, assassiné en 84 à Brindes, alors qu'il se préparait à combattre Sulla* en Orient.

cippe (cippus), **pillier de pierre servant de borne, ou utilisé comme stèle* funéraire, indiquant l'emplacement de l'inhumation ou contenant les cendres.**

cirque (circus). Les cirques ont la forme de quadrilatères très allongés, dont les petits côtés dessinent deux courbes non symétriques. Au centre de l'arène, la partageant sur une grande partie de sa longueur, se trouve la *spina* (« épine »), levée de terre ou mur de maçonnerie : à chacune de ses extrémités sont disposées des bornes. C'est autour de cette *spina* que devaient courir les chars. Les gradins s'élèvent autour de l'arène. On donnait, dans les cirques, surtout des courses de chars, mais aussi des chasses et tous spectacles à grand déploiement : défilés, processions, cortège des triomphateurs... Le plus ancien et le plus vaste à Rome est le Grand Cirque *(Circus Maximus)*, construit dans la vallée Murcia, entre l'Aventin et le Palatin : ses premiers aménagements dateraient de l'époque royale. Sous l'Empire, il pouvait contenir près de 400 000 spectateurs. Parmi les principaux autres : celui de Flaminius (fin du IIIe s. av. J.-C.) au champ de Mars, celui de Caligula, sur l'emplacement de l'actuelle place Saint-Pierre, celui de Maxence, au troisième mille de la voie Appienne. En dehors de Rome, il ne subsiste de cirques que dans les provinces*, car Auguste* avait interdit les courses en Italie*, et cette interdiction ne fut jamais levée.

cithare (cithara), **instrument à cordes plus perfectionné que la lyre*.**

Sa caisse de résonance est en bois ; le nombre de cordes, assez élevé, peut aller jusqu'à 18. C'est l'instrument des musiciens professionnels ; il accompagne la poésie lyrique.

citoyen romain (civis Romanus). La citoyenneté romaine *(civitas)* se compose d'un ensemble de prérogatives dissociables, que l'on peut avoir en totalité ou en partie. Mais seul celui qui les possède toutes est citoyen complet *(civis optimo jure)*. Le droit de cité complet comprend pour l'essentiel, d'une part, des droits civils : le *jus connubii* (droit de se marier régulièrement) et le *jus commercii* (droit de faire des actes juridiques) ; d'autre part, des droits politiques : le *jus suffragii* (droit de vote) et le *jus honorum* (droit d'être élu à une magistrature).

Celui qui ne possède pas tous ces droits est dit citoyen incomplet *(civis minuto jure)* : c'est le cas des affranchis (qui n'ont pas le *jus honorum*), des habitants des municipes* italiens (qui ne possèdent pas le *jus suffragii*), des habitants des municipes provinciaux, dont le statut est variable.

On a la qualité de citoyen par naissance ou par collation ultérieure ; on la perd par abandon volontaire *(rejectio civitatis)*, ou en se faisant citoyen d'une cité indépendante (colonie latine, cité fédérée), ou par déchéance *(deminutio capitis*)*. La citoyenneté entraîne des obligations : le service militaire* et le tribut*.

civitas → citoyen romain.

classes → centuries.

classes sociales. Le droit romain distingue quatre catégories d'hommes : les hommes libres, les esclaves*, les affranchis* et les pérégrins*. Chacune de ces catégories a des droits et des devoirs, qui sont définis par rapport au critère de citoyenneté* romaine.

Mais, au sein des hommes libres, il existe des classes différentes, dues à l'origine sociale ou à la fortune ; parfois, du reste, il convient de parler d'« ordre » plus que de classe sociale, car le mot *ordo* implique une définition et une reconnaissance officielles, qui ont effectivement existé.

La première distinction que l'on rencontre dans l'histoire romaine est celle du patriciat et de la plèbe*. Les origines de cette dernière sont complexes : vraisemblablement, les plébéiens ont été, à un moment donné du moins, des citoyens qui n'étaient pas associés au culte de la cité et auxquels un certain nombre d'actes juridiques étaient interdits ; à une date difficile à déterminer, les plébéiens ont dû recevoir l'autorisation de former des *gentes**, sur le modèle des *gentes* patriciennes. L'origine du patriciat n'est pas non plus exactement connue : sans doute, les patriciens sont-ils les descendants des *patres* de l'époque royale (ceux qui composaient le sénat, ou les chefs de famille en général).

On attribue à Servius Tullius* (578-534 av. J.-C.) l'organisation en centuries*, qui eut pour effet de répartir les citoyens selon la fortune et de faire entrer les plébéiens dans l'armée*. Si, effectivement, les rois étrusques ont fait entrer la plèbe dans la cité, il est probable, en revanche, que l'organisation censitaire s'est développée graduellement, au cours des siècles suivants. Toutefois apparaît un régime où ce n'est plus la naissance, mais la fortune qui crée des droits. De même, la création des comices tributes*, attribuée aussi à Servius Tullius et fondée sur le domicile, alla dans ce sens. Au IVe s., la plèbe achève de conquérir l'égalité avec le patriciat. Peu à peu, on assiste à la décadence du second et aux progrès de la première. Aussi commence-t-il à se constituer une nouvelle noblesse patricio-plébéienne, la *nobilitas*, qui comprend toutes les familles dont un des membres a obtenu une magistrature curule. Cette noblesse est héréditaire, mais comporte des degrés, selon le prestige des familles, les dignités obtenues. L'élite est constituée par l'*ordo senatorius*, les sénateurs. Quand on oppose alors *nobilitas* à *plebs*, ce dernier terme signifie, en fait, « petit peuple » (commerçants, petits propriétaires ruraux, artisans...). Cependant, au-dessous de la *nobilitas*, s'est constitué l'ordre équestre*, composé de riches propriétaires, d'hommes d'affaires, de banquiers, de publicains*. Entre noblesse et ordre équestre des conflits surgissent, mais face au « petit peuple », ils constituent l'aristocratie. L'antagonisme entre le prolétariat et cette double aristocratie amènera la formation de groupes politiques : les *populares** et les *optimates**.

Sous le Haut-Empire, la noblesse sénatoriale garde son prestige : c'est désormais un « ordre véritable ». Pour en faire partie, il faut posséder un cens* de un million de sesterces*, et avoir été choisi par l'empereur ; seuls les membres de l'ordre sénatorial sont admissibles au sénat et éligibles aux magistratures ; la dignité est héréditaire. Mais les magistrats ne sont plus que les agents de l'empereur. L'ordre équestre fournit pour sa part les éléments essentiels de l'administration ; il manque d'ailleurs d'homogénéité dans son recrutement, car le cens est relativement assez modeste. Noblesse sénatoriale et ordre équestre constituent les *honestiores**, par opposition aux *humiliores* ; en marge, la bourgeoisie provinciale ; mais sa prospérité est de courte durée.

Avec le Bas-Empire, la distinction entre les *honestiores* et les *humiliores* s'accentue encore : d'un côté, les « puissants » *(potentes)* : ordre sénatorial, ordre équestre, fonctionnaires ; de l'autre, les classes inférieures : les décurions*, plèbe urbaine et rurale. Une nouvelle catégorie juridique apparaît : celle des colons. Le colon est un exploitant rural, lié au propriétaire par contrat ; il est libre, mais attaché à la terre qu'il ne peut quitter. C'est un précurseur du serf.

clausule métrique. Les Romains étaient très sensibles à l'opposition des syllabes longues et brèves, non seulement en poésie (leur versification* reposait sur ce système d'alternances), mais également en prose : ils attachaient de l'importance aux fins de phrase, qui, dans la prose d'art tout au moins, étaient soumises à des lois précises. L'une des fins de phrase les plus chères à Cicéron* consistait dans la succession suivante : une syllabe longue, une syllabe brève, deux syllabes longues (ou une longue et une brève). Il fallait se garder, en prose, de recourir aux combinaisons métriques propres à la poésie.

clepsydre → horloges.

client (cliens). La *gens** primitive comprend deux éléments : les patriciens et des clients. Ceux-ci peuvent être des membres de familles pauvres, d'anciens parents déchus, des étrangers, des esclaves* affranchis. Le lien qui unit le client à son « patron* » *(patronus)* est fondé sur la notion de *fides**. Le patron aide son client, qui, en retour, lui doit respect et dévouement. Par la suite, l'institution de la clientèle se généralisa et, aussi, dégénéra. Son caractère quasi sacré se perdit, au profit de considérations plus pratiques. Une clientèle nombreuse fut signe de puissance et un instrument non négligeable au moment des élections*. Tous les matins, les clients viennent saluer leur patron *(salutatio matutina)*, qui leur fait remettre la sportule*. À la fin de la République* et sous l'Empire*, beaucoup de clients étaient en réalité des parasites.

Clodius (P. Clodius Pulcher : mort en 52 av. J.-C.), frère d'Appius Claudius Pulcher qui fut consul* en 54 av. J.-C. Il provoqua un grand scandale en s'introduisant, déguisé en femme, dans la maison du grand pontife*, qui était alors César*, et où se célébraient les mystères de la Bonne Déesse, interdits aux hommes. Néanmoins, soutenu par César, il fut tribun de la plèbe* en 58, bien qu'il fût d'origine patricienne : la modification de l'orthographe de son nom, Clodius, au lieu de Claudius, s'explique par ce passage à la plèbe *(transitio ad plebem)*. Il fit envoyer Cicéron* en exil*, sous le prétexte que les complices de Catilina* avaient été illégalement condamnés. Après le retour de Cicéron, rappelé par le tribun Milon* (57), Clodius et ce dernier se combattirent ouvertement. Finalement, Clodius fut tué par les hommes de son adversaire (janv. 52).

Code Justinien, **compilation des constitutions* impériales, rangées par ordre chronologique. Les plus anciennes remontent à Hadrien*, les plus récentes sont de Justinien lui-même. Il y eut deux éditions du *Code Justinien*, la première en 529, la seconde en 534.**

Code Théodosien, **codification des constitutions* impériales de 312 à 347 apr. J.-C., entreprise en 429 sous Théodose II, empereur d'Orient.**

cohorte (cohors).

1. Division de la légion* romaine, introduite par Marius*, et comprenant environ 600 hommes (un manipule* de *hastati*, un de *principes* un de *triarii*) placés sous le commandement d'un centurion* (période républicaine), plus tard (Empire*) sous celui d'un tribun de cohorte ou d'un *praepositus* (« chef »).

2. D'autres corps de troupes portent le nom de cohortes : — les *cohortes auxiliaires,* composées de cavaliers et de fantassins, créées sous l'Empire ; — les *cohortes urbaines,* au nombre de quatre, de 500, puis de 1 000 hommes (citoyens) chacune, commandés par un tribun ; Auguste créa ce corps pour veiller à la garde de Rome ; à sa tête est placé le préfet de la Ville* ; — les *cohortes de vigiles,* créées également par Auguste pour combattre les incendies et assurer la sécurité la nuit ; il y en a sept de 500, puis de 1 000 hommes chacune (des affranchis), commandés par un tribun ; le préfet des vigiles* commande l'ensemble ; — les *cohortes prétoriennes* : sous la République, la cohorte prétorienne est chargée de protéger la personne du commandant en chef ; dans les provinces*, les gouverneurs ont également une garde personnelle. Sous l'Empire, elles constituent la garde impériale, à titre permanent, sous le commandement de deux préfets du prétoire*. Elles comprennent 9, puis 10 cohortes, de 1 000 hommes chacune (citoyens), commandés par un tribun. Elles sont casernées à Rome, dans le nord-est de la Ville *(castra praetoria),* et jouissent d'une organisation et d'un statut particuliers. Elles sont souvent rendues responsables des heures sombres de l'Empire, ayant effectivement joué un rôle décisif dans la chute et l'avènement des empereurs. Toutefois, de ces remous les empereurs sont souvent eux-mêmes responsables ; sous les meilleurs d'entre eux, elles ont obéi et servi loyalement.

coiffure. Pendant longtemps, la coiffure féminine fut très simple : chignon *(tutulus)* ou nattes enroulées en bourrelets sur le front. La mode se compliqua à partir des Flaviens (69 apr. J.-C.) : les frisures apparaissent et les cheveux sont disposés en échafaudages, maintenus par des épingles ou un diadème. Au milieu du IIIe s. apr. J.-C., la simplicité redevient de bon ton : les Romaines renoncent aux coiffures en hauteur et préfèrent les ondulations, qui prennent parfois la forme d'un casque enfermant les oreilles, ou bien sont relevées en arrière à la façon d'un cimier.

Il va sans dire, comme nous le rappelle Ovide*, que les Romaines choisissaient parmi les variétés de coiffures à la mode celle qu'elles jugeaient en harmonie avec leur physique, aidant la nature par l'usage des postiches, des perruques, de la teinture. Une esclave *(ornatrix),* souvent assistée d'autres coiffeuses, était chargée du soin de peigner la maîtresse de maison.

Les hommes, généralement, portaient les cheveux courts ; les élégants se faisaient friser au fer, et ceux qui jugeaient disgracieuse la calvitie recouraient à divers subterfuges.

colonies (coloniae). Les colonies sont, en principe du moins, des villes fondées de toutes pièces sur des territoires conquis et annexés par Rome. L'établissement de colonies obéit à un rite de fondation : inauguration, limitation, consécration du territoire de la cité nouvelle → **urbanisme** ; les colons sont « conduits » *(deductio coloniae)* par une commission de trois membres sous la République* *(tres viri coloniae deducendae agroque dividundo),* par un légat* ou un curateur* sous l'Empire*. On peut distinguer trois types de colonies.

1. Les colonies romaines *(coloniae civium Romanorum).* Ces colonies ont pour but d'assurer la domination romaine sur des points stratégiques (en Italie* ou, plus tard, dans les provinces*). Elles sont constituées de citoyens romains (généralement 300 à l'origine), qui conservent tous leurs droits de citoyens*, et jouissent de certains privilèges (exemption d'impôts* et, théoriquement, du service militaire*). Les colonies romaines sont des « images » de Rome et se donnent des institutions municipales calquées sur elle. Quant à la population indigène du territoire annexé, elle habite des villages *(vici, conciliabula),* dont le statut est variable : ils peuvent être soumis, fédérés, ou assimilés (citoyenneté incomplète) à la colonie.

2. Les colonies latines *(coloniae latinae).* Elles sont composées de Latins, auxquels parfois se mêlent des Romains (qui perdent alors leur citoyenneté* complète) ; le nombre des colons est généralement plus élevé que dans les colonies « romaines ». Les premières colonies latines (Velitrae, Antium, Ardée...) avaient été fondées par la Ligue latine → **Latins** ; après la dissolution de celle-ci, en 338, Rome, en tant que capitale du Latium, continua à en fonder en Italie, jusqu'au début du IIe s. av. J.-C. Mais leur statut évolua défavorablement à partir de 268 (fondation d'Ariminium). En effet, les premières colonies latines étaient traitées comme les plus favorisées des villes fédérées ; les habitants avaient même le droit de vote* à Rome et obtenaient la citoyenneté complète (droit d'être élu) quand ils s'installaient à Rome. Mais les dernières fondées, de 268 à 181 (Crémone, Plaisance, Valentia...), eurent des droits restreints (le *jus commercii* et, exceptionnellement, le *jus connubii*), comparables à celui des villes fédérées les moins bien traitées. À la différence des colonies romaines, essentiellement maritimes, les colonies latines furent situées à l'intérieur du pays. En effet, le but de celles-ci était l'exploitation du sol. La guerre Sociale* mit fin à la distinction entre colonies romaines et latines en Italie*. Mais Rome fonda également des colonies latines dans les provinces* : la différence avec les colonies romaines s'effaça également après la guerre Sociale, puisque les Latins avaient obtenu le droit de cité complet. À partir du Ier s. av. J.-C., toutes les nouvelles colonies sont « romaines ». Mais le « droit latin »* *(jus Latii)* fut alors accordé à certaines régions de l'Empire (les Alpes, l'Espagne) comme une étape vers la citoyenneté complète.

3. Les colonies de vétérans* *(coloniae veteranorum).* Elles apparaissent sous Marius* et se développent à partir de César* : les terres conquises sont attribuées comme récompense aux troupes. Ces colonies furent disséminées dans tout l'Empire.

Les colonies ont joué, dans l'ensemble, un rôle civilisateur de premier ordre.

colonne triomphale. Élever une colonne *(columna)* en l'honneur d'un individu ou d'un événement glorieux était une façon de le célébrer et d'en garder le souvenir → **rostres**. Sous l'Empire*, on éleva des colonnes aux empereurs : la plus célèbre est celle de Trajan*, œuvre de l'architecte Apollodore de Damas ; elle est à la fois monument de victoire et tombeau. La base contenait en effet les cendres de l'empereur, et sur le fût de la colonne (17 tambours en marbre de Carrare superposés) un long ruban en spirale et sculpté raconte les campagnes de Trajan contre les Daces (107 apr. J.-C.). La hauteur du monument était d'une quarantaine de mètres. Aujourd'hui, au sommet, une statue de saint Pierre remplace depuis le XVIe s. celle de Trajan.

columbarium (« pigeonnier »), niche creusée dans la paroi d'un caveau, où l'on déposait les urnes* funéraires. (Au-dessous de la niche, une inscription* portait le nom du défunt et ses titres.)

comices (comitia). **On désigne par ce terme (pluriel de *Comitium**) les différentes assemblées du peuple : les *comices curiates** (les plus anciens), les *comices centuriates** (qui datent peut-être du début du Ve s. av. J.-C.) et enfin les *comices tributes**, qui posent de nombreux problèmes de chronologie et d'origine.**

Les comices sont, avec les magistrats* et le sénat*, l'un des trois organes de l'État romain pendant la période républicaine.

L'élément de base des comices est le citoyen complet qui a le droit de vote *(jus suffragii)* et le droit d'être élu magistrat *(jus honorum)*. Mais les affranchis possèdent le *jus suffragii*.

Les comices sont le lieu des grands débats politiques : de leurs votes dépendent la nomination des magistrats, donc indirectement le recrutement du sénat et l'adoption des lois*. Mais ils possèdent aussi des attributions judiciaires importantes. Leur autorité est donc supérieure à celle du sénat et même à celle des magistrats.

Les comices ne pouvaient se réunir que certains jours, dits *dies comitiales* (184 par an); leur réunion est annoncée par voie d'affiches, trois nundines* à l'avance; auparavant, des réunions d'information ont lieu (les *contiones**). Le vote* dans les comices n'est pas individuel, mais collectif, c'est-à-dire que chaque curie, centurie ou tribu n'a qu'une voix, qui représente la majorité qui s'est manifestée dans la section. Ce n'est donc pas la majorité des citoyens qui décide du résultat, mais la majorité des sections (curies, centuries ou tribus).

Seuls des motifs d'ordre religieux et l'exercice du droit d'intercession* pouvaient empêcher la réunion des comices, une fois qu'elle était annoncée.

À la fin de la République*, leur compétence judiciaire fut progressivement diminuée par l'institution de jurys permanents. Sous l'Empire*, leur rôle législatif et électoral, purement formel au début, disparaît bientôt, leur compétence judiciaire est supprimée.

comices centuriates (comitia centuriata), **assemblée du peuple convoqué par centuries*, c'est-à-dire dans ses cadres militaires, qui, comme tels ne pouvaient se tenir à l'intérieur du *pomoerium**, mais se réunissaient sur le champ de Mars.**

Les comices centuriates ont compétence en matière politique (élection des magistrats* supérieurs), législative (vote des lois* proposées par les consuls*; mais ce rôle perdit de son importance au profit des comices tributes*), militaire (participation aux décisions touchant les déclarations de guerre* et les traités de paix), judiciaire enfin (juridiction criminelle, jugement en cour d'appel dans les procès* entraînant mort, exil*, flagellation). → **provocatio ad populum.**

comices curiates (comitia curiata), **les plus anciennes assemblées du peuple, réunies par curies*, sur le *Comitium**, et remontant à l'époque royale.**

Les comices curiates élisaient le roi* choisi par le sénat*, décidaient de l'opportunité de faire la guerre* ou la paix, donnaient des avis sur des questions d'ordre social, religieux, politique. Avec le roi et le sénat, les comices curiates étaient le troisième organe de gouvernement. On ne sait pas au juste à quelle date les plébéiens y furent admis (certainement avant le IIIe s.). Sous la République*, les comices curiates n'ont bientôt plus aucun pouvoir : les comices centuriates*, puis tributes*, rendirent leur rôle très effacé. Au IIe s. av. J.-C., les comices curiates sont symboliquement constitués par trente licteurs*, représentant les trente curies. Leur compétence se réduit à voter la loi curiate*, à « inaugurer* » le *rex sacrorum** et les flamines* majeurs, à autoriser l'adrogation*, à approuver une forme de testament* pratiquement inusitée.

comices tributes (comitia tributa). Les origines et les raisons de cette assemblée, qui réunissait patriciens* et plébéiens*, répartis en tribus*, ne sont pas claires. Pour certains, les *comitia tributa* sont issus des assemblées de la plèbe* (*concilia plebis*), peut-être au milieu du Ve s., plus sûrement au début du IIIe s. ; pour d'autres, les *comitia tributa* ont toujours été indépendants des *concilia plebis*, dont ils ont imité le fonctionnement : ils étaient convoqués et présidés par les consuls* et les préteurs*. Les attributions des comices tributes sont d'*ordre politique* (élection des magistrats* inférieurs : questeurs* et édiles* curules, auxquels il faudrait ajouter les tribuns* et les édiles de la plèbe, si à une certaine époque les assemblées de la plèbe sont devenues les comices tributes), d'*ordre législatif* (vote des lois* : la commodité des convocations et de la surveillance des séances a fait des comices tributes la véritable assemblée législative à partir du IIIe s.), d'*ordre judiciaire* enfin (droit de juger certains délits).

L'organisation des comices tributes, fondés à l'origine et en principe sur le domicile, aurait pu assurer une véritable représentation démocratique. En réalité, la distinction entre les quatre tribus* « urbaines » et les trente et une tribus « rustiques » perdit très vite tout caractère territorial; et la répartition arbitraire que faisaient les censeurs entre les tribus assura finalement la prépondérance des classes riches ou moyennes, inscrites dans les tribus rustiques; tandis que la population pauvre, inscrite dans les tribus urbaines, n'avait tout au plus que quatre voix, les trente et une tribus rustiques disposaient de trente et une voix.

Comitium, emplacement devant la Curie*, réservé aux comices curiates* et tributes*.

À son extrémité sud-est se trouvaient les rostres* d'où les orateurs* s'adressaient à la foule. À partir de 145 av. J.-C., les comices tributes se tinrent sur le forum*. C'était là une innovation importante, qui permettait de réunir des assemblées plus nombreuses, religieusement et politiquement plus libres, car le forum n'était pas, comme le *Comitium*, un *templum**.

commerce. Le commerce de Rome s'est développé au fur et à mesure que s'étendait la conquête de l'Italie* et des provinces*, mais la Rome royale était déjà une cité commerçante, et à cet égard la navigation sur le Tibre a joué un rôle déterminant. — Rome se gardait d'exporter les denrées alimentaires (blé, huile...), dont l'Empire* avait besoin, et certaines matières premières comme le fer, qui pouvaient être utilisées pour la fabrication des armes. En revanche, elle importait des objets et des denrées de luxe (pierres précieuses, parfums, épices, tissus...). Le trafic se faisait par terre (le développement du réseau routier facilitait les échanges) et également par mer (la navigation maritime étant souvent le plus rapide des moyens de transport). C'est vers l'Italie, et Rome au premier chef, que converge toute l'activité économique et commerciale de l'Empire. Les ports d'Ostie et de Pouzzoles possèdent de vastes entrepôts* où les marchandises sont déposées; à Rome également, le nombre de ceux-ci ne cessera de croître. Les marchandises importées sont soumises à une taxe, payée à la douane*. Les Romains distinguaient entre les *negotiatores*, commerçants en gros, qui faisaient souvent en même temps la banque et le commerce, et les *mercatores*, qui tenaient boutique sur la voie publique. Les activités commerciales ne jouissaient pas d'un grand prestige et, théoriquement du moins, elles étaient interdites à l'ordre sénatorial. En revanche, les chevaliers* et les publicains* étaient souvent mêlés aux grandes affaires commerciales. Le commerce de détail (sur les marchés, dans les boutiques) est aux mains des petites gens, affranchis* ou esclaves*. Les prix sont libres, sauf en cas de hausses jugées excessives. La tentative de taxation la plus célèbre est celle de Dioclétien* : il fixa un « édit du maximum », valable pour tout l'Empire, mais celui-ci resta sans effet. Toutefois les interventions de l'État seront de plus en plus nombreuses et paralyseront l'activité économique de l'Empire.

condamnations (poenae). Les simples délits sont punis d'une amende par les magistrats* en vertu de leur pouvoir de coercition, sans autre formalité que la constatation du flagrant délit.

Les délits justiciables des tribunaux* civils (vols, dommages, etc.) sont punis d'une amende qui s'ajoute aux dommages-intérêts réclamés par la partie civile. Pour les crimes de droit commun et les crimes politiques, qui relèvent des tribunaux criminels, deux catégories de condamnations sont prévues : d'une part, les peines capitales, mort physique ou mort civile (*deminutio* capitis*); elles sont accompagnées de la confiscation des biens du condamné; l'« eau et le feu » lui sont interdits; mais le condamné peut s'y soustraire en s'exilant; d'autre part, les peines, non capitales (amendes, infamie, emprisonnement, exil*, relégation*). Les condamnations encourues devant les tribunaux criminels et certaines de celles qui étaient encourues devant les tribunaux civils entraînaient l'infamie (privation des droits politiques ou de certains droits privés) : mais l'infamie pouvait être effacée par l'amnistie (*indulgentia*).

L'égalité devant la loi était un principe proclamé par la Loi des XII Tables* : en fait, les condamnations étaient plus lourdes quand l'accusé était situé au bas de l'échelle sociale. Sous l'Empire*, il y eut même deux genres de pénalités prévues pour les mêmes crimes. → **honestiores.**

condiments (condimenta). En plus des condiments auxquels nous sommes habitués (sel, vinaigre, etc.), les Romains utilisaient la lie de vin, et surtout le *garum*, liqueur de poisson, dont l'emploi était général dans la cuisine raffinée. → **gastronomie.**

consécration (consecratio). La consécration est un acte religieux par lequel les pontifes* font d'une chose profane une chose sacrée : c'est, en somme, un transfert de propriété en faveur des dieux. Les villes, tous les lieux et édifices religieux (temples*, sanctuaires, bois sacrés) sont ainsi consacrés après avoir été inaugurés → **inauguration.** La cérémonie inverse est la « profanation » qui rend les choses consacrées à leur usage profane, « laïque ».

La cérémonie de consécration, distincte de celle de la dédicace*, n'en est pas séparable.

Appliquée aux personnes, la consécration s'entend en trois sens. D'abord, il peut s'agir d'une condamnation* civile et religieuse : l'individu qui en est l'objet est déclaré maudit (*sacer*), comme ses biens. Cette *consecratio capitis et bonorum* entraîne la mort ou l'exil*.

Le second cas est la *devotio**. Enfin, sous l'Empire*, la consécration peut désigner l'apothéose* des empereurs qui fait d'eux des *divi* (« dieux »).

conseil de l'empereur (consilium principis). Auguste* créa cet organe de délibération qui comprenait des membres de sa famille, des amis, des sénateurs*, des chevaliers*, choisis par lui en raison de leurs compétences. Ce conseil évoquait toutes sortes d'affaires. Hadrien* lui donna sa forme définitive en faisant appel à des jurisconsultes*, qui en constituèrent l'élément permanent, et en faisant verser un traitement aux « conseillers ». À partir des Sévères, le *consilium principis* rejette complètement dans l'ombre le sénat et devient l'élément essentiel du gouvernement et de l'administration.

Constantin* en fera le « consistoire sacré » (*consistorium sacrum*), fortement hiérarchisé, dont la compétence porte sur toutes les questions administratives et financières : l'empereur préside assis, les membres sont debout.

Constantin (C. Flavius Valerius Constantinus : 280-337 apr. J.-C.). Empereur de 306 à 337. Fils de Constance Chlore qui fut associé par Dioclétien* à la tétrarchie*, il combattit en Bretagne avec son père et, à la mort de celui-ci, il fut proclamé empereur et s'installa à Trèves. Mais, allié à son beau-frère Licinius, il dut affronter Maximin Daia, empereur en Orient, et Maxence, proclamé empereur à Rome, qu'il battit au pont Milvius, sur le Tibre (312). En février 313, il promulgua l'« édit de Milan », qui assurait la liberté religieuse dans tout l'Empire. Son entente avec Licinius ne dura pas ; finalement il le fit mettre à mort en 324 ; dès lors, Constantin est le maître de tout l'Empire et fait figure d'empereur chrétien. Les historiens ne sont pas d'accord sur le point de savoir si, en 313, Constantin était chrétien ou non ; en fait, c'est surtout à partir de 324 qu'il favorisa les chrétiens*, intervenant même dans les querelles théologiques et érigeant en capitale Byzance, qui devint Constantinople (330), face à la Rome païenne.

constitutions impériales (constitutiones principis), actes législatifs de l'empereur*, ayant, dès le IIe s., force de loi* dans tous les domaines. Elles se répartissent en quatre catégories : 1° les édits* (*edicta*), de caractère général, applicables à tout l'Empire* ; ils sont souvent repris par les empereurs suivants ; 2° les rescrits (*rescripta*), réponses données par l'empereur à un particulier ou à un magistrat*, et d'une portée limitée à la personne qui a demandé la consultation ; 3° les décrets (*decreta*), décisions rendues par l'empereur dans les procès* ; ils font souvent jurisprudence ; 4° les mandats (*mandata*), règlements administratifs adressés aux gouverneurs* des provinces*.

Sous le Bas-Empire, les constitutions impériales prennent le nom de *leges* (lois*).

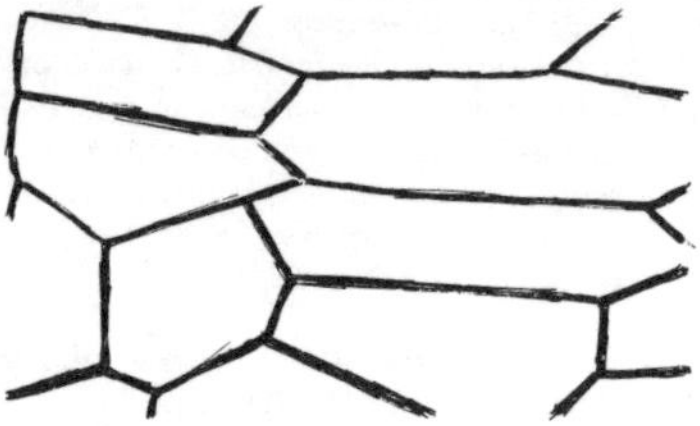

OPUS SILICEUM
(gros blocs irréguliers)

OPUS INCERTUM
(petit blocs de pierre placés sans ordre)

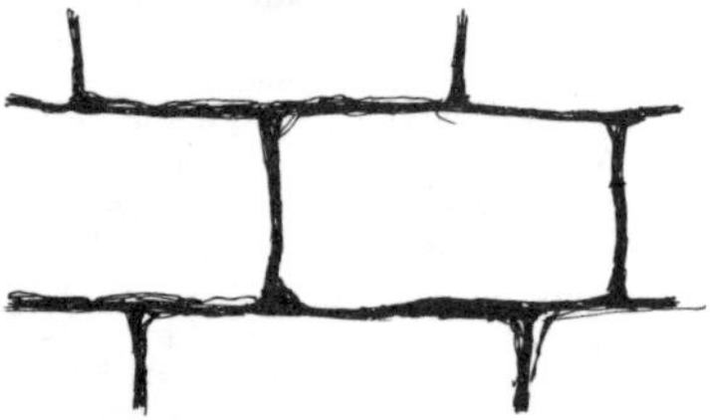

OPUS QUADRATUM
(blocs parallélépipédiques)

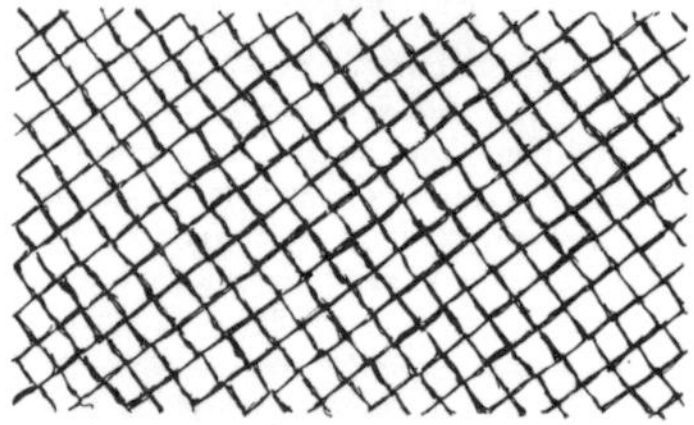

OPUS RETICULATUM *(petit blocs placés pour imiter les mailles d'un filet)*

OPUS TESTACEUM ou LATERICIUM
(briques)

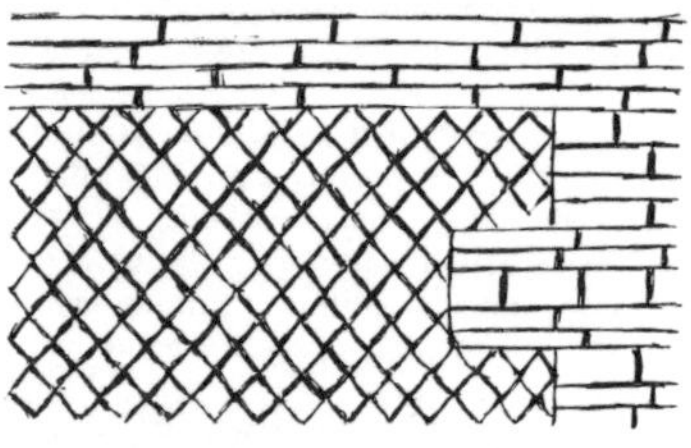

OPUS MIXTUM
(réticulé et briques)

Elles seront recueillies dans les différents codes*.

construction (appareils de). Primitivement, les Romains, à la suite des Étrusques*, ont utilisé la construction en pierres de taille, à sec, sans ciment : selon que la disposition et la forme des pierres étaient irrégulières ou au contraire régulières et parallélépipédiques, ces techniques s'appelaient dans le premier cas *opus siliceum*, dans le second *opus quadratum*. Mais l'originalité de la construction se manifeste au IIe s. av. J.-C., lorsque les architectes* utilisèrent l'*opus caementicum*, qui est un blocage d'éclats de pierre et de mortier, coulé dans des coffrages de planches. Cette technique avait deux avantages : elle permettait la construction d'arcs et de voûtes de grande portée et solides ; elle était rapide et économique. Généralement, et autant pour la solidité que pour l'esthétique, cet *opus caementicum* est revêtu de parements divers : petits blocs de pierre irréguliers (*opus incertum*) ; petits blocs en losange imitant les mailles d'un filet (*opus reticulatum*) ; mélange de pierres et de briques (*opus mixtum*) ; parement constitué de briques seules (*opus testaceum, latericium*), technique qui se généralisa sous l'Empire*, étant donné la maniabilité des briques et leur facilité à recevoir enduits et moulages. Les briques (« briques crues », faites d'argile et de paille hachée, et « briques cuites ») étaient carrées, rectangulaires, triangulaires ou circulaires et de taille variable ; elles portaient une estampille (nom du fabricant, parfois du propriétaire ou de la légion* quand il s'agit d'édifices militaires). Bien entendu, certaines surfaces pouvaient être dissimulées sous un revêtement de stuc ou de marbre.

consul (consul, « collègue »). Le consulat est la magistrature suprême : elle hérite des prérogatives du roi*, qu'elle remplace ; mais celles-ci sont limitées par l'annalité et la collégialité (deux consuls). Au début de la République* les consuls devaient être patriciens*, mais les lois Liciniennes (367 av. J.-C.) ouvrirent le consulat aux plébéiens*. L'âge requis pour exercer cette magistrature a varié : 37 ans jusqu'aux Gracques*, 43 ans ensuite, enfin 33 ans sous l'Empire*.

Pendant la période républicaine, les consuls sont élus par les comices centuriates* ; leur entrée en charge marque le début de l'année civile (1er janvier depuis 153 av. J.-C.), et s'accompagne d'une cérémonie au Capitole*. Les deux consuls exercent leur pouvoir à tour de rôle, un mois chacun, s'ils se trouvent à Rome ; sinon, l'un exerce ses fonctions à Rome, l'autre est chargé d'une mission à l'extérieur (par ex., conduite de la guerre). Leurs attributions sont : *politiques* (convocation du sénat*, des comices, exécution des décrets...) ; *juridiques* (mais elles leur furent progressivement retirées) ; *administratives* (peu à peu limitées en droit et en fait) ; *militaires* (levée des légions, commandement et direction des armées*) ; *religieuses* (présidence des féries latines). Ils sont revêtus de l'*imperium**, ont les auspices* majeurs ; enfin ils sont éponymes*. Pour être élu consul, il faut en principe avoir exercé les magistratures inférieures, et un intervalle de dix ans est théoriquement obligatoire entre deux gestions du consulat. Le prestige de la fonction consulaire est très grand, bien que son autorité politique ait été en diminuant. Du IVe s. à l'époque de Cicéron*, une quinzaine de consuls seulement n'appartiennent pas aux grandes familles et sont des « hommes nouveaux* ». Sous l'Empire*, le consulat perdit toute indépendance ; dès Tibère*, les consuls sont nommés par le sénat, lui-même aux mains de l'empereur ; au IIIe s., ils sont nommés directement par l'empereur. D'autre part, l'usage s'établit de nommer, en plus des deux consuls ordinaires, des consuls suffects (« remplaçants »), qui leur succédaient pendant l'année. Malgré les restrictions apportées à la fonction, le consulat exerce un certain prestige, mais devient sous le Bas-Empire extrêmement coûteux (fêtes et cérémonies). Les marques extérieures de respect sont : l'escorte de 12 licteurs*, les faisceaux*, le port de la toge* prétexte, la chaise curule. Elles s'accroissent encore sous l'Empire.

consulaire (consularis).

1. Personnages consulaires : sous la République* ce sont les anciens consuls*. Ils jouissent de divers privilèges : rang spécial dans les délibérations du sénat*, possibilité d'être nommés maîtres de la cavalerie*, gouverneurs* de province. Sous l'Empire*, l'empereur peut nommer consulaires des personnages qui n'ont pas été consuls : c'est alors un titre d'honneur, qui, du reste, donne droit aux mêmes privilèges que ceux qui sont accordés aux anciens consuls (entrée au sénat, gouvernement d'une province...).

2. Provinces consulaires : ce sont les provinces les plus importantes et attribuées aux consulaires (Asie, Afrique, Syrie...).

contio , **réunion publique, sans pouvoir législatif, et tenue sous la présidence d'un magistrat*.**

La foule entendait des conseils ou des informations d'ordre général, politique, militaire... Tout citoyen pouvait y prendre la parole. Ces réunions se tenaient près des rostres*, les jours fastes*. Les non-citoyens y étaient tolérés.

Coriolan, héros d'un épisode sans doute légendaire de la guerre de Rome contre les Volsques (488-486 av. J.-C.). Patricien* exilé par les tribuns* en 491, Coriolan rejoignit les Volsques et revint mettre le siège, à la tête d'une armée, devant Rome : il fut finalement fléchi par les larmes de sa mère et de sa femme, mais fut mis à mort par les Volsques.

Cornélie (Cornelia), fille de Scipion le Premier Africain*, épouse de Tib. Sempronius Gracchus, mère des Gracques*. Elle est restée le type même de la matrone* romaine, au sens le plus élevé du terme. Cultivée, elle se consacra, lors de son veuvage (153 av. J.-C.), à l'éducation* de ses enfants.

cornu (« corne »). Ce terme désigne différents objets de corne ou en forme de corne, en particulier un instrument de musique* militaire. À l'armée*, les joueurs de *cornu* (les *cornicines*) forment, avec les joueurs de *bucina**, la fanfare. Mais ils transmettent également aux troupes les mouvements à effectuer. En temps de paix, ils sont employés à diverses fonctions, aux comices*, aux tribunaux*, pour annoncer les convocations, marquer les différents temps des cérémonies, etc.

corporations (collegia). On attribue à Numa* la création de neuf associations professionnelles *(collegia opificum)* : les flûtistes, les orfèvres, les ouvriers du bâtiment, les teinturiers, les cordonniers, les tanneurs, les forgerons en cuivre, les potiers et, réunis en une seule corporation, tous les autres corps de métier. Mais d'autres associations se sont créées, et les commerçants ont formé eux aussi différents « collèges ».

Le but des corporations était d'ordre religieux (culte d'une divinité, patronne de la corporation ; souci d'assurer aux membres de l'association des funérailles* et une sépulture*) et social (assistance, secours, retraites). Toutefois, ces corporations ont pu jouer parfois un rôle politique et économique, et furent, pour cette raison, surveillées par César* et les empereurs*. Au Bas-Empire, certains groupements, jugés d'intérêt vital (transporteurs de blé, boulangers, bouchers), sont soumis à une juridiction très sévère : en particulier, l'exercice de la profession devient obligatoire dans certains cas.

couronne (corona). Les Romains ont fait un grand usage des couronnes (de feuillage, fleuries ou non ; de métal) ; un corps de métier était même spécialisé dans leur fabrication (les *coronarii*). On portait des couronnes pour certaines cérémonies religieuses et certains jours particulièrement importants de la vie (une naissance*, un mariage*) ; au cours des banquets également.

C'était aussi une récompense militaire, et à cet égard les Romains distinguaient toute une gamme : la *corona triumphalis*, pour les triomphateurs ; la *corona ovalis*, offerte aux généraux qui avaient obtenu l'ovation* ; la *corona classica*, accordée au marin qui était monté le premier à l'abordage d'un navire ennemi ; la *corona castrensis*, pour le soldat qui avait franchi le premier le retranchement ennemi, etc. La couronne était enfin une récompense civique, mais il fallait avoir une autorisation pour pouvoir la porter en public.

courses de chars. Les jeux les plus populaires étaient ceux du cirque *(ludi circenses)*. À l'engouement sportif s'ajoutaient les passions provoquées par les paris. On attelait aux chars le plus souvent des chevaux, achetés en Grèce, en Afrique, en Espagne surtout, mais, par goût de l'extraordinaire, on attelait parfois des chameaux, des éléphants, des tigres. Traditionnellement, une course comprenait sept tours de piste. Quatre factions (les rouges, les bleus, les verts et les blancs), comprenant un personnel important (cochers, entraîneurs, vétérinaires*, palefreniers, bourreliers, etc.), que dirigeaient des *domini factionum*, s'affrontaient individuellement ou par équipes de deux, en faisant courir chacune un char par course. Le métier de « directeur de faction » était fort lucratif. Quant aux meilleurs auriges, ils jouissaient d'un prestige extraordinaire. Sous l'Empire*, pour calmer l'enthousiasme des spectateurs qui avaient gagné leur pari, et dissiper l'amertume des autres, on répandait des « billets de consolation », donnant droit à une somme d'argent ou à une faveur quelconque.

coutume (*mos majorum*, l'usage des ancêtres). Émanation du consentement général, la coutume a joué un grand rôle dans la formation du droit* romain. En effet, elle a fourni à Rome l'essentiel de son organisation gentilice et familiale et a réglé les rapports entre individus jusqu'à la Loi des XII Tables*, qui inaugure le régime du droit écrit *(jus scriptum)*. Bien des dispositions contenues dans celle-ci reflètent d'ailleurs un état plus ancien du *mos majorum*. Mais, à côté du droit écrit, les *mores* (« actes d'usage »), avant d'être inclus explicitement dans la liste des sources du droit (sous le Bas-Empire), ont toujours joué un rôle important pour les jurisconsultes* : en effet, les *mores* ont un caractère plus vaste que le droit et permettent d'adapter la loi* aux cas particuliers, en respectant la dignité de chacun et l'équité.

Dans un sens plus général, le *mos majorum* désigne les habitudes de vie des ancêtres, leur discipline, leur vertu*, leur piété*, bref toutes les qualités qui ont fait la grandeur de Rome. De ce point de vue, le *mos majorum* recouvre tout le champ des activités humaines (domaine religieux, intellectuel, politique) et s'impose comme un idéal. Mais celui-ci n'est pas paralysant ; il permet d'assimiler les nouveautés et de les intégrer dans une continuité.

Crassus (M. Licinius Crassus : 114-53 av. J.-C.). Partisan de Sulla*, il fut chargé de lutter contre Spartacus* ; il obtint le consulat* en 70, la même année que Pompée*, dont il était l'allié. Un moment, favorable à Catilina*, il sut prendre habilement ses distances. En 60, il fit partie, avec Pompée et César*, du premier triumvirat*. Il mourut à Carrhes au cours de la guerre contre les Parthes. Crassus, surnommé *Dives* (« le Riche »), représente les grandes puissances d'argent de la République* finissante.

cuir (corium). Les Romains, comme les Grecs ou les Égyptiens, savaient tanner, assouplir et teindre les peaux. Ils utilisaient le cuir pour la confection des chaussures*, des outres, des cuirasses*.

cuirasse (lorica). Aux cuirasses de type hellénistique (cuirasse bivalve métallique, cuirasse musclée en cuir*, cuirasse courte à lambrequins ou à jupon) se substitue, vers le IIIe s. av. J.-C., la cotte de mailles, empruntée aux Gaulois. Jusqu'au Ier s. av. J.-C., elle demeure l'armure ordinaire du soldat* romain. Toutefois, à cette époque, apparaît (ou réapparaît) la cuirasse d'écailles. Vers la fin du Ier s. apr. J.-C, les Romains adoptent un nouveau type, la cuirasse articulée, en trois parties (haut du buste et du dos ; des aisselles à la ceinture ; épaules) ; les plaques de fer sont fixées sur étoffe. Cette cuirasse passe pour caractéristique de l'armement* romain, mais en réalité son utilisation effective n'a duré que deux siècles (fin du Ier s.-IIIe s. apr. J.-C.). Au IIIe s., on en revient à la cuirasse en cuir.

culte. La place tenue dans la vie quotidienne des Romains par les pratiques cultuelles et les cérémonies religieuses (les *sacra*) est très importante. L'essentiel consiste en prières*, sacrifices* et lustrations*. On distingue entre deux grandes catégories de cultes. D'une part, les cultes privés *(sacra privata)*, qui comprennent l'ensemble du culte domestique, assuré par le *pater familias** (culte rendu au Lare*, aux Pénates*, aux Mânes*, ainsi que les pratiques religieuses, auxquelles donnent lieu les grandes dates de la vie de famille, naissance*, mariage*, funérailles*) et également le culte gentilice, rendu par toutes les familles qui appartiennent à une même gens* ou par les membres d'un collège* à une divinité commune. D'autre part, il y a le culte public, sur lequel veille spécialement le collège des pontifes* et qui est assuré par l'État, responsable et organisateur des cérémonies, soit avec le concours du peuple tout entier (cultes populaires, *sacra popularia*), soit par une délégation de ses magistrats* et de ses prêtres* (cultes officiels, *sacra publica*). À l'origine, la religion* romaine n'exigeait ni édifices propres ni représentations imagées des dieux*. Les plus anciens cultes se célébraient dans un endroit où la présence divine était particulièrement sentie : un bosquet, une source, une grotte ; quelques mottes de gazon suffisaient à constituer un autel* sur lequel on déposait des offrandes*. Le premier temple* à Rome fut le temple élevé sur le Capitole* par les rois étrusques. Leur nombre augmenta rapidement, mais la tradition romaine de l'autel sans temple s'est toujours maintenue, puisqu'en 13 av. J.-C., on élève un autel, et non un temple, à la Paix (*ara Pacis**). — Le calendrier* religieux des Romains prévoyait un certain nombre de dates fixes, d'autres variables, auxquelles on honorait telle ou telle divinité par des « féries » (fêtes religieuses) ou par des jeux* (jeux de l'amphithéâtre*, du cirque*, chasses*, naumachies*, représentations théâtrales*). Leur nombre alla grandissant, et l'on compte qu'au IIe s. apr. J.-C. un jour sur deux était consacré à des fêtes ou à des jeux.

Parmi les principales fêtes, on peut citer les *Lupercalia* en février, les *Parilia*, les *Cerialia*, les *Vinalia* en avril, les *Vestalia*, les *Matralia* en juin, les *Consualia*, les *Volcanalia* en août, les *Saturnalia*, les *Opalia* en décembre, l'*Armilustrium* en mars et en octobre.

Les principaux jeux étaient : les *ludi Ceriales* en avril, *Florales* en mai, *Apollinares* en juillet, *Romani* en septembre, *Pleibeii* en novembre, et, à part, une fois par siècle en principe, les *ludi Saeculares*, dont les plus célèbres sont ceux qu'Auguste* célébra en 17 av. J.-C. et pour lesquels Horace* composa le *Carmen saeculare*.

culte impérial. Le principat* n'a pas seulement des aspects institutionnels et politiques, mais repose aussi sur une mystique et une idéologie, qui ont assuré ses débuts. À vrai dire, le culte impérial était préparé de longue date par l'attitude des Romains à l'égard de certains hommes considérés comme des héros. Scipion l'Africain*, Sulla*, Pompée*, César* avaient passé pour être investis d'une mission divine et Cicéron* admettait volontiers que certains hommes, par leur action dans la cité, s'étaient élevés au-dessus de l'humanité moyenne et méritaient des honneurs particuliers. C'est dans cet esprit, du reste, qu'il faut comprendre les honneurs réservés aux triomphateurs*. Ainsi les Romains ne furent-ils pas surpris ou indignés quand, progressivement, s'est constitué le culte impérial. César, qui s'enorgueillissait de descendre de Vénus, reçut après Munda (mars 45) des marques de respect et d'honneur dignes d'un dieu. En 42, les triumvirs* le divinisèrent. Après Actium*, Octave* autorisa les populations d'Asie et de Bithynie à lui dédier un temple*. Les titres qui lui sont décernés *(Augustus, Pater patriae)* ont une résonance religieuse, surtout le premier ; l'*imperium** et la puissance tribunitienne* dont il est investi lui permettent de manifester concrètement cette nature quasi divine qu'on lui reconnaît. Toutefois, Auguste se montra soucieux de ne pas brusquer ce mouvement de ferveur populaire : prudemment, il modéra les élans spontanés qui apparaissaient en faveur de sa divinisation. Dans les provinces, son culte sera associé à celui de Rome ; en Italie* et à Rome, on rendra un culte au Génie* d'Auguste, en l'associant à celui des *Lares* Compitales*. À sa mort, Auguste fut divinisé *(divus)* : on lui éleva un temple et on créa un collège de prêtres dévoués à son culte (les *augustales**). En même temps se développe un certain nombre de thèmes (qui iront en se multipliant), susceptibles de devenir des abstractions divinisables : la Vertu, la Paix, la Sécurité, la Chance... Auguste.

Les successeurs d'Auguste adoptèrent des attitudes diverses selon leur caractère et l'éclat de leur règne ; d'une manière générale, le culte impérial se renforce de plus en plus. Toutefois, les empereurs ne sont *divi* qu'après leur mort, si le sénat* décrète leur apothéose*. Mais Aurélien* rompt avec cette tradition en se disant dieu de son vivant *(deus)* et émanation du Soleil. Dioclétien* affirme qu'il est Jupiter sur terre et exige qu'on l'adore (génuflexion, baiser au pan de la pourpre impériale). Les empereurs chrétiens ne pourront accepter la divinisation, mais conserveront un caractère sacré. Dans le consistoire* impérial, l'empereur est seul assis. Au culte de l'empereur fut parfois associée la famille impériale.

curateur (curator; de *curo*, s'occuper de). La fonction de curateur existe sous la République* : il y a en effet des curateurs chargés de tenir le registre d'état civil des tribus*, de percevoir certains impôts*, etc. ; mais c'est sous l'Empire* que furent créées et se sont développées les grandes curatelles, le plus souvent confiées à des membres de l'ordre sénatorial et assurant des fonctions qui avaient autrefois appartenu aux différents magistrats* : entretien des routes* *(curatores viarum)*, des aqueducs* *(curatores aquarum)*, du Tibre et des égouts* *(curatores alvei Tiberis et riparum* *et cloacarum)*, vérification des finances municipales *(curatores reipublicae)*, etc.

curie (curia). **Ce terme désigne le sénat* de Rome, et également la principale assemblée des villes de province* et d'Italie*, leur lieu de réunion ou enfin un lieu de réunion en général.**

À Rome, la *Curia Hostilia* (attribuée au roi Tullius* Hostilius), ou simplement la *Curia*, brûla, dans un incendie en 52 av. J.-C., au cours des funérailles* mouvementées de Clodius* ; elle fut reconstruite, puis remplacée presque au même endroit, mais avec une orientation différente, sous César*, par celle qui porte son nom, *Curia Julia*, et que nous voyons aujourd'hui, plusieurs fois restaurée, le long du forum, sur le côté nord. Au VIIe s., elle fut transformée en église, mais les travaux modernes lui ont rendu son aspect antique. Le plan en est simple, rectangulaire, comprenant une salle des séances (dont la porte restait ouverte pendant les réunions du sénat), un vestibule, et des bureaux. Dans les autres villes, la curie est, au même titre que la basilique*, une annexe obligée du forum*.

curies (curiae), **divisions des trois tribus* primitives (Ramnes, Tities, Luceres), au nombre de 30.**

Ce chiffre n'a pas augmenté. Selon la tradition, chaque curie aurait fourni, à l'époque royale, cent fantassins (centurie), dix cavaliers (décurie) et dix « pères » au sénat*. Elles ont formé le cadre de la première assemblée, les comices curiates*. On ne sait pas exactement à quelle date les plébéiens y furent admis. Chaque curie participait à un culte propre, dont le prêtre était le curion.

d

Damnatio memoriae (condamnation de la mémoire). Peine infligée à quiconque est convaincu d'attentat à la majesté du peuple romain (*crimen majestatis*), et consistant à interdire aux descendants de porter le prénom* du condamné et à détruire ses images*.

Sous l'Empire*, le sénat* pouvait voter une *damnatio memoriae* posthume à l'encontre de l'empereur* défunt. À la suite de ce vote*, les statues de l'empereur condamné étaient détruites, son nom martelé sur les monuments, et, théoriquement, ses actes frappés de nullité avec un effet rétroactif. Caligula, Néron*, Domitien... furent ainsi l'objet d'une *damnatio memoriae.* Certains, comme Caracalla, Commode, furent réhabilités par la suite. L'inverse de la *damnatio* est l'apothéose* (*consecratio*), par laquelle le sénat divinise l'empereur défunt.

danse (saltatio). La danse comme divertissement mondain a toujours été considérée avec méfiance ; en tout cas, elle était négligée dans l'éducation*, et les hommes devaient s'en abstenir. Quant au métier de danseur ou de danseuse, il n'a jamais été relevé, même si les spectacles* de danse constituaient un des éléments d'une vie luxueuse et élégante. On dansait en chantant et en s'accompagnant d'un instrument de musique*. Mais il y avait des danses rituelles, exécutées dans certaines cérémonies religieuses, auxquelles les fidèles participaient. On connaît la danse des saliens*, qui, pendant le mois de mars, évoluaient sur un rythme grave en une succession de sauts et de bonds, autour de l'autel* de Mars, tenant un bâton et un bouclier qu'ils faisaient résonner.

décemvir (decemvir; *de decem,* « dix », *vir,* « homme »*).* Les décemvirs sont dix membres d'une commission chargée de tâches diverses. Par exemple, les *decemviri legibus faciundis* élaborèrent la loi des XII Tables* ; les *decemviri sacris faciundis*, devenus plus tard les *quindecemviri s. f.**, étaient spécialisés dans l'interprétation des Livres sibyllins*.

Sur le rôle des *decemviri litibus judicandis* → vigintisévirat.

déchéance → deminutio capitis.

décret (decretum, « décision »*).* Sous la République*, les décrets sont soit des « avis » du sénat → sénatus-consultes, soit des ordonnances émanant des magistrats, soit des décisions prises par les collèges sacerdotaux, en particulier les pontifes*.

Sous l'Empire*, les décrets désignent les jugements rendus par l'empereur → constitutions impériales.

decumanus → cardo ; urbanisme.

décurion (decurio), **membre d'un sénat* municipal.**

Celui-ci, qui comprend 100 membres, a une compétence comparable à celle du sénat à Rome. La charge de décurion a été longtemps considérée comme un honneur; mais, à partir du IIe s. apr. J.-C., elle devient une charge de plus en plus lourde.

dédicace (dedicatio), cérémonie distincte, mais solidaire, de la consécration* : celui-ci est un acte religieux, celle-là un acte civil assuré par un magistrat*.

En effet, pour qu'un pontife puisse transférer aux dieux la propriété d'une chose, il faut qu'au préalable un magistrat ait cédé aux dieux ce qui appartient aux hommes. Autrement dit, le pontife consacre (*consecrat*) ce que le magistrat dédie (*dedicat*). Dans la pratique, d'ailleurs, il suffit que le magistrat et le pontife assistent ensemble à la même cérémonie. La dédicace la plus importante, celle des temples, appartenait aux magistrats supérieurs (consuls*, préteurs* et censeurs*) ou à une commission spéciale (*cura*) composée de deux membres, les *duoviri aedi dedicandae;* elle s'accompagnait de jeux* et de réjouissances.

délateur (delator). Le ministère public n'a pas existé dans l'Antiquité. Aussi, à Rome, le rôle de l'accusation dans un procès* est-il tenu par un particulier, qui doit remplir un certain nombre de conditions et être agrée par un magistrat*. Sous l'Empire*, la délation fut encouragée et devint un véritable fléau.

deminutio capitis (amoindrissement de la personnalité*)*. C'est, en quelque sorte, une mort civile, mais cette déchéance comporte en fait des degrés : la *deminutio minima* ne porte que sur le droit privé; la *deminutio media* est la perte du droit de cité, avec maintien de la liberté personnelle; la *deminutio maxima* est la perte du droit de cité* et de la liberté personnelle : c'est la réduction en esclavage*. Cet anéantissement de la personnalité juridique est partiellement ou totalement révocable.

dentiste. Les Romains n'avaient pas de terme spécial pour désigner les dentistes, qu'ils appelaient simplement *medici* (médecins). Leur ingéniosité et leur habileté ont été très grandes dès les temps anciens, puisque la loi des XII Tables* (450 av. J.-C.), qui interdisait de déposer des objets en or dans les tombeaux, exceptait le cas où le défunt aurait eu des « bridges » en or (*cui auro dentes juncti erunt*, celui qui aura des dents jointes avec de l'or). Les dentistes savaient traiter les caries, la pyorrhée alvéolaire, etc. Leur technique de la prothèse nous paraît étonnante.

dépenses publiques. Le budget des dépenses publiques se ramène à cinq chapitres essentiels.

1. Culte*. Construction et entretien des temples*, autels*, chapelles; traitement des vestales* et des flamines*; salaires des employés subalternes; frais occasionnés par les fêtes, les jeux* et les cérémonies extraordinaires.

2. Travaux publics. Construction et entretien de tous les édifices publics, des canalisations et de la voirie, à Rome*, dans les colonies* et les municipes*. Sous l'Empire*, le Trésor* ne prend plus à sa charge que les travaux exécutés à Rome.

3. Armée*. À l'origine, les dépenses militaires étaient limitées, puisque les soldats étaient tenus de s'équiper et de se nourrir en campagne à leurs frais ou aux frais de leurs tribus*. Mais, à partir du IVe s. av. J.-C., le Trésor prit à sa charge l'entretien des troupes en campagne et on institua la solde; avec l'augmentation des effectifs et la constitution d'une armée permanente de terre, puis de mer, le budget de l'armée devint très lourd.

4. Approvisionnement de Rome et assistance publique. À la suite des lois frumentaires des IIe et Ier s. av. J.-C., tout citoyen* domicilié à Rome avait droit à une certaine quantité de blé à prix réduit, puis gratuitement. César* et Auguste* limitèrent le nombre des ayants droit (200 000).

Sous l'Empire, on institua des distributions, gratuites ou à bas prix, de produits variés (viande, vin, huile), les *congiaria;* de même, les empereurs prirent l'habitude de distribuer des récompenses à leurs troupes, les *donativa*; enfin, il faut ajouter les fondations destinées à subvenir aux familles pauvres pour favoriser la natalité (*alimenta*).

5. Dépenses administratives. Sous la République*, les dépenses occasionnées par l'administration de Rome et des provinces* étaient peu élevées, puisque les magistratures étaient gratuites et que les municipes s'administraient eux-mêmes; mais les gouverneurs* de provinces recevaient une indemnité. Sous l'Empire, le développement de l'administration, le nombre croissant de fonctionnaires*, les services de la poste* officielle grevaient lourdement le budget de l'État.

déportation (deportatio), **sous l'Empire*, peine d'exil* plus sévère que la relégation*.**

Elle s'accompagne de la perte des droits politiques et civils, et de la confiscation des biens. Déportation et relégation étaient des peines généralement réservées aux *honestiores** (classes élevées); pour les mêmes crimes, les basses classes étaient punies des travaux forcés ou de la mort*.

destin. La notion de destin est rendue en latin par deux termes, riches de résonances religieuses et philosophiques : *fatum* et *fortuna.* Le premier est un participe neutre substantivé, d'un verbe *fari,* signifiant « dire, parler ». Le *fatum* est donc proprement « ce qui est dit, prédit » : c'est le destin imposé aux hommes, inévitable; il correspond à la *moïra* des Grecs. Mais celle-ci est essentiellement tragique, et les Érinyes en sont la personnification. Au contraire, la conception romaine du *fatum* est influencée par le stoïcisme*, pour lequel le destin est une force divine et cosmique : identifié à l'ordre universel, il ne fait qu'un avec la Providence. (Le mot latin se retrouve dans le français « fée », et dans « feu », au sens de « défunt ».)

Fortuna répond à la *tychè* grecque, hasard, bon ou mauvais, fait d'imprévus, d'incohérences, et irrationnel; cette conception du destin était proche du sentiment des épicuriens*. Naturellement, la distinction est loin d'être toujours aussi nette chez les écrivains, et une certaine confusion apparaît entre *dii* (les dieux*), *fatum* et *fortuna* quand il faut désigner un principe qui explique les événements du monde ou la conduite des hommes; d'autre part, la *fortuna* peut désigner la destinée personnelle de chacun, cas particulier de l'ordre universel.

Si *Fatum* a été divinisé — il existe également une déesse *Fata* —, c'est *Fortuna* qui est la véritable divinité du Destin : elle avait de nombreux temples* et était honorée, selon les cas, sous les noms de *Fortuna virilis* (« Fortune virile »), *Fortuna muliebris* (« Fortune féminine »); *Fortuna populi Romani* (« Fortune du peuple romain »), etc. Sous l'Empire*, son culte* est associé à celui de l'empereur : *Fortuna Augusta* (« Fortune Auguste »).

devotio, acte religieux par lequel une personne est vouée, ou se voue spontanément aux dieux* infernaux pour apaiser leur colère et rétablir l'ordre bouleversé.

Ce type de sacrifice* a des origines magiques très lointaines; à l'époque historique, on le trouve pratiqué par des chefs militaires (par ex., P. Decius Mus, en 295 av. J.-C.).

dictateur (dictator). Magistrat* extraordinaire, possédant des pouvoirs exceptionnels pour une durée limitée (6 mois au maximum), nommé dans des cas graves sur décision du sénat* et choisi par un consul* parmi d'anciens magistrats* : celui-ci peut choisir son collègue. Pendant que le dictateur est en exercice, les autres magistrats sont ses subordonnés. Il est omnipotent, irresponsable et indépendant; il a droit à 24 faisceaux*. La coutume veut toutefois qu'il soit assisté par un maître de la cavalerie* (*magister equitum*). Parmi les dictateurs célèbres : Cincinnatus*, Camille*, Q. Fabius* Maximus Cunctator, Sulla*, César*; mais ces deux derniers le furent illégalement. La dictature fut abolie par Antoine* en 44 av. J.-C..

Didon → Carthage; Énée.

dieux (dii). Parmi tous les dieux romains, divers par les origines, les fonctions, les assimilations, multipliés par la distinction des *numina* et la divinisation d'abstractions, il est difficile d'établir des classifications satisfaisantes : celles que les Anciens ont proposées eux-mêmes ne répondent pas toujours à la réalité. En se fondant sur les plus anciennes fêtes religieuses de l'ancien calendrier* romain, on peut toutefois avoir une idée des principales divinités qu'ils honoraient vers la fin du VIe s. et le début du Ve s. av. J.-C.

Certains grands dieux ont un relief particulier : Jupiter, Mars, Quirinus (la triade indo-européenne primitive, à laquelle succéda la triade étrusque : Jupiter, Junon, Minerve), Junon, Janus ; puis les divinités du Feu et de l'Eau : Vesta, Vulcain, Volturnus, Neptune ; celles de la Fécondité : Terra Mater, Cérès, Vénus, Saturne, Consus ; celles de la Famille et des Morts : Lucina, Mater Matuta, Bona Dea. À partir du Ve s. av. J.-C., d'autres divinités s'introduisent à Rome : la triade chthonienne Cérès, Liber, Libera, les Dioscures Castor et Pollux, Mercure, Hercule, Apollon ; d'autre part, des équivalences, plus ou moins complètes, s'établissent entre dieux grecs et dieux romains : Jupiter et Zeus, Junon et Héra, Minerve et Athéna, Diane et Artémis, Mars et Arès, Vénus et Aphrodite, Neptune et Poséidon, etc. Enfin, on vénère des abstractions personnifiées : Fides, Victoria, Libertas, Concordia... Par sa durée et ses vicissitudes, la deuxième guerre punique* provoqua une grave crise du sentiment religieux : Rome accueillit la déesse anatolienne Cybèle et recourut, dans les sacrifices*, au rite grec ; les mystères de Dionysos, malgré la réaction de 186 av. J.-C. (affaire des Bacchanales), se répandent ; la déesse égyptienne Isis pénètre à Rome au Ier s. av. J.-C..

En dépit de la tentative d'Auguste* pour régénérer la religion* nationale et remettre en honneur des rites tombés en désuétude, Rome est ouverte aux courants mystiques et aux religions venues de l'Orient (culte de Mithra, divinités syriennes, culte solaire...).

Digeste de Justinien, titre donné à une compilation de la littérature juridique, entreprise par Tribonien, à la demande de Justinien (533 av. J.-C.).

C'est une œuvre plus considérable que le *Code** : elle comprend 50 livres, divisés en titres, sous lesquels sont rangés des fragments de jurisconsultes*, avec l'indication de l'auteur et de l'ouvrage d'où ils sont tirés. Le *Digeste* est souvent désigné par son titre grec, les *Pandectes*.

diocèse → Dioclétien ; Italie ; provinces.

Dioclétien (C. Aurelius Valerius Diocletianus : 245-313 apr. J.-C.). Empereur de 285 à 305. Dalmate, fils d'affranchi*, il fit une carrière d'officier et fut porté à l'Empire par ses soldats à la mort de l'empereur Carus. Il eut à lutter contre des révoltes dans les provinces* et à garantir les frontières contre les invasions. Les circonstances l'amenèrent peu à peu à mettre au point le système de gouvernement que l'on a appelé la tétrarchie*, et auquel son nom demeure associé. Il réforma et unifia l'Empire : séparation des fonctions civiles et militaires ; division de l'Empire en 12 diocèses* dirigés chacun par un vicaire sous les ordres directs de l'empereur ; extension du droit* romain à tout l'Empire ; réforme de l'impôt*, de la monnaie* ; développement de la bureaucratie. Il accentua le caractère sacré de l'empereur et sa politique religieuse s'accompagna de persécutions contre les chrétiens*.

diplomatie. Les Romains, pas plus que les autres peuples de l'Antiquité, n'ont eu un corps diplomatique spécialisé et permanent. Il n'y avait pas non plus d'ambassadeurs accrédités auprès des États étrangers. Sous la République*, la sénat* possède la direction de la diplomatie : il reçoit les ambassadeurs étrangers ou envoie au-dehors des ambassadeurs romains (*legati*), eux-mêmes sénateurs. La mission se compose d'un nombre de membres variables (de 2 à 10) et peut se voir confier des charges diplomatiques diverses : renouvellement d'une alliance, règlement de conflits, demande d'aide, exécution de traité, plaintes, déclaration de guerre*, traité de paix... Dans leurs démarches, les « légats » sont assistés des fétiaux* : tout acte politique doit être accompli selon les rites, pour ne pas troubler la paix des dieux*. Sous l'Empire*, l'empereur se substitue au sénat, en recevant lui-même les délégations étrangères et en choisissant ceux qui le représenteront auprès des pays étrangers. Il est aidé dans cette tâche par un service de sa chancellerie*, le bureau *ab epistulis*.

divination (divinatio). La divination (ou mantique) est l'art de connaître la pensée des dieux* et repose sur la croyance que, dans certains cas privilégiés, la divinité communique d'une façon ou d'une autre avec l'homme. Mais les Romains ont eu moins de goût et de don pour l'exégèse divinatoire que les Grecs ou les Étrusques*. D'autre part, face aux signes divins, ils ont toujours cherché à sauvegarder leur liberté : l'avenir, en effet, peut être annoncé sans être pour autant déterminé. Aussi les Romains restent-ils libres d'accepter, d'annuler ou de transférer (sur les ennemis, par exemple) certains présages. La divination était en faveur auprès des stoïciens* : pour eux, en effet, loin d'être une superstition*, elle est légitime, puisqu'elle est fondée sur l'idée d'une organisation divine du monde et d'une sympathie universelle. Croyance en une Providence et mantique sont liées et n'anéantissent pas la liberté individuelle.

La pensée divine peut se manifester extérieurement, par des signes (présages*, divination par l'eau, le feu, etc.), ou intuitivement, directement à l'homme (divination par les songes, par le délire, etc.).

À Rome, la divination officielle est le fait des augures*, des magistrats* et des haruspices*. Aussi les astrologues (les « Chaldéens » *Chaldaei*) ont-ils eu souvent maille à partir avec le sénat* et les empereurs*, ce qui n'empêcha pas certains de ceux-ci d'avoir un astrologue attaché à leur service.

divorce (divortium). Rares au début de la République*, les divorces allèrent en se multipliant à la fin de la République et sous l'Empire*. Le mariage* était rompu sans formalités, par consentement mutuel ou la volonté d'un seul (c'était alors la répudiation, *repudium*) ; la formule usitée était : *tuas res tibi habeto*, « prends tes affaires ». Mais, dans ce cas, l'initiative ne pouvait venir de l'épouse que si elle était mariée *sine manu*, du moins jusqu'à la fin de la République.

Seul le mariage par *confarreatio* exigeait une cérémonie inverse de la cérémonie d'union des époux, la *diffarreatio*. Il semble qu'à l'origine, le mariage par *confarreatio* ait été indissoluble et la *diffarreatio* permise dans des cas extrêmement limités.

Sous le Bas-Empire, les empereurs chrétiens luttèrent contre le divorce.

domaine public → ager publicus.

dominat, terme qu'emploient les historiens modernes pour caractériser le régime impérial à partir de la fin du IIIe s. et qu'ils préfèrent à celui de « Bas-Em-

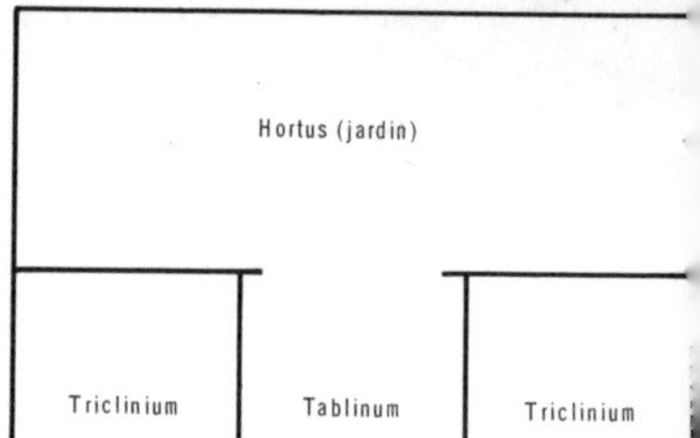

Plan type d'une *domus* à *atrium*. Vestibulum, *vestibule ;* taberna, *boutique ;* cella, *pièce à destinations multiples (grenier, office, cave, chambre d'esclaves, etc.) ;* cubiculum, *chambre ;* ala, *pièce de destination incertaine, faisant sans doute pénétrer l'air et la lumière dans la* domus. *On plaçait souvent le laraire et les « images » des ancêtres dans l'une d'elles. La cuisine* (culina) *n'a pas de place fixe. Primitivement, les Romains firent la cuisine dans l'*atrium, *puis dans une petite pièce.*

Plan axonométrique d'une domus à atrium et péristyle

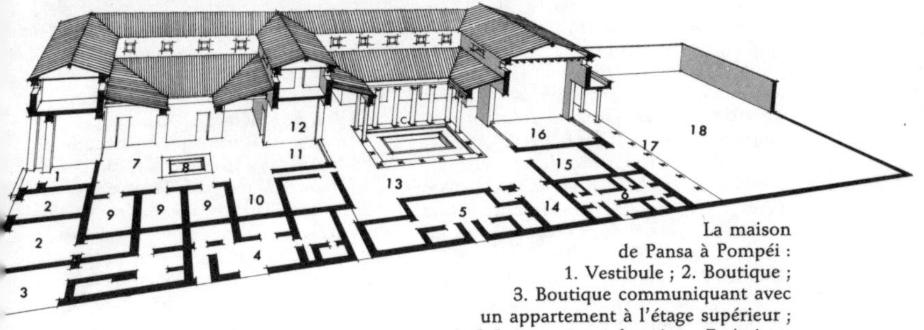

La maison de Pansa à Pompéi : 1. Vestibule ; 2. Boutique ; 3. Boutique communiquant avec un appartement à l'étage supérieur ; 4. 5. 6. Logements en location ; 7. *Atrium* ; 8. *Impluvium* ; 9. Chambres *(cubicula)* ; 10. *Ala* ; 11. *Tablinum* ; 12. *Triclinium* ; 13. Péristyle ; 14. *Triclinium* ; 15. Chambre ; 16. *Oecus* (salon) ; 17. Portique ; 18. Jardin.

pire », souvent entendu dans un sens péjoratif.

Ainsi, à l'opposition Haut-Empire/Bas-Empire substitue-t-on celle de principat*/dominat, qui traduit mieux les différences politiques et idéologiques entre les deux périodes. Mais ce terme n'a jamais été employé en ce sens par les Romains : les modernes l'ont choisi parce qu'ils ont été sensibles à l'importance prise alors par le caractère sacré et monarchique de l'empereur, qui se fait appeler de son vivant *Dominus et Deus* (« maître et dieu »). Toutefois, dès le principat, certains empereurs avaient reçu le titre de *Dominus* (Caligula, Domitien) ; Pline le Jeune* le donnait à Trajan dans les lettres qu'il lui écrivait ; à partir des Sévères (193-235) l'usage s'en répandit de plus en plus et Aurélien* se dira *Deus et Dominus natus* (« né dieu et maître »).

Trois traits principaux définissent le dominat ; ils ne sont pas absolument nouveaux, mais se manifestent beaucoup plus nettement : 1° l'*absolutisme :* l'empereur est un maître absolu et sacré ; le cérémonial qui l'entoure, la mystique dont il est l'objet témoignent de sa puissance ; 2° le *partage du pouvoir :* cette idée remonte à Auguste* et n'avait jamais été complètement oubliée. Dioclétien* tenta de résoudre le problème du gouvernement et celui de la succession en instituant la tétrarchie* ; Constantin*, après avoir restauré l'unité de l'Empire, revint, dans son testament, au régime du gouvernement collectif. En 364, Valentinien et Valens se partagent l'Empire (Occident et Orient) : à partir de cette date, sauf pendant deux brèves périodes, la division de l'Empire en deux parties persistera. Mais ce partage de fait, que traduit la dualité d'empereurs et de capitales (Trèves, Milan ou Ravenne, d'une part ; Constantinople, de l'autre), ne détruit pas l'unité théorique et juridique de la *Romania :* cette unité est symbolisée par le fait qu'il y a deux consuls communs pour tout l'Empire. Mais quel que soit le prestige qu'exerce encore Rome, la différence des cultures et des traditions entre la partie orientale et la partie occidentale de l'Empire va en s'accentuant ; 3° la *bureaucratie :* l'administration est centralisée, rationnellement organisée, mais très lourde. Les magistratures* républicaines sont honorifiques ; les fonctionnaires* nombreux et rigoureusement hiérarchisés ; de cette administration, l'empereur est le maître absolu.

domus (maison, par opposition à *insula** et *villa**). Les premiers habitants des villages situés sur les collines de Rome construisaient des cabanes légèrement ovales, que nous pouvons connaître par les traces qu'elles ont laissées sur le tuf du Palatin (VIIIe s. av. J.-C.) et par les urnes* cinéraires qui reproduisent leur forme. Ces cabanes primitives ont été progressivement améliorées par l'emploi de la pierre ; sous l'influence des Étrusques*, la maison adopte un plan rectangulaire, et s'organise intérieurement autour d'une cour centrale, l'*atrium*. Celui-ci fut peut-être, à l'origine, ouvert ou fermé. À partir du Ve s. av. J.-C., l'*atrium* est couvert d'un toit à double pente, ouvert en son milieu en carré. Sur le sol, sous cette ouverture, l'*impluvium* est un bassin destiné à recevoir les eaux de pluie. L'entrée de la *domus* est axiale : face à elle, de l'autre côté de l'*atrium*, le *tablinum**, où se tient le maître. Mais, vers l'époque des guerres puniques*, la maison romaine se dédouble, sans doute sous l'influence de l'hellénisme*. Elle conserve son plan rectangulaire et axial, mais à la partie ancienne, disposée autour de l'*atrium*, vient s'adjoindre, derrière, un ensemble centré autour d'un péristyle*. Ces deux parties de la nouvelle maison romaine ont des fonctions différentes : la partie antérieure (avec l'*atrium*) est réservée aux réceptions « officielles » ; la partie postérieure, disposée autour du péristyle, constitue les appartements privés, où l'on accueille également les amis. L'*oecus* est le salon mondain ou intime, comme le *tablinum* est le « bureau » officiel ; l'un et l'autre sont d'ailleurs situés de la même façon, par rapport au péristyle et à l'*atrium*, exactement dans l'axe de l'entrée. Qu'elle soit « simple » (à *atrium*) ou « double » (à *atrium* et péristyle), la *domus* romaine est orientée vers l'intérieur et non vers l'extérieur : elle n'a généralement qu'un étage, pourvu de balcons (*maeniana*) ; chaque pièce est en principe destinée à un seul usage.

douane → recettes publiques.

droit (jus). Il est banal de répéter que le droit est l'un des apports les plus considérables de la civilisation romaine. Et de fait, nous devons aux Romains non seulement leur notion du droit envisagé comme théorie, mais également une grande partie de leur théorie juridique (théorie de la personnalité, capacité juridique, théorie des choses, des contrats, etc.). Mais, avant d'arriver à cette définition des préceptes essentiels du droit : « vivre honorablement » (*honeste vivere*), « ne pas nuire à autrui » (*alterum non laedere*), « donner à chacun ce qui lui revient » (*suum cuique tribuere*), où sont affirmés les liens de la morale et du droit, celui-ci a eu à Rome, à son origine, un caractère essentiellement privé : la partie lésée poursuivait elle-même la restitution de son droit ; d'autre part, la pratique juridique a précédé la théorie du droit : la justice* a fonctionné sans œuvre législative développée. Ce sont les jurisconsultes* qui ont élaboré le droit romain en théorie. Subissant l'influence d'Aristote et des stoïciens*, ils ont peu à peu subordonné le droit à certains concepts éthiques, en définissant des termes comme équité (*aequitas*), coutume* (*mos majorum*), dignité (*honestas, dignitas*).

Le droit romain est contenu dans la coutume*, les lois*, les sénatus-consultes*, les plébiscites*, les constitutions impériales*, les édits* des magistrats, les réponses des jurisconsultes*. Toutes ces sources n'ont pas fonctionné en même temps ; certaines n'existaient pas quand d'autres se sont manifestées. Les jurisconsultes les ont classées dès la fin de la République, et de façon plus systématique au début du IIIe s. apr. J.-C. Ils ont distingué le droit naturel (*jus naturale*), commun à tous les êtres animés ; au-dessous, mais souvent confondu avec lui, le droit des gens (*jus gentium*), commun à toutes les nations ; enfin, le droit civil (*jus civile*), constitué par les règles propres à une cité et qui englobe, entendu au sens large, le droit « honoraire » ou « prétorien » issu des édits des magistrats. Quant à la distinction entre droit public et droit privé, elle ne correspond pas à la nôtre : par droit public (*jus publicum*) les Romains entendent le droit issu d'une source officielle (loi, édit...) ; par droit privé (*jus privatum*) tout droit issu d'un acte privé (contrat par exemple).

droit de cité → citoyen romain.

droit latin → Latins.

duumvir (de *duo*, deux et *vir*, homme), **membre d'une commission de deux personnes.**

Par exemple, les *duumviri aedi locandae* étaient chargés de confier la construction d'un temple* à un entrepreneur ; les *duumviri viis extra urbem purgandis* étaient chargés de l'entretien des routes* hors de Rome. → **vigintisévirat.**

e

Eau (boisson). Les Romains consommaient, par simplicité ou principe, de l'eau naturelle comme boisson*, mais connaissaient aussi l'eau minérale. Ils buvaient l'eau froide (refroidie éventuellement par de la neige), mais également chaude. D'autre part, ils l'utilisaient pour « couper » le vin.

ébénisterie. Dans la fabrication du mobilier, le bois tenait beaucoup moins de place que de nos jours. Il n'empêche que la technique de l'ébénisterie a atteint une grande perfection. Pour les meubles soignés, on avait recours au contreplaqué et à la marqueterie, et, pour cet usage, le thuya était fort prisé. Les meubles les plus luxueux portaient des incrustations d'écaille de tortue, de corne, de métal précieux. L'outillage des menuisiers et ébénistes (*lignarii*) était pratiquement identique à celui qui est utilisé aujourd'hui. Pour le montage des éléments, ils employaient les clous, les chevilles, le collage, la queue-d'aronde. → **ameublement.**

éclairage. Les Romains ont disposé de quatre procédés d'éclairage : — les torches (*faces*), pour les cérémonies (mariage*, funérailles*), pour les jeux*, pour les rondes de nuit... ; elles sont faites de bois résineux ou d'étoupes trempées dans de la résine ; parfois la résine était remplacée par des matières graisseuses ou de la cire ; — les chandelles (*candelae*) : elles étaient composées d'une mèche (étoupe, papyrus) enduite de suif ou de poix. On pouvait les porter à la main ou les placer sur des candélabres ou des chandeliers comparables aux nôtres, les *candelabra*. Mais les Romains ont utilisé, assez tard, de véritables bougies de cire (*cerei*) ; — les lampes à huile (*lucernae*), récipients plats et ronds (ou oblongs), en pierre, bronze ou terre cuite, percés en leur milieu et comportant un bec (d'où sortait la mèche) et une anse, à l'extrémité opposée au bec. Elles étaient souvent joliment décorées. On les portait à la main, mais on pouvait les suspendre à un lampadaire (*lychnuchus*) ou les accrocher au mur ; — enfin les lanternes (*laternae*), assez comparables aux nôtres, cylindriques ou prismatiques, de terre ou de métal, fermées par des parois translucides (corne, vessie, plus tard verre) ; à l'intérieur, le lumignon et son éteignoir. C'est de lanternes que l'on se sert pour sortir la nuit ; elles sont portées par des esclaves*, les *laternarii*. En effet, sauf exception (fêtes, jeux*), les rues n'étaient pas éclairées ; les spectacles* nocturnes se donnaient à la lumière de torches et de lampadaires de grande taille.

écriture. Les premières lettres romaines que nous pouvons lire sur les inscriptions* les plus anciennes sont dites *quadratae* (en fait « rectangulaires ») : il s'agit d'une capitale encore fruste. Vers le milieu du

IIe s. av. J.-C. apparaissent les empattements, c'est-à-dire les petits traits perpendiculaires qui terminent les jambages. Mais nous ignorons pratiquement dans quelle mesure l'écriture usuelle des Romains, jusqu'au début de notre ère, s'écartait de la capitale gravée.

Au début du Ier s., les Romains utilisent la « capitale rustique » (qui, en fait, n'est pas une écriture négligée) dans les livres et dans les inscriptions. Au cours du IIIe s. apr. J.-C., une nouvelle écriture apparaît, la « minuscule primitive », d'où sont issus deux grands types, l'onciale, écriture d'apparat, et la semi-onciale, plus modeste ; mais, pendant tout le Bas-Empire, la « capitale rustique » reste l'écriture des lettrés qui l'utilisent pour recopier les grands textes et la poésie ; l'onciale et la semi-onciale sont les écritures courantes des livres chrétiens, techniques et en prose. Parallèlement, on adopte pour les actes une écriture cursive, dite « cursive récente », issue elle aussi de la « minuscule primitive ».

Dans les livres* des trois premiers siècles apr. J.-C., les mots sont séparés par des points ; puis s'est répandu l'usage de l'écriture continue (*scriptio continua*), dans laquelle les mots ne sont plus séparés. Ils ne le seront à nouveau qu'à l'époque gothique.

Il n'était guère possible de lire directement un texte que l'on ne connaissait pas : toute lecture était précédée d'une « prélecture » (*praelectio*), qui consistait à séparer les mots et à surcharger le texte de signes indiquant la ponctuation, les pauses, la quantité. → **langue latine.**

édile (aedilis). L'édilité est une magistrature* qui a été créée en même temps que le tribunat* de la plèbe, en 494 av. J.-C. Jusqu'en 366, c'est une magistrature plébéienne : les édiles de la plèbe (*aediles plebeii*), au nombre de deux, sont élus par les assemblées de la plèbe ; leur tâche est à l'origine d'aider les tribuns de la plèbe dans l'exercice de leur fonction ; comme eux, ils sont inviolables. Mais à cette époque, l'édilité plébéienne se double de l'édilité curule accessible aux plébéiens et aux patriciens : les édiles curules (*aediles curules*), également deux, élus par les comices tributes, n'ont pas l'inviolabilité, mais ont droit à la chaise curule et possèdent les auspices*. Très tôt, l'édilité plébéienne et l'édilité curule se sont rapprochées : il n'y a plus alors qu'une édilité partagée en deux collèges solidaires. Les édiles, qui ont la *potestas*, mais non l'*imperium**, ont pour fonctions : la police des marchés, la surveillance des approvisionnements, l'entretien et la police de la ville, l'organisation et la surveillance des jeux* publics. De plus, les édiles ont une juridiction en rapport avec leurs fonctions ; leurs édits* ont formé un code de commerce. L'Empire* vit leur rôle et leurs fonctions considérablement diminués.

édits des magistrats (edicta magistratuum). **L'édit du magistrat est l'ordonnance rendue par un magistrat*, au début de son entrée en charge, pour faire connaître l'esprit dans lequel il entend gérer sa magistrature : c'est le *jus edicendi*.**

Mais, parmi les différents édits, ceux des magistrats judiciaires (questeurs*, édiles*, gouverneurs*, et, surtout, prêteurs*) ont eu une importance fondamentale sur l'évolution du droit*, dont ils ont été une source vivante et originale, jusqu'à l'époque d'Hadrien*. En effet, ces magistrats et avant tout les prêteurs, conseillés en cela par les jurisconsultes*, sont amenés à adapter le droit aux circonstances particulières, en prévoyant les cas où ils organiseront un procès* (*judicium dare*). En reconnaissant que telle situation mérite d'être protégée, le magistrat crée un droit nouveau. Les édits n'étaient valables, en principe, que pour l'année pendant laquelle les magistrats exerçaient leur charge. Mais, en fait, les successeurs dans la magistrature reprenaient et amélioraient les édits de leurs devanciers. Ainsi, au contact des réalités, a progressé ce droit, appelé prétorien (*jus praetorium*) quand on n'envisage que les édits des prêteurs, et « honoraire » (*jus honorarium*) quand il s'agit des édits de tous les magistrats à fonction judiciaire. Bien entendu, l'abandon progressif des actions* de la loi, procédure rigide, au profit de la procédure*, plus souple, par formules, fit évoluer la conception du droit dans le même sens.

Mais, au début du IIe s. apr. J.-C., l'initiative des prêteurs se trouve freinée, et deux nouvelles sources du droit apparaissent, la jurisprudence* et les constitutions* impériales. Le droit prétorien « se fixe », et Hadrien le fait codifier. Par là même, il cesse d'être une source vivante. Il resta néanmoins un guide pour les juges*.

éducation → enseignement.

Égates (îles) [*Aegates*], îles situées au large de Drépane, à l'est de la Sicile. La flotte romaine, sous les ordres du consul* C. Lutatius, y remporta une brillante victoire sur celle de Carthage* commandée par Hannon. Lutatius coula 50 navires*, en prit 70 et fit 10 000 prisonniers* (printemps 241 av. J.-C.).

égout (cloaca). Dès l'époque des rois étrusques*, on a construit à Rome un canal à ciel ouvert, voûté par la suite, destiné à drainer les plaines marécageuses au pied du Capitole* et du Palatin, la *Cloaca Maxima*, qui traverse le forum et va déverser ses eaux dans le Tibre, non loin du *Forum Boarium* ; il servait de collecteur à un vaste réseau. Plusieurs fois restaurée, la *Cloaca Maxima* est encore utilisée aujourd'hui. Sous la République*, les égouts étaient sous la surveillance des édiles* (pour l'entretien) et des censeurs* (pour l'adjudication des gros travaux). Sous l'Empire*, ils relèveront d'un curateur*.

élections. Seule nous intéresse ici la période républicaine, puisque, sous la royauté*, les renseignements que nous possédons laissent penser que le peuple ratifiait plus qu'il n'élisait le roi, et que, sous l'Empire*, nous ne pouvons plus parler d'élection véritable des magistrats*, ceux-ci étant pratiquement imposés au suffrage des assemblées*, par l'empereur.

Au contraire, pendant toute la République*, les élections tiennent une grande place dans la vie politique* des citoyens*, soit qu'ils se présentent, soit qu'ils soutiennent leurs candidats : on sait, du reste, que les Romains ne concevaient guère de carrière brillante en dehors de la politique. Tout candidat à une magistrature posait sa candidature en faisant une déclaration publique (*professio*) au forum* ; le magistrat qui devait présider les comices* l'inscrivait alors sur la liste des candidats ; généralement cette déclaration était faite le jour où paraissait l'édit de convocation des comices, trois nundines* avant ceux-ci (27 jours). Cette période était celle de la campagne officielle : le candidat revêtait une toge* blanche (*toga candida*, d'où son nom de *candidatus*, candidat) et tentait de persuader lui-même, et par l'entremise de ses clients*, les citoyens de voter pour lui : les discours électoraux pouvaient s'accompagner de cadeaux, distributions d'argent, banquets ; toutefois des lois* réprimaient la brigue et la corruption. La force, parfois, n'était pas négligée, et, à la fin de la République surtout, les campagnes électorales étaient souvent agitées.

Le jour des élections venu (en juillet-août au Iᵉʳ s. av. J.-C.), les magistrats qui président les comices (consuls*, préteurs*, tribuns* selon les cas) statuent sur la légalité des candidatures : ils avaient le droit de frapper de nullité une candidature avant le vote*, ou après le vote, une élection.

À partir du moment où ils sont élus jusqu'à la date de leur entrée en charge (le 1ᵉʳ janvier en général, à partir du IIᵉ s. av. J.-C.), les magistrats sont dits *designati* (désignés) et ont virtuellement les pouvoirs attachés à leur dignité : ils peuvent, en particulier, proclamer leur édit*. À son entrée en charge, le magistrat doit être confirmé par les dieux en prenant les auspices* ; les magistrats à *imperium* devaient être ratifiés par les comices curiates*, mais ce n'était là qu'une formalité. Une procession solennelle à Jupiter Capitolin terminait les cérémonies d'investiture, au cours desquelles les magistrats prêtaient serment* de respecter les lois.

élevage. L'importance de l'élevage dans la vie romaine est nettement indiquée par la tradition, qui représente le premier roi de Rome, Romulus*, comme un berger. À côté des Sabins agriculteurs, des Étrusques* artisans, les Latins auraient été des éleveurs. En fait, dès l'origine a dû exister une économie mixte où élevage et agriculture coexistaient. Toutefois, le mot qui désigne la « fortune », l'« argent » (*pecunia*), a d'abord désigné la richesse en bétail (*pecus*).

Les animaux d'élevage étaient les bovins (pour le trait, les travaux agricoles, le lait), les chevaux (pour les voyages, les transports, la cavalerie), les ovins (pour la laine et le lait), l'âne et le mulet (pour le portage). Seul, pratiquement, le porc était élevé pour la boucherie.

L'élevage de basse-cour, pratiqué dans les fermes, est relativement récent : à l'origine, on n'élève que les poules et les pigeons. La pisciculture, caractéristique du monde romain, commence au IIe s. av. J.-C. : elle est le propre des grands propriétaires, qui font bâtir des viviers d'eau de mer et d'eau douce. Au début du Ier s. av. J.-C., l'ostréiculture commence à s'introduire.

éloge (laudatio), **discours d'apparat en l'honneur de quelqu'un.**

On prononçait des éloges dans les jeux* publics et lors des funérailles* (*laudatio funebris*). Les éloges funèbres étaient précieusement conservés dans les archives* familiales.

empereur → dominat; principat.

Empire → dominat; principat; provinces.

encre (atramentum; de *ater*, noir). Pour écrire sur le papyrus et le parchemin, les Romains utilisaient une encre faite, la plupart du temps, de gomme et de suie. Ils utilisaient une encre rouge pour la mise en relief des titres (*rubrica*, rubrique, de *ruber*, rouge). L'Antiquité n'a pas ignoré l'encre « sympathique », par exemple le lait frais, qu'il suffisait ensuite de saupoudrer de poudre de charbon. → **livre; porte-plume.**

Énée (Aeneas) **héros troyen, fils d'Anchise et d'Aphrodite (Vénus).**

Il se distingue par ses exploits pendant la guerre de Troie et apparaît comme un héros protégé des dieux. Mais c'est surtout après la chute de Troie que son importance croît. Selon certaines traditions, il se serait retiré sur le mont Ida avec son père, son fils et les dieux de Troie, et aurait fondé une ville. Mais la légende la plus connue est celle de ses voyages : c'est celle qu'utilise Virgile*. Énée et ses compagnons quittent la Troade pour l'occident méditerranéen et s'arrêtent successivement en Thrace, en Macédoine, en Crète, en Épire, en Sicile. Une tempête les rejette sur la côte carthaginoise, où Énée s'éprend de Didon. Mais Carthage* doit devenir la rivale de Rome. Aussi abandonne-t-il Didon et aborde-t-il à Cumes, sur la côte campanienne : c'est l'objet du chant VI de *l'Énéide*, dans lequel Virgile raconte la visite qu'Énée fait à la Sibylle et sa descente aux Enfers. Puis Énée longe le littoral jusqu'à l'embouchure du Tibre : là, il affronte les Rutules conduits par leur roi Turnus. Laissant ses compagnons, Énée remonte le Tibre jusqu'à la ville de Pallantée, où plus tard sera construite la ville de Rome, et demande l'appui du vieux roi Évandre. Sur ses conseils, Énée se rend auprès des Étrusques* révoltés contre leur roi Mézence. Pendant ce temps, Turnus a attaqué les Troyens, mais l'arrivée d'Énée avec ses alliés renverse la situation. Turnus est tué par Énée en combat singulier. C'est là que s'arrête *l'Énéide*. D'autres traditions rapportent les événements postérieurs ou divergent sur certains points. La légende d'Énée donnait à Rome ses lettres de noblesse en faisant remonter sa race jusqu'aux dieux, puisque Romulus est un descendant d'Énée, et la *gens** Julia prétendait remonter jusqu'à Iule, le fils du héros troyen. Aussi a-t-elle souvent inspiré les artistes romains (fresques*, mosaïques*).

Énéide (L') → Énée; Virgile.

ennemi. À l'origine, le même terme, *hostis*, désignait l'ennemi et l'étranger. Mais cette défiance à l'égard des étrangers était tempérée par les droits de l'*hospitium* (« hospitalité »), qui faisaient que l'« hôte » était protégé par des traités d'amitié, privés (*hospitium privatum*) ou publics (*hospitium publicum*). D'autre part, au milieu du IIIe s. av. J.-C. se constitua le statut de pérégrin*, qui protégeait tout homme libre établi à Rome ou de passage, et qui ne possédait ni la citoyenneté* romaine ni le droit latin*.

Dès lors, *hostis* se spécialise dans le sens d'ennemi public, par opposition à *inimicus*, l'ennemi particulier, l'adversaire privé, et aussi par opposition à *latro*, le brigand, celui qui ne respecte pas le droit de la guerre*. Bien entendu, tout citoyen séditieux est déclaré ennemi public.

Empereurs romains jusqu'à la chute de l'Empire d'Occident

Auguste et la dynastie julio-claudienne (27 av. J.-C.-68 apr. J.-C.)	Auguste	(27 av. J.-C.-14 apr. J.-C.)
	Tibère	(14-37 apr. J.-C.)
	Caligula	(37-41 apr. J.-C.)
	Claude	(41-54 apr. J.-C.)
	Néron	(54-68 apr. J.-C.)
Crise de 69	Galba	(juill. 68-janv. 69)
	Othon	(janv. 69-avr. 69)
	Vitellius	(avr. 69-déc. 69)
dynastie flavienne (69-96)	Vespasien	(69-79)
	Titus	(79-81)
	Domitien	(81-96)
dynastie antonine (96-192)	Nerva	(96-98)
	Trajan	(98-117)
	Hadrien	(117-138)
	Antonin	(138-161)
	Marc Aurèle	(161-180)
	L. Verus (associé à l'Empire)	(161-169)
	Commode	(180-192)
époque des Sévères (193-235)	Pertinax	(193 [87 jours de règne])
	Didius Julianus	(193 [66 jours de règne])
	Septime Sévère	(193-211)
	Caracalla et Geta	(211-212)
	Caracalla	(212-217)
	Macrin	(217-218)
	Elagabal	(218-222)
	Sévère Alexandre	(222-235)
période d'anarchie militaire (235-268)	Maximin Ier	(235-238)
	Gordien Ier et Gordien II	(238 [mai-juin])
	Balbin et Pupien	(238)
	Gordien III	(238-244)
	Philippe l'Arabe	(244-249)
	Dèce	(249-251)
	Gallus	(251-253)
	Valérien	(253-260)
	Gallien	(260-268)
empereurs illyriens (268-284)	Claude II le Gothique	(268-270)
	Aurélien	(270-275)
	Tacite	(275-276)
	Probus	(276-282)
	Carus	(282-283)
	Numérien	(283-284)
	Carin	(283-285)

la tétrarchie (284-310) (A : Auguste ; C : César)	Dioclétien [A]	(284-305)
	Maximien [A]	(286-305)
	Constance Chlore [C]	
	Galère [C]	(293-305)
	Constance Chlore [A]	
	Galère [A]	(305-306)
	Sévère [C]	
	Maximin Daia [C ; A en 308]	
	Galère [A]	
	Sévère [A]	(306-307)
	Constantin [C]	
	Maximin Daia [C]	
	Galère [A]	
	Licinius [A]	(307-310)
	Maximin Daia [C ; A en 308]	
	Constantin [C ; A en 310]	
dynastie constantinienne (306-363)	Constantin et Licinius	(306-324)
	Constantin, empereur unique	(325-337)
	Constantin II [Occident]	(337-340)
	Constant [Italie, Afrique, Occident apr. 340]	(337-350)
	Constance II [Orient]	(337-350)
	Constance II, empereur unique	(350-361)
	Julien l'Apostat	(361-363)
	règne de Jovien	(363-364)
dynastie valentinienne (364-395)	Valentinien Ier [Occident]	(364-375)
	Valens [Orient]	(364-378)
	Gratien	(375-383)
	Valentinien II [Illyricum, Italie, Afrique]	(375-392)
	Théodose [Orient]	(379-392)
	Théodose, empereur unique	(392-395)
empereurs d'Occident (395-476)	Honorius	(395-423)
	Valentinien III	(425-455)
	Pétrone Maxime	(mars-mai 455)
	Avitus	(juill. 455-oct. 456)
	Majorien	(457-461)
	Sévère	(461-465)
	Anthemius	(467-472)
	Olybrius	(avr. 472-déc. 472)
	Glycerius	(473-474)
	Nepos	(474-475)
	Romulus Augustule	(475-476)

Ennius (239-169 av. J.-C.). Né à Rudies, près de Tarente, Ennius appartient à la deuxième génération de poètes romains. Il servit dans les armées* romaines comme centurion*, puis, à Rome, il donna des leçons de grec. Il connaissait, en effet, le latin, le grec et l'osque, la langue de son pays natal. Il fut remarqué et protégé par les grands personnages de l'époque : Caton*, Scipion l'Africain*, M. Fulvius Nobilior. Il écrivit des tragédies inspirées d'Euripide, des comédies, une traduction d'Evhémère*... Mais sa grande œuvre est son épopée *les Annales*, dans lesquelles, en dix-huit livres, il chante l'histoire romaine des origines à son temps. Il abandonne le vers saturnien* et adapte au latin l'hexamètre dactylique ; l'inspiration poétique ne lui fait pas défaut, en dépit de certaines platitudes ou maladresses. Pythagoricien, il se considérait comme une réincarnation d'Homère. Longtemps tenu pour le « père de la poésie latine », il fut négligé par Catulle* et les poètes nouveaux, mais Horace* l'appréciait et Virgile* l'imita. Toutefois la poésie de l'époque augustéenne le relégua dans l'ombre. Au Ier s. apr. J.-C., Quintilien* ramena l'attention sur lui.

enseignement. On retrouve à Rome l'équivalent de nos trois degrés d'enseignement (primaire, secondaire, supérieur).

1° Quand il atteint l'âge de 7 ans, l'enfant est confié à un maître (*litterator, magister ludi*), qui, sommairement installé dans une boutique près du forum*, lui apprend à lire, à écrire et à compter. Seuls, d'ailleurs, les gens modestes envoyaient leurs enfants chez le *litterator*. Dans les grandes familles, cette première éducation était confiée à la mère ou à une parente qui inculquait à l'enfant les grandes vertus morales ; un maître privé, normalement un esclave* ou un affranchi* de la maison, était chargé des tâches pédagogiques.

2° Vers l'âge de 11 ans, le petit écolier romain passe chez le « grammairien » (*grammaticus*) : celui-ci lui enseigne l'étude correcte de la langue* et lui explique les auteurs classiques. À l'époque d'Auguste*, ce sont essentiellement : Térence*, le dramaturge « humaniste » ; Salluste*, l'historien moraliste ; Cicéron*, le maître de l'éloquence ; Virgile*, le poète par excellence. L'explication des auteurs est l'occasion d'excursus historiques, mythologiques, géographiques..., susceptibles d'éclairer le texte, mais aussi de satisfaire à l'appétit d'érudition ; celle-ci est d'ailleurs plus littéraire que scientifique. Mais au cours de ses « études secondaires », l'adolescent apprenait également le grec et expliquait les grands auteurs grecs. La connaissance de cette langue lui sera très utile, dès qu'il voudra se « spécialiser ».

3° Le troisième degré, c'est l'enseignement donné par le rhéteur (*rhetor*), qui apprend au jeune homme de 17 ans l'art de la parole, dont il aura tant besoin pour aborder une carrière politique. Il sera bientôt rompu aux exercices de rhétorique, s'exercera à déclamer en public (*declamatio*), prononcera des discours fictifs, distingués en deux genres par les rhéteurs : le genre de la *suasoire* (éloquence délibérative : Hannibal* se demande, après Cannes*, s'il doit marcher sur Rome) et celui de la *controverse* (éloquence judiciaire : par exemple, discussion sur deux textes de loi en opposition). Un professeur de droit* (*magister juris*) pouvait compléter la formation du futur orateur*. Les études de rhétorique étaient couronnées par un voyage en Grèce, auprès d'un philosophe* ou d'un rhéteur en renom, qui donnait un complément d'éducation et de culture.

À côté de cet enseignement de culture générale, existaient des enseignements, donnés en grec, destinés à former des « spécialistes » : architectes*, arpenteurs*, médecins*, etc. Mais il convient de mettre à part un type d'enseignement supérieur original, l'enseignement du droit*. Le futur orateur ne suit pas seulement les cours du rhéteur, il apprend aussi le droit, en suivant un enseignement théorique, auprès du *magister juris* ; cet enseignement paraît avoir existé dès la fin de la République* : Cicéron* écrit lui-même un livre sur cette question, *Comment constituer le droit civil en art* ?, c'est-à-dire comment exposer l'art du droit commodément et efficacement ; au IIe s. apr. J.-C., il y avait des écoles publiques de droit, établies à proximité des temples*, sans doute pour être près des bibliothèques*. Il existe des manuels : *Institutes, Responsa, Digesta*. Mais plus ancien que cet enseignement théorique, et ensuite complémentaire, était l'enseignement pratique du droit : le jeune homme s'initiait auprès des jurisconsultes* en assistant à leurs consultations : Tib. Coruncarius, consul en 280 av. J.-C., passe pour avoir inauguré l'usage des consultations données en public.

enseignes commerciales (signa). Comme aujourd'hui, les commerçants se signalaient à l'attention des passants par des enseignes : peintures ou sculptures évoquant leurs activités, parfois des mosaïques sur le sol, devant leur boutique. → commerce.

enseignes militaires (signa). Parmi ses nombreuses réformes de l'armée*, Marius* réduisit les différentes enseignes des légions* à une seule : l'aigle (*aquila*). Il s'agit d'une hampe droite, au sommet de laquelle se trouve un aigle de bronze, ailes déployées et tenant un foudre entre ses serres. Les manipules* avaient aussi leurs enseignes : une botte de foin, au sommet d'une pique. On remplaça ensuite cette botte de foin par un feuillage de métal ou une main. Diverses décorations ornaient les hampes. D'autre part, les formations temporaires ou détachées avaient comme enseigne le *vexillum*, étendard suspendu à une barre horizontale fixée au sommet d'une lance.

Les enseignes militaires étaient l'objet d'un culte*.

entrepôt → marché; port.

épée (gladius). À la fin du IIIe s. av. J.-C., l'armée* romaine a abandonné son glaive court, à peine plus long qu'un poignard*, pour l'épée ibérique, plus longue (la lame dépasse souvent 50 cm), pointue et à deux tranchants. Cette épée se porte à droite.

épices. Les Romains ont fait une grande consommation d'épices, goût qui s'explique en partie par le fait que leurs plats étaient souvent bouillis et qu'il fallait donc les relever. Parmi les épices indigènes qu'ils utilisaient, on cite les câpres, le céleri, le basilic, la menthe, le thym, la marjolaine, le serpolet, les pignons de pin, etc. Ils les faisaient sécher ou les conservaient dans du vinaigre pour pouvoir en user toute l'année. Mais ils importaient aussi des épices exotiques : poivre, gingembre, sumac, nard, cannelle, etc. Sous l'Empire*, les épices exotiques sont très recherchées : on les utilise également en médecine* et en parfumerie. Mais leur prix ne les rend pas accessibles à tous. → condiments; gastronomie.

épicuriens. Pendant longtemps, les épicuriens ont été suspects à Rome : ils professaient en effet une physique qui ne laissait aucune place à l'intervention des dieux* dans les affaires humaines et rejetait toute notion de Providence, et une morale* susceptible d'interprétations vulgaires et néfastes, qui de plus paraissait inviter le sage à se désintéresser des affaires publiques. Aussi bien provoquèrent-ils une réaction de défiance dans des milieux sénatoriaux déjà hostiles à l'influence hellénique : ainsi, en 173 (ou 154 ?) av. J.-C., le sénat* bannit les deux philosophes épicuriens Alcios et Philiscos. À vrai dire, cette expulsion devait frapper en eux autant leur qualité de philosophes, que leur appartenance à l'épicurisme. Toutefois, cette philosophie* fait des adeptes à Rome et, à la fin de la République*, les épicuriens y sont nombreux, en particulier dans la haute société, mais, semble-t-il, ne mettent guère en pratique les maximes de l'École. C'est l'époque où Lucrèce* écrit son poème *Sur la Nature*, où dominent les intentions morales. Vers cette époque aussi, il apparaît que les épicuriens abandonnent peu à peu l'idée selon laquelle le sage ne doit pas participer à la vie de la cité. Et de fait, au temps de César*, beaucoup parmi eux se mêlent à la politique. Un philosophe et poète épicurien, Philodème de Gadara, écrit même un traité *Sur le bon roi selon Homère*, qui pourrait bien être un manifeste politique élaborant une doctrine du pouvoir monarchique, idéal que César serait en mesure d'incarner. Un peu plus tard, Horace* et Virgile*, qui suivit les leçons de Siron, subiront l'influence de l'épicurisme.

éponymie (mot grec signifiant « qui donne son nom »). Comme à Athènes l'archonte, à Rome les deux consuls* donnent leur nom à l'année pendant laquelle ils exercent leur magistrature* : aussi les années sont-elles communément datées par les noms de ces magistrats : « un tel et un tel étant consuls, ces faits ont eu lieu... ». Sa commodité rendait ce système de datation fort courant dans la vie pratique : pour plus de précision, il convenait de se reporter aux fastes* consulaires, qui contenaient la liste des consuls depuis la fondation de la République*.

D'autre part, il existe, dans l'Antiquité, une éponymie divine; certains dieux* étaient en effet les éponymes d'une cité : par exemple, Apollon pour Apollonie, nom de plusieurs villes (en Thrace, en Macédoine, en Illyrie), Héraclès (Hercule) pour Héraclée (ville de Sicile, de Thessalie...) ou Herculanum ; Vénus pour Venusia, etc.

épulons (epulones; de *epulum*, repas sacré). Les épulons sont des prêtres chargés de seconder les pontifes* dans l'organisation du banquet sacré offert à Jupiter Capitolin et à ses invités (sénateurs*, magistrats*...), une fois par an, le 13 novembre. Leur collège* fut créé au début du IIe s. av. J.-C., à cet effet. Il comprit trois, puis sept, enfin dix membres, et resta toujours soumis aux pontifes.

Sous l'Empire*, les épulons furent chargés d'organiser les repas publics offerts par l'empereur. Il semble bien que, pendant longtemps, le collège des épulons n'ait été ouvert qu'aux plébéiens*.

esclave (servus). Le nombre des esclaves, assez restreint aux origines* de Rome, augmenta avec les guerres* de conquête : à titre d'exemple, César* ramena un million d'esclaves de Gaule*. On est esclave par la naissance*, l'exposition*, la captivité*, la déchéance*. L'esclave n'a aucune personnalité juridique : il ne possède pas de biens, ne contracte pas de mariage* légitime, n'a pas accès aux tribunaux*. Il est la chose du maître, qui a sur lui tout pouvoir (*potestas dominica*). Vers la fin de la République*, sous l'influence du stoïcisme*, cette situation se modifia : on tendit à limiter la *patria potestas* et à reconnaître à l'esclave une certaine capacité juridique (droit de représenter le maître dans certaines circonstances, de se constituer un petit pécule, par exemple). Cette tendance humanitaire s'affirma sous l'Empire*. La condition servile est héréditaire; elle ne cesse que par l'affranchissement*. Il y a un véritable commerce des esclaves, dans les camps* et dans les villes; il a lieu aux enchères et est soumis à l'impôt*.

La condition réelle des esclaves était variable et dépendait du caractère du maître. Ceux qui étaient employés dans les maisons modestes avaient une vie relativement acceptable : ils étaient, en tout cas, plus proches de leur maître et de sa famille. Si les Romains les plus modestes ne possédaient que quelques esclaves, les plus riches en avaient 500 ou 1 000, employés soit à la campagne, où ils étaient chargés de tous les travaux sous la direction d'un des leurs, l'intendant (*villicus*), soit en ville, attachés au service de la maison (chacun ayant une fonction particulière : médecin*, musicien*, portier, masseur, coiffeur, cuisinier, cocher, porteur de litière, de lanterne, etc.), ou bien comme ouvriers dans les ateliers du maître.

Les grandes maisons possédaient toujours quelques esclaves lettrés, auxquels on confiait la surveillance des enfants (les pédagogues*) ou des travaux de secrétariat. Quant aux enfants des esclaves, ils étaient rassemblés dans des écoles domestiques, où ils recevaient une éducation, orientée surtout vers les besoins du service. Mais, à côté de ces esclaves privés (*servi privati*), il existait une autre catégorie, celle des esclaves publics (*servi publici*), chargés des travaux de voirie, de l'entretien des routes*, etc., ou encore utilisés dans l'administration comme fonctionnaires subalternes (service des eaux, des archives, gardiens de prisons, etc.). Leur situation était en général supérieure à celle des esclaves privés et ils recevaient un traitement.

Dans l'armée*, sauf exception, il n'y avait pas d'esclaves. Sous la République, la « guerre servile » effraya les Romains tant par les proportions qu'elle prit que par la solidarité que manifestèrent les prolétaires libres avec les esclaves. Sous l'Empire, grâce à l'influence de la philosophie, puis du christianisme, les affranchissements furent de plus en plus nombreux; mais des lois limitèrent les affranchissements massifs. → **Spartacus**.

étranger → ennemi; pérégrin.

étrennes (strenae). En différentes occasions, mais principalement aux calendes* de janvier, les Romains échangeaient, avec des souhaits de bonheur et des paroles bienveillantes, des cadeaux qui avaient une valeur symbolique et religieuse (dattes, figues, miel), et aussi des cadeaux en argent.

Étrusques (Tusci). Du VIIe s. au IIe s. av. J.-C. s'est formée en Étrurie une civilisation brillante, de type orientalisant, qui a été la première grande civilisation italienne; ses origines sont complexes. En gros, deux thèses sont en présence : celle d'une origine orientale des Étrusques et celle de leur autochtonie. L'apogée de la puissance étrusque se situe au VIe s., période pendant laquelle l'alliance avec Carthage* leur assure la maîtrise de la Méditerranée occidentale. De 616 à 509, les rois étrusques règnent à Rome. On leur doit vraisemblablement : les trois organismes politiques de la royauté (le roi*, l'assemblée curiate*, le sénat*); l'entrée de la plèbe* dans la cité; la division de la Ville en quatre tribus*, déterminées par le domicile. Le déclin de l'empire étrusque commença avec la libération de Rome et l'expulsion des Tarquins*. Sur les causes mêmes de cette chute, on en est réduit à des hypothèses. Peu à peu, l'Étrurie tombe sous la domination romaine, mais sa civilisation ne meurt pas pour autant; elle continue d'exercer son influence sur Rome et, à l'époque d'Auguste*, la langue étrusque est encore parlée.

Les Étrusques ont été un peuple agricole et industriel, dont les cités, gouvernées par un roi (*lucumo*), accordant aux femmes un rôle politique, étaient groupées en une fédération. Leur religion s'apparente aux religions de l'Orient : elle possède un rituel et une théologie conservés dans des livres. Un collège de prêtres versés dans l'art de la divination* (les haruspices*) président la vie religieuse. L'art étrusque a produit des objets (bijoux, poteries, statues) et des peintures d'une grande beauté; influencé par l'art grec, il présente une originalité propre. Quant à leur langue, elle pose encore aujourd'hui des problèmes difficiles. L'influence étrusque sur Rome a été importante; — dans le domaine linguistique : emprunt de l'alphabet*, de certains termes, en particulier des noms propres; — dans le domaine de l'art : temple* de Jupiter Capitolin à triple *cella*, rôle de l'*atrium** dans l'ancienne maison* romaine, tendance au réalisme dans le portrait; — dans le domaine de la religion* et des institutions : divination*, culte* des morts, rites de purification, collèges* sacerdotaux, règles de procédure*, triomphes*, — sans compter les apports politiques (signalés plus haut) pendant le temps que les Étrusques ont régné à Rome.

Cette influence, les Romains ne la niaient pas et, en dépit de leur étonnement devant certaines étrangetés de la civilisation étrusque, un sentiment de reconnaissance finit par se substituer aux préjugés hostiles.

évhémérisme, doctrine d'Évhémère, Grec du IVe s. av. J.-C., selon lequel les dieux* de la mythologie ne sont que des êtres humains, que les hommes, par peur ou par admiration, ont divinisés.

Ennius* adapta en prose son *Histoire sacrée*. Plus tard, les Pères de l'Église utilisèrent cette doctrine pour combattre la religion* païenne.

exil (exsilium). Sous la République*, tout citoyen* ou pérégrin* passible d'une condamnation* à mort a la possibilité de s'y soustraire en s'exilant. Ses biens sont confisqués; « l'eau et le feu lui sont interdits* ». Au dernier siècle avant J.-C., l'exil fut en lui-même une peine. Sous l'Empire, le condamné n'eut plus le droit de choisir sa résidence; ce fut alors la déportation* ou la relégation*.

exposition des enfants, droit que possède le père de ne pas reconnaître son enfant et de l'exposer.

L'enfant exposé, s'il est recueilli, sera esclave*. Ce droit découle de la conception romaine de la puissance paternelle*; il ne fut abrogé que sous Valentinien (empereur de 364 à 375 apr. J.-C.).

f

Fabius Cunctator (Q. Fabius Maximus Cunctator : 275-203 av. J.-C.). Consul* en 233 et 228, il fut nommé dictateur* après la défaite de Trasimène* face à Hannibal* (217). Pour lutter contre Carthage*, il préconisa la politique de temporisation, d'où son surnom *Cunctator,* « le Temporisateur » ; mais son maître de la cavalerie* Minucius, qui avait remporté un petit succès, fit abandonner cette tactique : ce fut alors un second désastre à Cannes* (216). À nouveau consul en 215, 214 et 209, il reconquit peu à peu les provinces méridionales de l'Italie*.

faisceaux → licteurs ; magistrats.

famille → gens ; matrone ; patria potestas.

fas, notion religieuse et juridique complexe, dont le sens est : « permission, ordre, approbation des dieux* », « droit divin » et donc « ce qui est autorisé conformément aux lois divines ou naturelles ».

Fas est différent de *jus,* qui désigne le droit humain, la volonté des hommes exprimée par les lois*. Le contraire de *fas* est *nefas,* c'est-à-dire ce qu'il est contraire aux dieux et aux lois naturelles, et donc sacrilège, de faire. D'autre part, ce qui est accompli à l'encontre du *jus* est une *injuria,* une violation du droit*, une injustice.

Mais cette distinction entre *fas* et *jus* est loin d'être absolue et elle est sans doute relativement récente. À l'origine, il n'y a qu'un droit (*jus*), essentiellement religieux, envisagé comme « droit divin » (*jus divinum*) quand il est appliqué aux choses divines (« droit pontifical, augural, *jus pontificale, augurale*), et comme « droit humain » (*jus humanum*), quand il est appliqué aux choses humaines. L'opposition de *jus* et de *fas* se serait située alors à un autre niveau : *jus* aurait désigné l'accomplissement des rites officiels qui sont le droit, les conduites licites ; tandis que *fas* aurait évoqué l'approbation qu'accordent les dieux aux actes conformes à l'ordre de l'univers, la consécration divine donnée à ce qui est « normal ».

fastes (fasti). Les anciens calendriers* romains comportaient l'indication des fêtes religieuses fixes (auxquelles s'ajoutaient celles dont la date était fixée par les pontifes*), ainsi que la répartition en jours « fastes » et « néfastes ». Sont fastes les jours ouvrables ; mais ils ne le sont pas tous au même titre. Certains sont « comitiaux » (*dies comitiales*) et permettent la réunion des comices* ; d'autres sont « mixtes » (*dies fissi, intercisi*), c'est-à-dire ouvrables pendant une partie seulement de la journée. Tous les jours fériés étaient « néfastes » (*dies nefasti*) ; mais certains étaient « heureux » (par exemple les 45 fêtes anciennes et fixes du calendrier), d'autres « funestes ». Aucune activité judiciaire n'était possible pendant les jours « néfastes ». On voit donc l'importance prise par la décision (en 304 av. J.-C.) de rendre public le calendrier, jusque-là tenu secret et aux mains des pontifes. Au total, sous la République, 109 jours « néfastes » pour 235 « fastes », dont 192 « comitiaux », et 11 « mixtes ».

Sous l'Empire, le nombre des jours « néfastes » augmenta : à l'époque de Trajan, un jour sur deux est férié.

Le mot *fasti* désignait également le calendrier dans son ensemble, ainsi que certaines listes : listes des magistrats*, des triomphes*, etc.

Faustine (Faustina). Deux impératrices ont porté ce nom :

— **1° Faustine l'Aînée,** épouse d'Antonin* le Pieux ; elle reçut le titre d'*Augusta* en 138.

— **2° Faustine la Jeune,** fille de la précédente et épouse de Marc Aurèle qu'elle accompagne au cours de ses campagnes, ce qui lui valut le titre de *Mater castrorum*, « Mère des camps ».

fers à friser (calamistri). L'étymologie du mot latin laisse penser qu'à l'origine ils étaient en roseau, à moins qu'ils aient été ainsi désignés à cause de leur forme (un rouleau). De toute manière, il y en a eu en métal, et ils passaient au feu* avant d'être appliqués sur les cheveux. → **coiffure.**

fêtes → **culte ; fastes ; jeux ; représentations dramatiques.**

fétiaux (fetiales). **Les fétiaux sont vingt prêtres*, constitués en collège*.**

Ils se recrutent par cooptation, parmi les patriciens* et les plébéiens*. La fondation du collège était attribuée à Numa*. Les fétiaux sont les prêtres du droit* international : il ne pouvait y avoir de déclaration de guerre* ou de traité de paix sans leur participation et leur accord ; de même, ils accompagnaient les missions diplomatiques* à l'étranger. Celui d'entre eux qui dirigeait une délégation de fétiaux portait le titre de *Pater patratus*. Dès la fin de la République* et plus encore sous l'Empire*, leur rôle alla en diminuant.

feu (ignis). À la maison*, les Romains prenaient le feu du foyer*, ou dans un brasier de la cuisine, dont les braises couvaient en permanence sous la cendre. À l'extérieur, bergers, soldats, paysans recouraient à trois techniques : le briquet (pierre ou fer frappant un silex) ; le frottement de deux morceaux de bois (lierre et laurier) ; les mèches soufrées, qui annoncent nos allumettes modernes.

fiançailles (*sponsalia*, promesses). Les fiançailles donnaient lieu à une fête de famille* au cours de laquelle les pères s'engageaient à unir leurs enfants. Le fiancé faisait une donation à sa fiancée ; et l'un et l'autre échangeaient des anneaux. Les fiançailles pouvaient être rompues par consentement mutuel. Elles se prolongeaient parfois longtemps, lorsque les parents avaient engagé leurs enfants très jeunes. Théoriquement, le jeune homme devait avoir 14 ans pour pouvoir se marier, la jeune fille 12 ans.

fides. Ce mot est l'un des fondements de la morale romaine, entendue au sens large. Il signifie « bonne foi, droiture, parole donnée » et désigne donc une conduite respectueuse des engagements pris.

C'est le respect de la *fides* qui garantit explicitement ou implicitement la loyauté des rapports entre les hommes : elle est une manifestation de la *pietas**. La conduite de Regulus* illustre bien cette conception. De bonne heure, on construisit sur le Capitole* un temple à Fides divinisée.

flamines (*flamines*, mot sans doute apparenté à l'indien brahmane). Il y avait à Rome 15 prêtres* appelés flamines, mais ils ne constituaient pas un collège*, car chacun d'eux servait un dieu* particulier. Les grands flamines (*flamines majores*) sont ceux de Jupiter (*flamen dialis*), Mars, Quirinus ; les douze autres, dits *flamines minores*, étaient au service de Vulcain, Vulturne, Portunus, Palès, Carmenta, Flora, Pomone, Furrina, Falacer, Cérès et deux autres divinités que nous ignorons.

Les flamines devaient s'être mariés par *confarreatio* et les trois flamines majeurs appartinrent toujours à de vieilles familles patriciennes*. Ils étaient nommés par le grand pontife (donc, à partir d'Auguste*, par l'empereur). Le flamine suprême est le flamine de Jupiter, reconnaissable en public à son bonnet ressemblant à un casque pointu (*apex*) et à son vêtement particulier, tissé par sa femme (*laena*), qu'il porte en permanence, car il est censé être toujours prêt à offrir un sacrifice. Il est entouré de toutes sortes de tabous (il ne peut voir une arme, toucher un cheval, émonder une vigne...), dont le sens, bien souvent, échappait déjà aux Romains eux-mêmes.

Sous l'Empire*, on nomma des flamines chargés de desservir le culte* des empereurs divinisés : le plus haut en dignité fut le flamine d'Auguste*.

Flamininus (T. Quinctius Flamininus : 229-174 av. J.-C.). Consul* en 198, vainqueur de Philippe V de Macédoine à Cynocéphales en 197, il délivra la Grèce du joug macédonien, mais ne voulut pas l'annexer et proclama la liberté de la Grèce (196).

Flaminius (C. Flaminius : mort en 217 av. J.-C.). Tribun de la plèbe* en 232, il apparut avec le recul du temps comme le fondateur du parti* populaire, ayant fait voter des lois agraires en faveur des plébéiens*. Consul* en 217, il fut vaincu par Hannibal* à Trasimène*, où il trouva la mort. On lui doit la construction du cirque* qui porte son nom au sud du champ de Mars : pendant longtemps, les Jeux* plébéiens y furent célébrés (aujourd'hui, il n'est plus visible). D'autre part, il fit construire la *via Flaminia*, reliant Rome à l'Adriatique.

fleurs (flores). Les Romains n'ont jamais essayé d'acclimater les espèces exotiques et se contentaient de cultiver les fleurs indigènes : roses, lis, violettes, pervenches... Elles étaient un élément de décoration dans les jardins* et étaient utilisées pour la confection de guirlandes et de couronnes* ; elles tenaient une grande place en parfumerie et en pharmacie*, à un degré moindre en gastronomie*.

flûte → musique.

fonctionnaires impériaux. L'Empire* conserva les institutions républicaines (assemblées*, magistratures*, sénat*) ; mais ce ne sont plus que des survivances, car ces organes n'ont plus de pouvoirs réels. Au contraire, un rôle très important est dévolu à un nouveau corps de l'administration impériale, les fonctionnaires. Dans l'ordre* sénatorial sont recrutés le préfet de la Ville*, les légats*, les curateurs* ; dans l'ordre équestre*, les autres préfets et les procurateurs*. Les emplois inférieurs de l'administration sont souvent confiés à des affranchis*. Contrairement aux magistrats, les fonctionnaires perçoivent un traitement, qui est proportionnel à leur dignité. Les provinciaux occupèrent une grande place dans l'administration impériale.

fondation des villes, des colonies → colonies ; urbanisme.

fontaine (fons). Dans la Rome antique, les fontaines sont un élément du décor urbain, et celles que l'on peut voir aujourd'hui en sont les héritières. Les plus simples sont des cuves rectangulaires où l'eau* tombe d'une goulette ; quand elles sont plus luxueuses, la cuve s'agrémente de mosaïques*, elle est entourée d'un jardin*, l'eau est déversée par un goulot placé dans la gueule d'un animal, dans le col d'une amphore portée par un enfant... Certaines fontaines atteignent les dimensions d'un large bassin : on les appelle alors des « lacs » (*lacus*) ; elles peuvent former des jets d'eau (*salientes*) ; les plus somptueuses sont les nymphées, véritables châteaux d'eau, magnifiquement décorés. Au Ier s. apr. J.-C., on compte à Rome près de 600 fontaines : bien entendu, ces fontaines publiques ne sont pas seulement un décor ; la masse des citadins y puise l'eau dont elle a besoin pour son usage domestique. Toutefois, certains privilégiés possédaient l'eau courante dans l'*atrium** ; dans certaines *insulae**, il y avait une adduction d'eau au rez-de-chaussée.

forum. À l'origine place de marché, le forum est vite devenu dans la vie des Romains le centre des affaires publiques et privées.

C'est autour de cette place publique que s'élèvent les principaux monuments : basiliques*, temples*, curies*, et parfois boutiques, marchés*, etc. Le forum est généralement situé à l'intersection du *cardo** et du *decumanus*, mais, compte tenu des conditions de terrain, il arrive qu'il soit excentrique. Toutes les villes d'Italie* et des provinces* mirent un point d'honneur à posséder un forum à l'image de celui de Rome, le *Forum Romanum*.

Celui-ci a dû commencer d'exister au début du VIIe s. av. J.-C. : il est alors à la fois marché et centre politique. Le temple de Vesta, dont le culte est assuré par les vestales*, est comme le foyer commun de la cité. Autant qu'on puisse en juger, il semble bien que, dès ses origines, le forum s'est trouvé à l'intersection du *decumanus* (la rue qui s'appellera la Voie sacrée) et du *cardo* (constitué par l'Argilète et la rue des Étrusques). Peu à peu, sous la République*, le forum perd de son importance comme centre commercial, pour être surtout un centre politique, religieux et judiciaire, sans cesser d'être cependant un lieu de promenade.

À partir de César*, son aspect se modifie : il devient un centre monumental (construction de temples*, basiliques*, arcs*, etc.). Mais, en même temps, pour agrandir et aérer le centre de la ville, César*, Auguste*, Vespasien, Nerva et Trajan* firent construire d'autres forums, au nord du *Forum Romanum*. Ceux-ci, qu'on appelle les « forums impériaux », répondent à une conception architectonique différente : ils sont fermés, comme les places de l'époque hellénistique (les *agorai*) et disposés en fonction d'un temple. Le plus somptueux est celui de Trajan, qui est dû à l'architecte* Apollodore de Damas : il comprend deux places séparées par la basilique Ulpia et la colonne Trajane, elle-même entourée de deux bibliothèques*, le long du côté ouest de la basilique ; sur la place est, la statue équestre de Trajan ; sur la seconde place, à l'ouest, Hadrien* fit élever un temple à Trajan divinisé.

D'autres forums avaient une destination spéciale, comme le *forum boarium* (« marché aux bœufs »), champ de foire sur la rive du Tibre, au pied du versant sud du Palatin, ou le *forum holitorium* (« marché aux légumes »), à proximité du précédent, entre le Capitole* et le Tibre.

Bien des noms de villes rappellent qu'à l'origine elles ont été des marchés, des foires, où se rencontraient les habitants des agglomérations voisines, avant de devenir des cités : par exemple, *forum Julium* (Fréjus), *Forum Alieni* au sud de Vérone, *forum Gallorum* en Cisalpine, etc.

Fourches Caudines (furculae Caudinae). Au cours de la seconde guerre contre les Samnites (327-304 av. J.-C.), les Romains furent défaits près de Caudium, à l'est de Capoue, dans un défilé appelé Fourches Caudines (321) : pour humilier les troupes romaines, les Samnites les firent passer sous le joug (deux lances plantées en terre, une troisième attachée transversalement).

foyer (focus). Si, à l'origine, le foyer a servi à la fois d'autel* et de fourneau, une distinction s'est opérée par la suite. Le foyer est situé dans l'*atrium** ; puis, avec le développement de la partie postérieure de l'habitation*, il a été déplacé également vers l'intérieur. Le foyer symbolise la vie religieuse de la maison et personnifie Vesta, divinité du Feu* domestique.

frères Arvales (fratres Arvales ; de *arvum*, champ). Les douze Frères Arvales constituent une confrérie, qui aurait été fondée par les douze fils d'Acca Larentia, la nourrice de Romulus. Ils étaient voués au culte d'une divinité des champs, Dea Dia, qui possédait un bois sacré (*lucus*), à 7, 500 km de Rome, sur la *via Campana*. En son honneur, ils célébraient des cérémonies annuelles au mois de mai. Celles-ci comprenaient des rites agraires, des sacrifices*, des chants (le *carmen Arvale*, qui nous est parvenu, mais nous est à peu près incompréhensible), des courses*. La confrérie, recrutée par cooptation, était dirigée par un maître (*magister*). Sous l'Empire*, celui-ci est souvent l'empereur lui-même.

fresques → peintures.

fruits (poma). Assez tôt, les Romains ne se sont plus contentés des fruits sauvages, mais ont cultivé des arbres fruitiers : figuier, pommier, poirier, prunier, grenadier, vigne. Ils ont aussi introduit en Italie* des

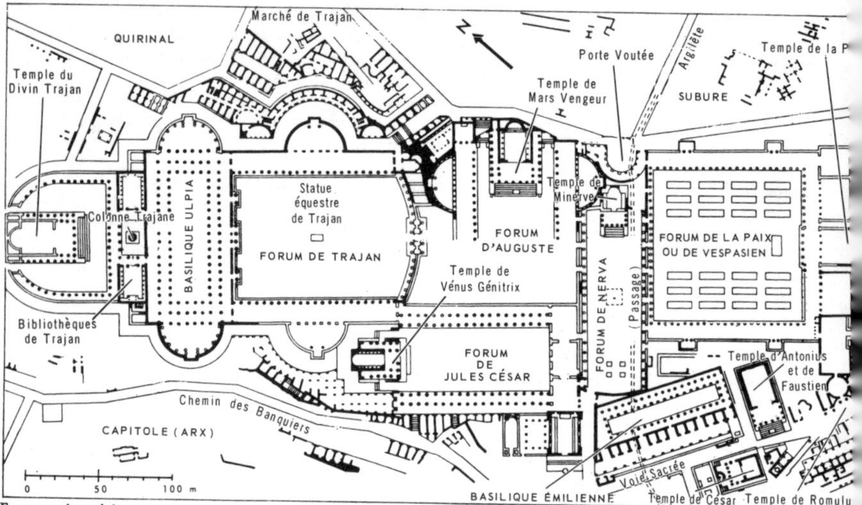

Forums impériaux

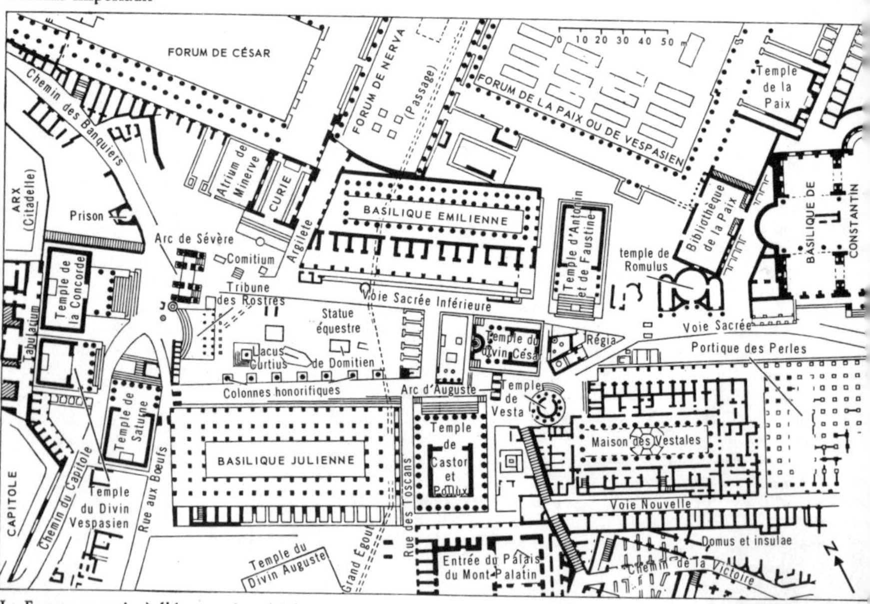

Le Forum romain à l'époque impériale

espèces exotiques : pêcher, abricotier, néflier, melon. Les fruits secs ne leur étaient pas inconnus (châtaignes, noix, amandes, noisettes).

Ils ont appris la technique de la « conserve » : ils gardaient les fruits « secs », en les faisant sécher au soleil, ou « frais » en recourant à divers procédés : conservation à l'abri de l'air ; dans le miel ; ensevelissement dans le sable.

funérailles (funus). Les funérailles obéissent à des rites précis. Ne pas les observer, c'est condamner les âmes des morts à tourmenter par la suite les vivants (v. **Larves**). Les *libitinarii* (« Pompes funèbres ») se chargeaient de tous les détails des cérémonies.

Dès que la mort a été constatée, on appelle le défunt par son nom (*conclamatio*) ; sa dernière toilette accomplie, on l'expose vêtu de ses habits d'apparat dans l'*atrium** (les habitants des *insulae** organisaient l'exposition du corps au cimetière*). L'exposition peut durer plusieurs jours. Le lit* funéraire est paré de fleurs* ; des joueuses de flûte jouent une musique* funèbre. Puis viennent les funérailles proprement dites : un cortège accompagne le cadavre hors de la ville, là où aura lieu l'ensevelissement, de nuit, puis, semble-t-il, de jour. Le cortège comprend : des clients* ou des acteurs* qui ont mis les masques* des ancêtres, si bien que toute l'ascendance du défunt, revenue de l'Au-delà, participe à ses funérailles ; puis, les joueuses de flûte, les pleureuses qui chantent des nénies* (hymnes de louanges) en son honneur ; elles précèdent le lit mortuaire sur lequel, le visage découvert, repose le cadavre ; suivent, enfin, parents et amis, en vêtements de deuil (de couleur pour les hommes, toilettes sobres pour les femmes). Le cortège est conduit à la lumière des torches, même en plein jour. On entend des plaisanteries, chargées d'un pouvoir apotropaïque. Si le défunt avait été un personnage important, le cortège traversait le forum*, où le plus proche parent prononçait un éloge* funèbre ; la foule avait été alors prévenue par un héraut*.

Enfin, on parvenait au lieu de l'ensevelissement. On rencontre à Rome les deux rites, incinération et inhumation, quoique l'incinération ait été plus fréquente pendant la période républicaine et les premiers temps de l'Empire. Si l'on procédait à l'incinération, on déposait le cadavre sur un bûcher (*rogus*) ; les cendres étaient recueillies dans une urne* (*loculus*), placée ensuite dans un columbarium* ou un tombeau*. Pour l'inhumation, le corps était déposé dans un cercueil, placé ensuite dans une fosse. Avant l'ensevelissement des cendres ou du corps, on criait un dernier appel au mort. Un repas complétait et terminait les funérailles : il était pris sur le lieu même de l'ensevelissement ; le menu en était invariable : œufs, légumes, volaille, pain et sel.

Aux anniversaires*, on apportait au tombeau des fleurs*, de la nourriture, des boissons*. De plus une semaine était consacrée tous les ans aux parents défunts, du 13 au 21 février (*dies parentales*). → **cimetières ; monuments funéraires.**

g

Gastronomie. Les guerres menées dans le bassin oriental de la Méditerranée, au cours du IIᵉ s. av. J.-C., ont contribué à faire faire des progrès à la gastronomie romaine : en Grèce et en Asie, officiers et magistrats* apprirent, en effet, à mieux manger. D'ailleurs, le vocabulaire de la gastronomie (modes de cuisson, recettes de cuisine) n'est souvent que le calque de la terminologie grecque. C'est à partir de cette époque que l'on commença à distinguer entre le cuisinier (*archimagirus*), qui a sous ses ordres, du moins dans les grandes maisons, une armée de marmitons (*coqui*), le boulanger* (*pistor*) et le pâtissier* - confiseur (*pistor dulciarius, pastillarius*). On rédige aussi des « livres de cuisine », comme cet ami de César*, C. Matius, et surtout Apicius, le plus célèbre, contemporain d'Auguste* et de Tibère*, et qui a donné son nom à de nombreuses recettes. Parmi les préparations les plus courantes, on peut citer : — la *patina* ou *patella*, sorte de pâte consistante, à base de légumes ou de poisson, mêlée d'œufs ; — le *minutal*, hachis de poisson ou de viande, auquel on mélange parfois des fruits ; — les *ofellae*, qui sont des morceaux de viande frits ou en brochettes.

Les Romains préféraient la viande (surtout porcine) aux légumes, et avaient une prédilection particulière pour les poissons et les coquillages. Leur cuisine se caractérise par la dominance des plats bouillis sur les plats rôtis, l'emploi de sauces compliquées, l'usage, outrancier, des épices* et des condiments*, le mélange du sucré et du salé (par ex., gibier au miel).

Frugaux au début par nécessité, les Romains le sont restés ensuite par goût de la simplicité et par obéissance aux conseils des épicuriens*, des stoïciens*, des médecins*. Les Lucullus, Vitellius, Élagabale, etc., ne sont que des exceptions célèbres.

Gaule (Gallia). Les Romains distinguaient entre la Gaule Transalpine et la Gaule Cisalpine (respectivement *au-delà* et *en deçà* des Alpes).

1. La **Transalpine** était habitée de populations diverses, mais essentiellement de Celtes. Les Gaulois avaient laissé le souvenir de Barbares redoutables depuis l'invasion de 390 av. J.-C. ; à l'époque de la seconde guerre punique*, ils avaient aidé Hannibal dans sa marche sur Rome. À la fin du IIᵉ s. av. J.-C., les Romains occupèrent la Gaule Narbonnaise (Provence et Languedoc), qui, étendue jusqu'au territoire des Allobroges (Dauphiné-Savoie), devint la Province romaine (120 av. J.-C.).

Quand César* entreprend la conquête de la « Gaule chevelue », c'est-à-dire la Transalpine moins la Province romaine, il distingue trois grandes parties : l'Aquitaine, la Celtique ou Gaule proprement dite, la Belgique. À l'intérieur de ces régions, de nombreuses peuplades sont opposées par des rivalités ; il n'y a pas d'État organisé ;

quelques familles nobles dominent; parmi elles, la caste très puissante des druides, à la fois éducateurs, juges et prêtres. Leur civilisation matérielle est raffinée. Après la conquête, la « Gaule chevelue » est réduite en province (51 av. J.-C.) : César fonde plusieurs villes, dont Orange et Vienne; Lyon* est fondé en 43. Auguste* réorganisa l'ensemble de la Transalpine en quatre provinces* : Narbonnaise, Aquitaine, Lyonnaise, Belgique; la première est sénatoriale, les trois autres impériales.

Très tôt naquit une civilisation gallo-romaine, que rendirent possible l'habileté des Romains, généreux dans l'octroi de la citoyenneté*, et la faculté d'adaptation des Gaulois.

2. La **Cisalpine**, située entre les Alpes et les Apennins, fut occupée depuis de nombreux siècles par les Gaulois et partiellement soumise par les Romains dès la fin du IIIe s. AV. J.-C. (Milan, Crémone, Plaisance). Son intégration à l'Italie se fit rapidement à partir de la guerre* sociale. Organisée en province en 81, elle fut réunie à l'Italie en 42 av. J.-C..

génie (Genuis; de *geno*, engendrer), **principe de vie assurant la perpétuité de la descendance.**

Chaque homme a son génie (les femmes possèdent une Junon individuelle, *Juno Lucina*, déesse de la Maternité), et celui-ci est représenté comme un serpent ou un homme en toge* portant une corne d'abondance et une patère : il figure dans le laraire*. Dans la maison*, le lit* nuptial (*lectus genialis*) placé dans l'*atrium**, lui est consacré. Le culte* du génie consiste surtout en offrandes* de gâteaux, de vin*, de fleurs*. On parle également du génie d'un dieu*, lorsqu'on envisage plus spécialement sa puissance créatrice. Le génie des grands hommes se rapproche de la divinité : aussi rend-on un culte au génie de l'empereur (*Genius Augusti*), culte qui est confondu avec celui des *Lares* Compitales.*

D'une manière générale, tout ce qui existe a son génie : quartiers, municipes*, corporations*, armées*, monuments, etc. Dans ce cas, il s'agit d'un « double », d'un démon protecteur qui assure et maintient la vie. Au sommet de la hiérarchie, le génie de Rome (*Genius Urbis Romae*) et, surtout, le génie du peuple romain (*Genius Populi Romani*).

gens (*geno*, engendrer). **La gens est l'ensemble des personnes qui portent le même nom* gentilice et se considèrent comme les descendants d'un ancêtre commun.**

Les différentes branches (*familiae*) d'une *gens* portent des surnoms* qui les distinguent. Ainsi la *gens Cornelia* comprend les *Cornelii Balbi*, les *Cornelii Lentuli*, etc. Les membres d'une *gens* (les *gentiles*) sont unis par un culte* commun, qui est un lien religieux (les *Julii* vénéraient Apollon, les *Nautii* Minerve, etc.).

À l'origine, les collines de Rome ont été peuplées de *gentes*, cellules patriarcales avec leurs coutumes juridiques, leurs rites cultuels, leurs clients*; entre elles, ces *gentes* ont pu conclure des alliances temporaires ou plus durables, constituer des villages organisés (un chef, quelques conseillers, une petite assemblée).

Mais l'autonomie des *gentes* demeure encore très grande; elle ne diminue que lorsque les Étrusques* organiseront ces villages en cité.

L'organisation gentilice ne concerne que les patriciens*; la plèbe* ne la connaît pas. Toutefois, il se créera, dès le Ve s., des *gentes* plébéiennes; de plus, la disparition de nombreuses *gentes* patriciennes (ou leur démembrement), d'une part, les progrès politiques de la plèbe, d'autre part, atténueront, sans toutefois jamais les effacer, les distinctions primitives entre plèbe et patriciat, et il se constituera alors une noblesse* patricio-plébéienne.

Germanicus (Nero Claudius Germanicus : 15 av. J.-C.-19 apr. J.-C.). Adopté par son oncle Tibère*, Germanicus fut consul* en 12 apr. J.-C. et mena plusieurs campagnes victorieuses contre les Germains. Il mourut à Antioche, peut-être empoisonné par Pison, gouverneur* de Syrie. Il épousa Agrippine* l'Aînée et eut d'elle neuf enfants, dont l'un devait devenir l'empereur Caligula.

gladiateurs (gladiatores; de *gladius*, épée). Les gladiateurs sont recrutés parmi les condamnés* de droit commun, les prisonniers* de guerre et les esclaves*. Mais il y a aussi des engagés volontaires, qui perdent de ce fait leurs droits civiques s'ils sont citoyens*.

Les gladiateurs sont soumis à un entraînement sévère dans des écoles spéciales (*ludi gladiatorii*), privées d'abord, puis à partir de Domitien, impériales. On distinguait plusieurs catégories parmi eux : les Samnites, lourdement équipés (casque*, bouclier*, épée*, jambières) ; les Thraces, armés d'un petit bouclier, d'un casque et d'un sabre court ; les Rétiaires, formant la catégorie la plus humble, armés d'un trident et d'un filet ; les Gaulois et les Myrmillons, très légèrement armés. On apposait entre elles ces différentes catégories, généralement par paires, et selon des règles précises.

Les premiers combats furent introduits à Rome en 264 av. J.-C. et obtinrent tout de suite un grand succès auprès du bas peuple. Ils ne furent supprimés qu'à l'aube du ve s. Sous la République*, ils avaient lieu au forum* ; le premier amphithéâtre* en pierre n'a été construit qu'en 29 av. J.-C.. (l'amphithéâtre de L. Statilius Taurus, au sud du champ de Mars). Les combats se déroulaient en fin de journée et donnaient lieu à des paris. Les vainqueurs recevaient des récompenses et, après plusieurs victoires, pouvaient recouvrer leur liberté ; toutefois ils n'obtenaient pas les honneurs réservés aux vainqueurs des concours. En effet, les combats de gladiateurs étaient les survivances des sacrifices* humains autrefois exigés par Saturne et, plus généralement, par les dieux chthoniens. Aussi, l'important était moins la victoire que l'effusion de sang.

gouverneur → promagistrat; provinces.

Graques (les). Le nom de ces deux frères, qui appartiennent à la plus haute noblesse* (leur père, consul* et censeur*, était fils de consul et leur grand-père maternel était Scipion le Premier Africain*), est attaché aux réformes agraires qu'ils proposèrent pour remédier au malaise social du dernier tiers du IIe s. av. J.-C., mais qui échouèrent devant l'opposition de l'aristocratie sénatoriale.

Tib. Sempronius Gracchus (162-133 av. J.-C.) : après avoir reçu une solide éducation auprès de deux philosophes*, il accompagna Scipion Émilien* en Afrique (147) ; il est questeur* en 137, tribun* en 133, et fait voter une loi* agraire (*lex Sempronia*) qui prévoit le partage du domaine public*, s'attaquant ainsi au régime de la grande propriété (*latifundia**). Les terres récupérées devaient être attribuées aux citoyens* les plus pauvres. Mais il se heurta à la noblesse sénatoriale qui paralysa son action ; il fut tué au cours d'une émeute.

Caius Sempronius Gracchus (154-121 av. J.-C.) : il fit partie en 133 des triumvirs* chargés d'exécuter la *lex Sempronia* dont son frère était l'auteur, mais qui ne fut pas appliquée. En 124, il est tribun* et veut poursuivre la politique de son aîné, en essayant de se montrer plus hardi. Il fait voter une loi frumentaire par laquelle, chaque mois, tout citoyen pourrait acheter une certaine quantité de blé à moitié prix, fait confirmer la *lex Sempronia*, propose de fonder des colonies* romaines (à Tarente, à Carthage*), susceptibles de remédier à la misère de la plèbe* urbaine, et entreprend de grands travaux pour limiter le chômage. Pour réaliser ces desseins, il tente de s'allier les chevaliers*, en prenant des mesures qui les favorisent. D'autre part, il souhaite accorder le droit latin* à tous les Italiens et le droit de cité* à ceux qui possèdent le droit latin. Mais la riposte des *optimates** fut aussi vive que dix ans plus tôt : Caius et trois mille de ses partisans sont massacrés au cours d'une émeute.

grammairien → enseignement.

guerre (bellum). Il existait au nord du forum* un monument dédié à Janus « Double » dont la porte était ouverte en temps de guerre et fermée en temps de paix. Elle fut si rarement fermée, jusqu'à la « paix romaine », qu'Auguste* pouvait s'enorgueillir de l'avoir fait fermer trois fois. Ainsi, à Rome, la guerre est une véritable « institution » ; elle n'a pas seulement des aspects militaires et politiques, mais aussi religieux et juridiques. Toute déclaration de guerre, comme tout traité de paix, donne lieu à des cérémonies religieuses réglées par les fétiaux*. Au moment de déclarer la guerre, le *Pater patratus** conduisait une délégation de fétiaux en emportant une motte de gazon prise au Capitole* et une pierre symbolisant Jupiter, et réclamait réparation aux ennemis, auxquels il accordait 30 jours de délai ; si les ennemis se refusaient à cette démarche, le *Pater patratus* envoyait une lance ensanglantée sur le territoire ennemi : c'était le signal du début des combats et la préfiguration de la victoire. Le traité de paix était conclu sous l'invocation de Jupiter : le *Pater patratus* frappait d'un silex (symbole de la foudre) un porc choisi comme victime. Le rituel fétial fut progressivement abandonné ; mais les aspects religieux de la guerre apparaissent encore à d'autres traits. Le service militaire* est un « service sacré » (*sacra militia*) et le serment* fait du soldat* un initié ; l'armée* ne part pas sans qu'auparavant les auspices* aient été pris ; en mars et en octobre, les armes sont purifiées ; la victoire s'accompagne de supplications* en l'honneur des dieux* ; le triomphe* fait du vainqueur l'égal d'un jour de Jupiter. Mais guerre et paix ressortissent, en même temps, au droit* des gens, à une théorie du contrat. Pour être juste (*bellum justum*), une guerre doit être régulièrement déclarée ; sinon elle n'est qu'un brigandage (*latrocinium*) ; on ajouta ensuite à la définition de la guerre « juste » d'autres conditions : ce devait être la revendication d'un droit, la vengeance après une injustice, l'expulsion d'un ennemi. Aussi les « guerres civiles »* n'étaient-elles pas des guerres « justes ». La reddition de l'ennemi* (*deditio*) est considérée comme un contrat (*foedus*) réglant juridiquement les rapports entre vainqueurs et vaincus ; et celui-ci s'établit selon la procédure* des contrats civils, inconcevables si l'on exclut la *fides**. En effet, entre les différents peuples, il existe des règles communes, voulues par la raison et la nature, et qu'il convient de respecter (*jus gentium*, droit des gens). Une partie des terres ennemies est déclarée *ager* publicus* ; les villes continuent de s'administrer elles-mêmes selon des statuts variables (municipes*, villes fédérées*) ; des colonies* sont fondées. Mais la condition juridique des pays conquis est évolutive, menant progressivement tous les hommes libres, sujets de Rome, à la citoyenneté* romaine : cette évolution est menée à son terme par Caracalla, qui, en 212 apr. J.-C., accorde la *civitas Romana* à tous les hommes libres de l'Empire*.

guerre des Gaules (**bellum Gallicum : 58-50 av. J.-C.**). En 59, César* reçut le gouvernement de la Gaule* Cisalpine et de la Province romaine. Un prétexte va lui fournir l'occasion d'entreprendre la conquête de la « Gaule chevelue » (Aquitaine, Celtique, Belgique) : en effet, les Helvètes, en état de guerre continuel avec les Germains, demandent l'autorisation de traverser la Province romaine pour s'installer dans le pays des Santons (Saintonge). Mais César la leur refuse, franchit la frontière de sa province et contraint les Helvètes à rentrer chez eux. En 58, les Gaulois demandent officiellement à César de les protéger contre les Germains ; il profite de cette occasion pour s'installer en Gaule, où il multiplie les opérations et les incursions. Il fait la conquête des pays atlantiques (56), va au-delà du Rhin (55) et en Bretagne (55-54). Toutefois, des insurrections locales, étouffées impitoyablement (53), sont suivies d'une révolte générale, dirigée par Vercingétorix* (52). César, qui était à Ravenne, regagne la Gaule, prend Genabum (Orléans), Avaricum (Bourges), mais échoue au siège de Gergovie (au sud de Clermont-Ferrand). Il réussit néanmoins à bloquer Vercingétorix, réfugié dans Alésia (Alise-Sainte-Reine, en Côte-d'Or). Après deux mois de résistance, Vercingétorix se rend à César (sept. 52). Après cette reddition, la Gaule est vaincue ; les dernières résistances locales sont définitivement réduites en 51-50.

guerre sociale (**Sociale bellum**). De 91 à 88 av. J.-C., les alliés d'Italie* (les *socii*, c'est-à-dire les troupes des villes fédérées* à Rome) et des colonies* latines se soulevèrent pour obtenir la citoyenneté* romaine que Rome leur refusait. Les insurgés (Marses, Picéniens, Osques, Samnites...) remportèrent des victoires sur les légions* et se donnèrent pour capitale *Corfinium*, qu'ils baptisèrent *Italia*. Pour retenir ceux qui restaient fidèles, mais hésitaient (Étrusques*, Ombriens), Rome prit une série de mesures, en 90 et 89, qui accordaient le droit latin* à la Transpadane (partie de la Gaule* Cisalpine au-delà du Pô) et la citoyenneté complète à toutes les autres villes d'Italie. Cette guerre coûta 300 000 morts. Certaines résistances persistèrent jusqu'en 80. En 49, la Transpadane obtint la citoyenneté complète. Dès lors, tout le territoire italien est unifié ; en 42, la Cisalpine est rattachée à l'Italie.

guerres civiles. Les Romains établissaient une distinction très nette entre les guerres* extérieures (*bella externa*), menées contre les étrangers, et les guerres internes (*bella interna, civilia*), qui opposent les citoyens* entre eux. Ils ont toujours condamné ces dernières, dont les causes, à leurs yeux, étaient d'ordre moral (ambition, cupidité, goût du luxe...), et les considéraient comme « impies ». Du reste, en théorie du moins, elles ne permettaient pas d'attribuer aux vainqueurs les récompenses officielles (triomphes*, ovations*....). En somme, ces guerres, qui bouleversaient les traditions et les valeurs morales, ne méritaient que l'oubli.

Mais il faut faire des différences entre les guerres civiles de la République* et celles de l'Empire*. Pendant la période républicaine, elles sont le fait d'hommes de premier plan, que leurs ambitions et leur idéologie ont conduits à se dresser l'un contre l'autre (Marius* et Sulla*, Pompée et César*, Octave et Antoine*), et qui entraînaient avec eux leurs armées* et leurs « clients* » : ce sont des luttes armées, destinées à faire aboutir une idéologie, même si celle-ci n'est pas pure de toute ambition. Sous l'Empire, il n'en va pas de même : ce ne sont plus des civils armés qui luttent, mais des militaires professionnels, sans idéologie politique. Tout se passe comme si la population n'avait pas à intervenir, et, de fait, elle reste souvent neutre ou indifférente. Les guerres civiles de 69 apr. J.-C. (l'année des quatre empereurs : Galba, Othon, Vitellius, Vespasien) en sont le premier exemple, mais restent isolées : un soubresaut au sein de la Paix romaine*. En revanche, elles seront nombreuses à partir du IIIe s. Mais ces luttes entre compétiteurs du trône n'ont pas les mêmes résonances politiques, patriotiques ou morales qu'avaient les guerres civiles de la République, et ne marquent pas les contemporains aussi profondément. D'autre part, Rome s'est véritablement agrandie aux dimensions d'un Empire, dont la paix dans les provinces n'est pas nécessairement solidaire de ce qui se passe dans la capitale.

guerres puniques (Punica bella). Trois guerres opposèrent, en un peu plus d'un siècle, Rome à Carthage*. Ces guerres sont dites « puniques » d'après le latin *Poeni*, les Phéniciens, fondateurs de Carthage.

1re *guerre : les « Affaires du Sicile »* (264-241 av. J.-C.). — Au moment où naît la guerre, le détroit de Messine constituait la limite séparant les zones d'influence de Rome et de Carthage. Mais Rome se porta au secours des mercenaires mamertins, maîtres de Messine, qui étaient bloqués par une armée punique et une armée grecque de Syracuse commandée par Hiéron. Celui-ci conclut bientôt une alliance avec Rome. Pendant un premier temps (264-256), les Romains remportent des victoires sur terre (à Messine en 264 ; à Agrigente en 262) et sur mer (à Myles, en 260, victoire du consul Duilius qui célébra le premier triomphe* naval → **rostre** ; à Ecnome en 256). Ces succès incitèrent le consul* Regulus* à débarquer en Afrique, mais il fut battu et fait prisonnier (255) ; en 249, la flotte romaine est vaincue à Drépane. La guerre se prolonge et se concentre autour de Palerme, où le général carthaginois Hamilcar Barca organise une belle défense, tandis que la flotte punique pille les côtes italiennes. Mais une victoire des Romains sur mer, aux îles Égates*, en 241, oblige Carthage à signer la paix*. La Sicile devient la première province* romaine et Carthage doit payer un lourd tribut.

2e *guerre* : « *la guerre d'Hannibal* » (218-201 av. J.-C.). — Après sa défaite, Carthage a éprouvé de graves difficultés intérieures (révolte de ses mercenaires) ; le tribut qu'elle devait à Rome a été encore alourdi, et elle a dû céder aux Romains la Corse et la Sardaigne (237), qui deviennent ainsi la deuxième province romaine. Par désir de vengeance et pour compenser ces pertes, Hamilcar Barca entreprend la conquête du sud de l'Espagne riche en mines*. En 220, Rome avait interdit aux Carthaginois de prendre Sagonte ; un an plus tard, Hannibal*, ne tenant pas compte de cette interdiction, s'en empare, ce qui déclenche la seconde guerre punique. Parti de Sagonte (été 218) avec 80 000 fantassins, 10 000 cavaliers et une quarantaine d'éléphants, Hannibal franchit les Pyrénées, le Rhône, les Alpes (hiver 218) ; ses succès lui valent l'adhésion des Gaulois de l'Italie* du Nord. En 217-216, c'est une série de désastres romains : défaite du lac Trasimène* (juin 217), de Cannes* (août 216). Mais la tactique de la temporisation, conseillée par Fabius* Cunctator, et les hésitations d'Hannibal à marcher sur Rome permettent aux Romains de se reprendre. Le dernier succès du Carthaginois, qui s'use et manque de renforts, est remporté à Tarente (213). Rome prend maintenant l'offensive (211) : victoires de Capone (211), de Syracuse (211), de Tarente (209). Le frère d'Hannibal, Hasdrubal, venu à son secours, est tué sur le Métaure (207). Entre-temps, P. Cornelius Scipion* reconquiert l'Espagne, qui, en 206, devient province romaine ; de là, il débarque en Afrique, s'installe près d'Utique (204) et s'allie avec Massinissa. Effrayés, les Carthaginois rappellent Hannibal, mais Scipion, désormais surnommé l'Africain, le bat à Zama* (202). Le traité de paix, qui est signé au printemps 201, impose à Carthage des conditions très lourdes : abandon de l'Espagne, reconnaissance du royaume numide de Massinissa, indemnités de guerre, engagement de n'entreprendre aucune guerre sans l'autorisation de Rome.

3e *guerre* (148-146). — Néanmoins Carthage avait réussi à développer sa richesse, et sa nouvelle prospérité inquiétait de nouveau les Romains. Un conflit entre Carthage et Massinissa fournit à Rome un prétexte pour intervenir et imposer à Carthage des conditions inacceptables. Pendant deux ans, les Carthaginois résistent, mais, en 146, Scipion Émilien* prend et incendie la ville. Son territoire devient la province d'Afrique.

h

Habitations. Il convient de distinguer, en ville, la maison privée, individuelle, simple ou riche, la *domus**, et l'immeuble de rapport, l'*insula** (« îlot »), divisé en appartements (*cenacula*). Quant à la *villa**, c'est une maison de campagne ou une ferme.

À Rome, comme dans toute ville, une distinction s'est opérée entre les divers quartiers : sous l'Empire, les quartiers officiels sont le Palatin, le Capitole, le Forum, le champ de Mars ; les quartiers aristocratiques, le Pincio, le Quirinal, l'Esquilin, le Caelius, l'Aventin ; les quartiers populaires, le Vélabre, le Transtévère, l'Argilète, le Forum Boarium.

À l'époque de Constantin (première moitié du IVe s. apr. J.-C.), Rome compte plus de 46 000 *insulae* et un peu moins de 2 000 *domus*.

Hadrien (P. Aelius Hadrianus : 76-138 apr. J.-C.). Empereur de 117 à 138, Hadrien naquit en Espagne, d'une famille d'origine italienne et épousa une nièce de Trajan*, Sabine. Il accompagna l'empereur dans la guerre contre les Daces (101-107) ; fut consul* en 108 ; combattit en 114 contre les Parthes ; gouverna en 117 la Syrie. Comme empereur, il voyagea beaucoup à travers tout l'Empire, qu'il chercha à unifier en concentrant l'administration. En 132, il réprima la rébellion juive. Il a laissé le souvenir d'un empereur éclairé, ouvert, inquiet sans doute, pacifique, grand administrateur. En littérature et dans les arts, il favorisa un retour au classicisme, sans refuser l'exotisme, comme on peut le voir d'après la *Villa Hadriana* à Tivoli (Tibur), qui était la résidence d'été de l'empereur.

Hannibal (247-183 av. J.-C.). Fils d'Hamilcar Barca, qui avait mené les négociations avec les Romains à la fin de la première guerre punique* et commencé en 237 la conquête de l'Espagne, Hannibal fut élevé dans la haine de Rome et poursuivit l'œuvre de son père, en voulant assurer la revanche des Carthaginois. Après avoir étendu la domination carthaginoise en Espagne, il franchit les Pyrénées en 219, traversa le sud de la Gaule*, franchit les Alpes (par la Maurienne et le col de l'Ancien Petit-Mont-Cenis ?) et occupa Turin fin 218. En 217, il remporte une victoire au lac Trasimène* ; en 216, à Cannes*. Mais alors, il commit l'erreur de ne pas marcher sur Rome et de s'enfermer à Capoue. Puis, après avoir conclu un traité avec Philippe V de Macédoine, qui lui avait promis des renforts, il s'installa à Tarente. Cette tactique le conduisit à user ses forces ; en 207, son frère Hasdrubal, venu d'Espagne, est tué sur le Métaure. Pendant ce temps, Rome se réorganise et Scipion* reconquiert l'Espagne. Hannibal est rappelé à Carthage pendant l'automne 203. En 202, Scipion qui avait décidé de porter la guerre en

Afrique, le bat à Zama*. Cette défaite met fin à la deuxième guerre punique. Les conditions de paix* étaient dures, mais Hannibal réorganisa la cité. Cependant ses ennemis politiques l'accusèrent auprès des Romains d'intriguer avec Antiochus de Syrie et il dut quitter Carthage*. Il s'exila d'abord auprès d'Antiochus, puis auprès de Prusias, roi de Bithynie, qui finalement dut le livrer à Rome. Pour ne pas tomber aux mains de ses ennemis, il s'empoisonna. Grand diplomate et grand stratège, Hannibal exerçait un grand ascendant sur ses ennemis. Sous l'Empire, il fit même figure de héros stoïcien* et des statues lui furent élevées à Rome.

haruspice (haruspex, « qui examine les entrailles »). Les haruspices, spécialistes de la divination*, étaient le plus souvent d'origine étrusque*. Ils étaient particulièrement compétents dans l'art d'examiner les entrailles des victimes, d'interpréter les prodiges* et de les expier. Leur prestige augmenta sous l'Empire*, et certains princes eurent leur haruspice particulier. Claude constitua un ordre des haruspices, avec, à leur tête, un *Haruspex maximus*, et, plus tard, Alexandre Sévère (222-235) créa même une chaire d'haruspicine.

hellénisme → chasse; domus; jardins; Livius Andronicus; philosophes.

héraut (praeco), **annonceur public, au service de l'État ou d'un particulier.**

Il peut remplir des fonctions diverses : convocation des centuries* dans les comices*, proclamation des résultats des votes*, des vainqueurs aux jeux*, annonces des funérailles* de personnages importants, etc.

heure (hora). L'« heure romaine » n'est pas la 24e partie de la journée de 24 heures, mais soit la 12e partie du jour, soit la 12e partie de la nuit : il y a, en effet, 12 heures diurnes et 12 heures nocturnes, de sorte que l'heure n'est pas une unité fixe, mais variable, en fonction du lever et du coucher du soleil : l'heure diurne n'est égale à l'heure nocturne qu'aux équinoxes.

Généralement, d'ailleurs, les Romains étaient moins soucieux que nous de savoir l'heure exacte, bien qu'ils aient possédé des horloges* ; ils préféraient désigner les différents moments de la journée en utilisant des termes plus ou moins précis : *mane* (le matin), *ante meridiem* (avant midi, qui correspondait à la 7e heure), *post meridiem* (après midi), etc. Les nuits, dans les camps, sont divisées en quatre veilles de trois « heures ». → horloges.

hexamètre dactylique → métrique.

hommes libres → affranchissement; citoyen romain; pérégrin.

« homme nouveau » (homo novus). Cette expression désigne tout individu qui commence une carrière politique sans avoir dans sa famille un ancêtre qui ait obtenu une magistrature* curule (censure*, consulat*, préture*, édilité* curule). Ses chances de réussir étaient minces et, de fait, peu d'« hommes nouveaux » parvinrent jusqu'au consulat : parmi les plus célèbres, on peut citer Caton le Censeur (197), Marius* (107), Cicéron* (63).→ classes sociales.

honestiores (« plus honorables »). Par ce terme, on désigne sous l'Empire* les classes* les plus élevées de la société, en particulier les sénateurs* et les chevaliers*, mais aussi la bourgeoisie municipale, par opposition au reste des citoyens, englobés sous la désignation d'*humiliores* ou *tenuiores* (« plus humbles »). Il s'agit donc d'une hiérarchie fondée sur la condition sociale, sur la « dignité ». Mais progressivement, elle s'accompagna d'une distinction juridique, principalement dans le droit* criminel. En effet, à partir des Antonins (début du IIe s. apr. J.-C.), les délits sont punis différemment selon qu'ils ont été commis par des *honestiores* ou par des *humiliores* : ces derniers sont plus sévèrement condamnés.

hôpital (valetudinarium; de *valetudo,* santé). Le même mot désigne à Rome l'hôpital, civil ou militaire, et la clinique ou l'infirmerie privée.

Les hôpitaux publics, tels que nous les connaissons, ont été introduits assez tard, sans doute vers la fin du IVe s. apr. J.-C. Les hôpitaux militaires sont plus anciens ; peut-être datent-ils du début de l'Empire*. Mais les médecins privés eurent, de tout temps, la possibilité de garder chez eux les malades qu'ils soignaient. Enfin, dans les *villae* rusticae*, le maître prévoyait une infirmerie où étaient affectés les esclaves* malades.

Horace **(Q. Horatius Flaccus : 65-8 av. J.-C.).** Horace est né à Venouse (Apulie), d'un père affranchi*. Il reçut dans sa ville natale, à Rome ensuite, une éducation soignée, qu'il compléta par un voyage à Athènes. C'est alors qu'il s'engage dans l'armée* de Brutus* et Cassius, où il a le grade inespéré, vu sa condition, de tribun militaire* et participe à la bataille de Philippes* (42). Après la défaite, il revient à Rome, écrit des satires violentes (les *Épodes*), où se fait sentir l'influence d'Archiloque. Il fait la connaissance de Virgile*, qui le présente à Mécène*, auquel le liera une grande amitié. Son œuvre se développe désormais sur deux plans : d'une part, des pièces écrites en hexamètres*, qui sont de véritables causeries *(Sermones)* : deux livres de *Satires* et deux livres d'*Épîtres*, où, sous une forme familière et attachante, sont abordés les problèmes les plus divers ; les thèmes satiriques dans la tradition de Lucilius* évoluent vers une réflexion sur des problèmes de la vie morale ou d'ordre littéraire (en particulier l'épître dénommée dès l'Antiquité *Art poétique*) ; d'autre part, quatre livres d'*Odes*, dont le rythme éolien prête sa forme aux thèmes lyriques les plus variés : mythologie, inspiration nationale et religieuse, sentiment de la nature, réflexions personnelles, où affleure l'intuition épicurienne de la valeur qu'il faut savoir reconnaître à l'instant vécu.

Horaces. Selon la légende, rendue célèbre par la tragédie de Corneille (*Horace*), pour mettre fin à la guerre entre Albe et Rome, où régnait Tullius Hostilius*, on choisit, de part et d'autre, trois combattants qui devraient s'affronter : de l'issue de ce combat dépendrait le sort des deux cités. Les trois Horaces représentaient Rome, les trois Curiaces Albe. On connaît le déroulement du combat : deux Horaces sont tués dès l'engagement, mais, joignant la ruse à la force, le dernier Horace défait successivement les trois Curiaces. Cet affrontement par les armes a comme conséquence un drame familial : la sœur d'Horace, fiancée à un Curiace, reproche ce « meurtre » à son frère. Ne pouvant maîtriser cet « affront », Horace la tue. Condamné à mort par le roi*, il en « appelle au peuple », qui, sensible à sa gloire et aux suites politiques de sa victoire, l'acquitte. C'est là, du point de vue juridique, le premier exemple de la *provocatio ad populum**, qui devait être une des bases du droit* civil romain. Il est probable qu'il s'agit, au reste, d'une anticipation.

La légende transpose la chute et la destruction d'Albe par certaines populations de la ligue albaine qui trouvaient trop lourde l'hégémonie d'Albe : parmi ces populations, les habitants du Germal, du Caelius et de la Velia, qui faisaient partie de la ligue septimontiale, ont joué un rôle. Si donc Rome a contribué à la chute d'Albe, elle n'a pas été seule à amener la décision. La dissolution de la ligue albaine est en relation avec la formation du *Septimontium**.

La légende des Horaces a pris cette forme du fait sans doute que la tribu* Horatia, nom d'une *gens** patricienne, comprenait sur son territoire le site d'Albe elle-même.

Horatius Cocles, auteur, selon la légende, d'un exploit contre le roi étrusque Porsenna, vengeur de Tarquin le Superbe*. Horatius lui aurait coupé le passage sur le pont Sublicius, permettant ainsi aux Romains de le détruire derrière lui ; après quoi, il aurait regagné la rive à la nage. Au cours de la lutte, il aurait perdu un œil, d'où son surnom, « le Borgne » (*Cocles*).

horloges **(horologia, horaria).** Pour mesurer le temps, les Romains disposaient (outre l'observation du ciel, bien entendu, avec tous les aléas que cela comporte) de deux types de « pendules » : les cadrans solaires et les horloges hydrauliques.

Les cadrans solaires (*solaria*) consistent en une tige de métal (*gnomon*) qui projette son ombre sur une surface divisée en secteurs horaires. Au champ de Mars, Auguste* avait fait construire un cadran solaire géant, pour lequel un obélisque servait de *gnomon*. Il existait des cadrans solaires « de poche », véritables petites « montres » de quelques centimètres de diamètre, mais qui n'étaient utilisables que pour une latitude donnée.

Quant aux pendules à eau, que nous ne connaissons que par les descriptions des Anciens, elles étaient de deux sortes : d'une part, les clepsydres proprement dites (*clepsydrae*), comparables à nos sabliers et destinées à indiquer une certaine durée ; d'autre part, les horloges à eau (*horologia ex aqua*), qui consistaient en un vase transparent et gradué, recevant un filet d'eau d'un débit régulier, ou au contraire se vidant régulièrement. La graduation permettait de savoir l'heure*.

Ces deux grands types d'horloges (solaires et à eau) ont été introduits relativement tard à Rome, respectivement aux IIIe et IIe s. av. J.-C.. L'imprécision de ces instruments était quasi proverbiale, et l'on connaît la boutade de Sénèque* à ce sujet : « Il est plus facile d'accorder entre eux des philosophes que des horloges. » De toute manière, les emplois du temps minutés n'étaient guère en faveur dans l'Antiquité : cependant, sur ce point les Romains étaient plus stricts et plus précis que les Grecs, tout au moins sous l'Empire*, comme il apparaît d'après certains règlements administratifs concernant les services publics.

humiliores → honestiores.

hydromel. Cette boisson, que les Romains appelaient *aqua mulsa* (« eau miellée »), ne faisait pas partie de la « carte » des vins* (qu'ils appréciaient davantage). La meilleure qualité d'hydromel venait de Phrygie.

i

Ide. → calendrier.

images des ancêtres → masques.

imperator (de *impero*, mobiliser, commander). Réservé primitivement à Jupiter, ce titre fut ensuite décerné par acclamation des troupes au général victorieux. Le premier qui l'obtint fut Scipion* l'Africain en Espagne 209 av. J.-C.). Dans les titulatures, *imperator* suivi d'un chiffre indique combien de fois le général a mérité ce titre. Octave* en 40 en fit un prénom*. Cet usage fut repris par Vespasien et se généralisa. Dans la langue courante, dès la fin du Ier s., *imperator* devient un nom commun et désigne l'empereur (*princeps*).

imperium (de *impero*, mobiliser, commander). Ce terme exprime la puissance concédée au « chef » par les dieux*. Cette notion, qui est peut-être d'origine étrusque*, a pris un caractère juridique et entre dans la définition de certaines magistratures*. Les Romains ont été conduits à l'opposer à un autre pouvoir, d'essence toute différente, la *potestas* (de *possum*, pouvoir).

La *potestas*, en effet, est une notion administrative et désigne le pouvoir dont jouit un magistrat. Elle comprend : 1° le droit de prendre les auspices* ; 2° celui d'édicter des ordonnances ; 3° celui d'infliger des amendes ; 4° celui de convoquer le peuple dans l'enceinte de la ville pour lui faire une communication ou le faire délibérer et voter.

Les magistratures avec *potestas* sont l'édilité*, la questure*, le tribunat* et la censure*.

L'*imperium* exprime, au contraire, la totalité des pouvoirs (civils, militaires, judiciaires, religieux) que possédait le roi*, et qui, sous la République*, furent partagés entre les consuls* et les préteurs*. Mais il conserve son efficience divine. Qui est revêtu de l'*imperium* a un pouvoir sur les individus eux-mêmes (pouvoir judiciaire à Rome, *imperium domi*, et pouvoir militaire en dehors de Rome, *imperium militiae*). Il se décompose ainsi : 1° droit de prendre les auspices à Rome et hors de Rome ; 2° droit de lever et commander les armées* ; 3° droit de juger* au civil et au criminel ; 4° droit de coercition ; 5° droit de convoquer et de présider le sénat ; 6° droit de convoquer et de faire voter* le peuple hors de Rome, en comices centuriates*.

Possèdent l'*imperium* (et donc, *a fortiori*, la *potestas*) les consuls, les préteurs et éventuellement le dictateur*. Les licteurs* et les faisceaux* sont les signes visibles de l'*imperium*. Toutefois les pouvoirs des magistrats possédant l'*imperium* furent limités par le droit d'appel* au peuple (*provocatio ad populum*), et le droit d'intercession* des tribuns* de la plèbe, qui, comme l'*imperium*, paraît avoir été religieux dans son essence.

La création de promagistratures* (proconsulat*, propréture*) entraîna la création de nouvelles fonctions avec *imperium*; mais, comme il était normal, seul fut prorogé l'*imperium militiae*.

Sous l'Empire*, l'empereur possède un *imperium* supérieur à celui des magistrats (*imperium majus*) : il n'est limité ni dans le temps, ni dans l'espace, et il est indépendant des magistratures auxquelles il était autrefois attaché. Il lui est attribué au début de son règne par la *lex de imperio* (loi curiate*).

impôt → recettes publiques; tribut.

inauguration (inauguratio; de *augur*), **cérémonie de prise des auspices* avec l'assistance, généralement, d'un augure*.**

Cette cérémonie est nécessaire avant tout acte important, pour savoir si les dieux* sont favorables. Mais on « inaugure » également les villes au moment de leur fondation*, les édifices publics et religieux, avant leur construction. Cette opération comprend la délimitation d'un *templum**, la prise des auspices, l'orientation → urbanisme.

On procède aussi à l'inauguration des rois par une cérémonie religieuse qui accompagne leur couronnement (jadis) et des prêtres* : l'inauguration de ces derniers est faite par le grand pontife*, qui, agissant sous ses propres auspices, constate si les dieux agréent les personnes qui postulent un sacerdoce.

indigitamenta, recueils de formules permettant d'invoquer les dieux* dans les différentes circonstances de la vie, avec les rites et les prières* appropriés.

ingénu (ingenuus), **terme de droit* qui désigne l'individu « né libre », c'est-à-dire dont les parents sont libres, et qui n'a jamais cessé de l'être légalement.**

L'*ingenuus* s'oppose donc au *libertinus*, l'affranchi (fils d'esclave) ou le fils d'affranchi. Il semble que, dès le début de l'Empire*, la société, en réaction contre les affranchissements*, ait tendu à ne considérer comme vraiment « ingénus » que ceux qui avaient, avant eux, deux générations « libres ».

inscriptions. Il n'y a pas de monument dans le monde romain sur lequel ne soit gravé le détail des circonstances dans lesquelles il a été construit (noms des magistrats* qui en ont eu l'initiative, année, occasion, noms des divinités ou des empereurs en l'honneur desquels il a été élevé, etc.). De même, tous les monuments funéraires* rappellent la carrière des défunts, et bien souvent les parents ou les amis y gravent également quelques vers. De la sorte, les individus participeront à l'« éternité » des œuvres de pierre. Les inscriptions sont plus ou moins luxueuses selon les cas ; mais elles sont toutes caractérisées par la brièveté de leur rédaction. Elles apportent aux historiens des renseignements irremplaçables.

insula (« îlot »), **immeuble à étages, dont les appartements étaient loués.**

On y accédait par des escaliers intérieurs et extérieurs. Ces immeubles pouvaient être assez élevés, dépassant parfois 20 mètres de hauteur. Les murs étaient percés de fenêtre et il y avait des balcons. Dans les *insulae*, à la différence des *domus**, les pièces n'avaient pas de destination spéciale. Ce mode de logement a été imposé par l'étroitesse des terrains à bâtir. La location des appartements faisait l'objet d'une réglementation. → habitation.

Institutes de Justinien. Tandis que s'élaborait le *Digeste**, Justinien fit rédiger un manuel plus élémentaire qui pût servir à l'enseignement* et qui aurait force de loi*. Les rédacteurs ont suivi le plan des *Institutes* de Gaius (IIe s. apr. J.-C.), mais ont introduit de nombreux et importants remaniements (533 apr. J.-C.).

intercession (intercessio, « intervention »), **droit que possède un magistrat* de s'opposer au vote* d'un sénatus-consulte*, à une proposition de loi* soumise aux comices*, à un décret émanant d'un autre magistrat, dans la mesure où un citoyen* s'estime lésé et demande cette intervention. Pour exercer ce droit d'intercession, le magistrat doit être d'un rang égal ou supérieur à celui du**

magistrat auquel il est amené à s'opposer. Seuls les tribuns* peuvent toujours exercer leur droit d'intercession. Sous l'Empire*, ce droit revient à l'empereur, puisqu'il possède la « puissance tribunitienne*.

En droit* privé, l'intercession est l'acte par lequel on se rend solidaire de la dette d'autrui, en cautionnant le débiteur ou en s'obligeant en ses lieu et place.

interdiction de l'eau et du feu (interdictio aquae et ignis), **interdiction de donner à un individu frappé de mort* civile « l'eau et le feu ». (C'est une sorte d'excommunication religieuse qui suppose l'exil* du condamné et la confiscation de ses biens.)**

interroi (interrex). L'interrègne est une institution très ancienne. Lorsque le roi* ou, sous la République*, les consuls* meurent en cours de fonction, le sénat* recueille le droit d'auspices*, qu'il transmet à un interroi nommé par lui. Au bout de 5 jours, celui-ci doit à son tour désigner un autre interroi, et ainsi de suite, jusqu'à ce que l'on procède à de nouvelles élections. L'*interrex* doit être choisi parmi les sénateurs patriciens* (*patres*).

invasions → chute de Rome.

Italie. On parle, dans l'Italie du début du ve s. av. J.-C., une douzaine de langues : peu à peu, Rome a fait disparaître ce morcellement et réussi l'unification de l'Italie. Le vocable même d'Italie désignait à l'origine l'extrême pointe du Bruttium ; au début du IIIe s. av. J.-C., l'« Italie » s'étend du Bruttium à la frontière de la Gaule* Cisalpine (de l'Arno à l'ouest à l'Aesis à l'est, puis au Rubicon à partir de 59); enfin, en 42 av. J.-C., la Gaule Cisalpine est réunie à son tour à l'Italie. Pour décider du sort des pays conquis, Rome eut recours à deux systèmes, celui de la fédération et celui de l'annexion. Le détail de l'organisation de l'Italie est complexe, car le souci constant de Rome a été de jouer sur les différences de statut accordé aux cités, statut évolutif qui lui permettait d'accorder progressivement la citoyenneté* romaine, composée elle-même de prérogatives dissociables. Sur le territoire annexé, on peut distinguer les colonies* romaines, les municipes* et les préfectures* ; sur le territoire fédéré, les colonies latines et les villes fédérées* ; en théorie, le statut de colonie est donné à des villes de fondation nouvelle. L'attribution de ces divers statuts était fonction du niveau de civilisation des peuples conquis et de leurs institutions ; de plus Rome ne pouvait accorder immédiatement la pleine citoyenneté avec ses droits politiques à ses ennemis* de la veille. Progressivement, municipes et préfectures obtinrent la *civitas* complète, mais les « alliés » (villes fédérées et colonies latines) durent se soulever pour obtenir la même faveur (guerre* sociale, 90-88 av. J.-C.). Finalement, en 49, tous les hommes libres d'Italie (Cisalpine comprise) ont les droits et les obligations des citoyens romains et doivent renoncer à leurs coutumes locales (Naples toutefois devint « romaine » sous l'Empire* seulement). Toutes les villes sont alors des municipes, dont les citoyens sont inscrits dans les tribus* ; les institutions municipales sont calquées sur celles de Rome
→ organisation municipale.

Tout en maintenant le cadre des 35 tribus*, Auguste* divisa l'Italie en 11 régions : celles-ci n'ont pas d'administration indépendante et ne sont pas dirigées par un gouverneur, mais, dans chacune d'elles, une commission est chargée du cadastre, de la poste, du recensement. Hadrien* et Marc Aurèle* découpèrent ensuite l'Italie en 4 districts (Transpadane, Étrurie et Ligurie, Ombrie, Italie du Sud), ayant chacun à sa tête un *juridicus*, avec des attributions administratives et surtout judiciaires. Cette organisation tendait à rapprocher l'organisation de l'Italie de celle des provinces*. Au début du IIIe s., un « correcteur », revêtu de l'*imperium*, supervise l'administration de l'ensemble de l'Italie (Rome restant exclue) : sa fonction, exceptionnelle au début, devient permanente sous Aurélien* ; en même temps, on institue un impôt* foncier, qui achève l'alignement de l'Italie sur les provinces.

Enfin, quand Dioclétien* réorganise l'Empire, l'Italie, augmentée de la Rhétie, de la Corse, de la Sardaigne et de la Sicile, devient l'un des diocèses de la préfecture d'Italie.

j

Jardins **(horti).** Le trafic avec les ports du bassin oriental de la Méditerranée et les campagnes militaires en Grèce et en Asie Mineure firent découvrir aux Romains la beauté des grands parcs aménagés que sont les « paradis », et où les animaux vivent en liberté. Cette révélation renouvela leur sens inné de la terre. Jusque-là, les Romains avaient aimé la terre en éleveurs ou en agriculteurs, dont l'attachement à la terre est fait du plaisir éprouvé à son contact, mais aussi du travail et du souci qu'elle comporte. C'est pourquoi cette façon de concevoir la nature uniquement dans ce qu'elle a d'agréable, au besoin agrémentée encore par la main de l'homme, eut de grandes répercussions sur le mode de vie des Romains. Dans leur *domus**, l'ancien jardin potager qui était derrière le *tablinum** fit place à un autre jardin plus soigné, plus orné, moins utilitaire, derrière le péristyle*, lui-même agrémenté de fleurs* et de plantes grasses. Et lorsque les dimensions du jardin paraissent trop réduites, on n'hésite pas à peindre des panneaux dans le deuxième style pompéien : le trompe-l'œil permet à l'imagination de s'évader dans une nature que la surface limitée dont on dispose ne permet pas d'offrir. À la campagne, les « villas* » se transforment : de fermes rustiques, elles deviennent des maisons de plaisance, où les promenades, dans des jardins aménagés « à la française » ou « à l'anglaise », toujours peuplés de faunes, de sylvains, de naïades, procurent un plaisir teinté de religiosité. À Rome, l'urbanisme* se ressent de ce sentiment nouveau pour la nature. Lucullus (le vainqueur de Mithridate en 73 av. J.-C.) est le premier à aménager des jardins au nord de Rome. Après lui, Pompée*, Salluste* en feront autant. À la fin du Ier s. apr. J.-C., toute la ville est bordée d'une ceinture de jardins et de bois. Même dans les chasses* de l'amphithéâtre, on retrouve le goût d'une nature qui dépayse et fait rêver : chasseurs et spectateurs veulent avoir l'illusion d'une chasse réelle.

javelot **(pilum), arme de jet du légionnaire.**

Le javelot se différencie de la lance par sa pointe beaucoup plus longue. L'origine du *pilum*, la date de son adoption ou de son invention sont obscures. La longueur de l'arme est d'environ deux mètres.

Jérôme **(saint) (vers 345-420).** Né en Dalmatie, Jérôme vint à Rome pour y faire ses études : il eut comme maître Donat, le célèbre commentateur de Térence* et de Virgile*. Sa vie présente une diversité rare : il fut anachorète en Orient, conseiller du pape Damase, directeur de conscience des grandes dames romaines, homme de science (il savait le latin, le grec et l'hébreu). Son nom reste attaché, avant tout, à la *Vulgate* : il entreprit, à l'instigation du pape Damase, de réviser les traductions la-

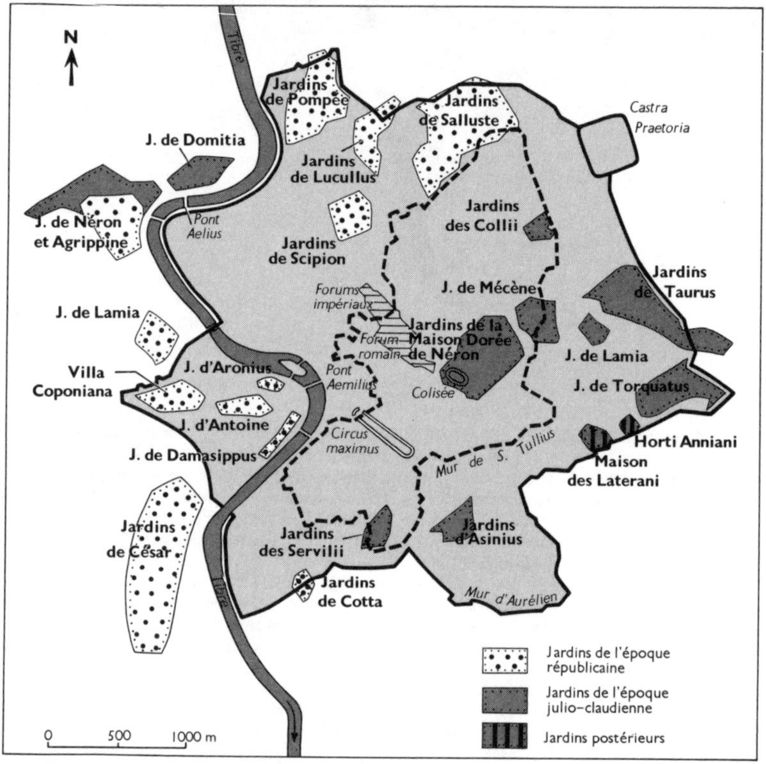

Principaux jardins de Rome (*d'après P. Grimal,* les Jardins romains). *Les jardins particuliers passèrent progressivement dans le domaine impérial. Mais il y avait également des « jardins publics » (« bois sacrés », parcs, promenades, portiques...).*

tines du *Nouveau Testament* en les confrontant aux plus anciens manuscrits grecs. Dans un second temps, retiré à Bethléem, il traduisit directement sur l'hébreu les livres de l'*Ancien Testament*. Pendant quinze ans, il s'adonna ainsi à une tâche dont ses contemporains, et parmi eux saint Augustin, ne comprirent pas toujours les raisons ni la portée exactes. Mais ce philologue fut également un exégète, un historien, un polémiste. D'autre part, les *Lettres* que nous avons de lui valent autant par les renseignements qu'elles nous fournissent sur toutes les provinces* de l'Empire, que par leur qualité littéraire : elles sont tour à tour satiriques ou intimes, polémiques ou parénétiques, spirituelles ou réalistes. L'érudition n'a pas ôté à Jérôme ses dons d'artiste.

Jérusalem (prise de). En 70 apr. J.-C., Titus, fils de l'empereur Vespasien, fut chargé de mettre fin à l'insurrection juive qui durait depuis trois ans. Titus assiégea la ville et, après neuf mois, vint à bout de la résistance juive et saccagea la ville. L'arc* de Titus, élevé par son frère, Domitien, sur le forum*, au pied du Palatin, commémore cette victoire ; les bas-reliefs montrent le cortège triomphal rapportant à Rome les dépouilles du temple de Salomon (chandelier à sept branches, trompettes d'argent). Des milliers de Juifs avaient été massacrés ou vendus comme esclaves* ; les survivants s'expatrièrent (*diaspora*). La date de 70 est importante dans l'histoire du judéo-christianisme : désormais, communautés juives et communautés chrétiennes* se séparent définitivement ; ces dernières, d'ailleurs, ne s'étaient pas solidarisées avec le nationalisme juif. Plus tard, Trajan* réprima un soulèvement juif dans les villes d'Orient (115-117), et Hadrien* mena une guerre de trois ans (132-135) contre une nouvelle révolte conduite par Simon ben Koseba pour s'opposer à la fondation de la ville d'*Aelia Capitolina* sur l'emplacement même de Jérusalem. Le pays fut dévasté et la province* de Judée prit le nom de Syrie-Palestine.

jeux (ludi). L'institution des jeux remonte aux origines* de Rome. Ils pouvaient consister en courses de chars*, en combats de gladiateurs*, en naumachies*, en chasses*, en représentations théâtrales*. Les jeux publics étaient organisés par les magistrats (préteurs*, édiles*), mais les particuliers pouvaient toujours en organiser pour fêter une circonstance exceptionnelle. Les dépenses occasionnées par les jeux publics étaient supportées par le Trésor*, mais bien souvent les sommes qu'on leur allouait se révélaient insuffisantes, car les magistrats rivalisaient de magnificence. Sous la République, soixante jours étaient prévus pour les jeux ; au début de l'Empire, une centaine. Leur multiplication et leur succès croissant donnent aux jeux (surtout ceux du cirque et de l'amphithéâtre) un aspect sociologique et sportif et effacent leur origine religieuse, qui faisait deux l'une des pratiques du culte public. Les premiers jeux furent, en effet, célébrés en l'honneur de Jupiter, de Mars et de la déesse Robigo. Mais, à l'époque historique, on peut encore saisir des traits de leur caractère religieux originel : par exemple, le cirque est encombré d'édifices sacrés ; les théâtres* sont bien souvent les annexes des temples* ; les jeux se déroulent selon un cérémonial et un rituel si rigoureux qu'une omission, une négligence obligent à tout recommencer ; des sacrifices* précèdent, accompagnent, suivent les jeux ; la *pompa* circensis* est une procession religieuse ; les vainqueurs reçoivent des honneurs en rapport avec leur condition surhumaine de quelques heures. De même, les occasions auxquelles on célèbre les jeux sont toutes empreintes d'un caractère sacré. Bien entendu, les foules qui se pressaient à la fin de la République* ou, plus encore, sous l'Empire*, dans les gradins du cirque et de l'amphithéâtre n'avaient pas le sentiment d'accomplir ou de voir accomplir des gestes cultuels. La religion n'est plus qu'un prétexte : si quelque enthousiasme soulevait l'âme des spectateurs, c'était l'apparition de l'empereur, futur *divus*, qui établissait un contact salutaire entre lui et la plèbe*, c'étaient aussi la magnificence et la variété des spectacles* qui leur étaient offerts.

jeux d'enfants. Il n'y a pas de grandes différences entre les jeux d'aujourd'hui et ceux qui divertissaient les petits Romains. Les filles jouaient à la poupée (*pupa*), les garçons à la toupille (*turbo*) ; les uns et les autres jouaient au cerceau, à la marelle, aux dés, à la balançoire, à « pair impair », pile ou face, etc. Encore jeunes, ils avaient de petites voitures, tirées par des souris, qu'ils faisaient courir ; plus âgés, ils s'installaient dans des chars traînés par des chiens ou des poneys. Certains jeux collectifs consistaient à imiter les grandes personnes : on jouait au soldat*, au gladiateur*, au magistrat*, etc.

jeux de société. Si les adultes, comme les enfants, jouaient à la balle ou au saut à la corde, ils se livraient plus volontiers aux passe-temps que constituent les différents jeux de société, dont l'attrait était rehaussé par les paris et les gains auxquels ils donnaient lieu ; et ce, malgré l'interdiction de la loi qui, du reste, ne reconnaissait pas les dettes de jeu et ne tolérait les jeux de hasard que pendant la période des Saturnales (en décembre).

On jouait aux dés (*tesserae, aleae*), aux osselets (*tali*), au « jeu des soldats » (*latrunculi*) [sorte de jeu de dames et de jeu d'échecs combinés], à la mourre (*micatio*), au trictrac (*duodecim scripta*, « les douze lignes »), etc. Nous avons retrouvé, représentées sur des mosaïques ou gravées dans le sol, des tables de jeux (*tabulae lusoriae*) dont, nous ignorons les règles.

jour → calendrier.

Journal officiel. César décida de publier tous les jours les procès-verbaux des réunions du sénat* et des assemblées*, ainsi que les comptes rendus des événements importants : ce furent les *Acta diurna populi Romani*, affichés au forum* et diffusés dans la ville. En fait, la chronique mondaine y tenait autant de place que la partie officielle. Les originaux étaient conservés dans les archives* publiques.

juge → tribunaux.

Jugurtha (mort en 104 av. J.-C.). Roi de Numidie, il partagea le pouvoir avec ses cousins, Hiempsal et Adherbal, que Rome protégeait. À la suite d'une série d'intrigues, Jugurtha se retrouva enfin seul. Mais les Romains, que lassaient ses provocations, lui déclarèrent la guerre* en 111. Elle fut terminée en 105 par Marius*, qui fit exécuter Jugurtha lors de son triomphe* (1er janv. 104).

Julie (Julia : 39 av. J.-C. — 14 apr. J.-C.), fille d'Auguste*, épouse de M. Claudius Marcellus (25), veuve en 23, remariée à Agrippa* (21). À la mort de celui-ci (12), Auguste la força à épouser Tibère*, qui dut lui-même se séparer de sa femme Vipsania. La vie scandaleuse qu'elle mena affecta Auguste, qui la relégua dans l'île de Pandataria, puis à Regium.

juniores → âge de la vie ; armée.

jurisconsultes (juris consulti, prudentes). Ce sont les spécialistes du droit* ; bien qu'ils puissent l'être, ils ne sont pas nécessairement avocats*. Les premiers jurisconsultes furent les pontifes*, qui seuls connaissaient l'ensemble du droit, savaient l'adapter aux litiges, possédaient les formules de la procédure* et le calendrier* des jours fastes*. Mais, à partir de la loi des XII Tables* (450 av. J.-C.) et surtout de la divulgation, en 304, par Cn. Flavius, secrétaire d'Appius* Claudius, des formules d'actions en justice, le droit se laïcise et s'ouvre à des spécialistes qui mettent leur science juridique à la portée du public. Leur rôle est très important, car ils conseillent les plaideurs, les préteurs* et les juges*. Praticiens du droit, ils donnent des consultations et fournissent des réponses (*responsa*) sur des cas particuliers. Grâce à eux, le droit devient « l'art du bien et de l'équitable » (*ars boni et aequi*). Les premiers grands jurisconsultes furent Tib. Coruncarius (consul* en 280), Sext. Aelius Paetus (consul en 198), Caton* l'Ancien (censeur* en 184), P. Mucius Scaevola (consul en 133), Q. Mucius Scaevola, son fils, l'un des maîtres de Cicéron*, Servius Sulpicius, ami de Cicéron, etc. Vers la fin du Ier s. apr. J.-C., deux écoles se constituent : les *sabiniens* (Ateius Capito, Masurius Sabinus) et les *proculiens* (Proculus, Labeo) ; les premiers paraissent avoir été plus traditionalistes, les seconds plus novateurs ; mais cette rivalité fut de courte durée. Les grands jurisconsultes des IIe et IIIe siècles sont Gaius, Papinien, Paul et Ulpien. Ils ont laissé des ouvrages divers (*Digestes, Institutes, Règles, Sentences*, etc.), qui sont des manuels de droit, plus ou moins érudits. Leur œuvre constitue la jurisprudence, qui ne désigne pas seulement, comme aujourd'hui, l'ensemble des décisions de justice, mais qui est « la science générale des choses divines et humaines, la science du juste et de l'injuste », c'est-à-dire à la fois la science et la pratique du droit : les jurisconsultes, en effet, n'ont pas seulement appliqué le droit, ils l'ont également promu. Toutefois, leur rôle cesse au milieu du IIIe s., lorsque la seule source du droit devient les constitutions* impériales.

jurisprudence → jurisconsultes.

justice administrative. Les litiges qui opposaient l'État aux particuliers relèvent des magistrats* ou des fonctionnaires* qui administrent les biens publics. Ceux-ci ont une compétence en rapport avec leur charge ; sous la République*, la plus importante est celle des censeurs*.

justice civile. Dans les actions en justice tendant à la reconnaissance d'un droit, la procédure fut scindée en deux phases distinctes, l'une devant le magistrat chargé d'organiser l'instance (phase *in jure*), la seconde devant le juge chargé de trancher le débat (*in judicio*).

Dans la procédure des *actions** de la loi, la phase *in jure* se déroule ainsi : en la présence obligatoire des deux parties, le magistrat* (le préteur*) organise le procès, formule les règles juridiques à appliquer, sanctionne l'accomplissement des rites et accorde la nomination d'un juge. Son rôle se résume par la formule rituelle : *do, dico, addico,* « je donne » (une formule et un juge), « je déclare » (le droit, c'est-à-dire l'attribution provisoire de l'objet en litige à l'une des deux parties), « je confirme » (la volonté des parties), La phase *in judicio* est la phase judiciaire proprement dite : elle se passe devant le juge (sénateur* ou chevalier*), désigné par le magistrat ; la séance est publique (au forum*, dans une basilique*). Si une partie est absente, son procès est automatiquement perdu. L'assistance des avocats* est permise. Le juge rend sa sentence le jour même ou quelques jours après. La partie qui a obtenu gain de cause doit poursuivre l'autre pour l'exécution de la sentence, en utilisant l'une des deux actions de la loi d'exécution, qui rappelaient en les mimant les actes violents de l'ancienne poursuite individuelle.

Dans la procédure *formulaire**, le déroulement des deux phases est différent. Dans la première, les deux parties doivent se présenter devant le magistrat, mais la représentation est possible. Gestes symboliques et paroles rituelles sont exclues. Guidées par le magistrat, les parties s'expliquent dans un débat contradictoire. Après quoi le magistrat accorde ou n'accorde pas au demandeur la formule qu'il réclame. Ainsi son rôle est-il plus important que dans la procédure précédente. Si le magistrat accorde la formule, le nomination du juge et la rédaction de la formule constituent les termes du contrat par lequel les parties s'engagent à accepter la sentence du juge. Pendant la phase *in judicio,* les parties sont assistées d'avocats et le juge peut se faire conseiller par des jurisconsultes*.

Dans ces deux procédures (actions de la loi, action formulaire) le juge unique était parfois remplacé par un jury de « récupérateurs » (en particulier dans les litiges entre citoyens* et étrangers*). À côté de ces deux procédures « ordinaires », il y avait aussi des procédures « extraordinaires » (*cognitiones extraordinariae*), qui se caractérisent par la suppression des deux instances : le magistrat tranche lui-même le litige. Sous la République*, cette procédure était exceptionnelle et utilisée dans certains cas précis, mais, sous l'Empire* elle tendit à devenir la procédure normale (IIe s. apr. J.-C.) : le rôle du magistrat-juge était confié à des fonctionnaires*.

Enfin, pour trancher certains litiges particuliers, il existait des tribunaux permanents, comme celui des centumvirs, composé de 105 membres, à raison de 3 par tribu*, et qui avait compétence pour les procès de succession et de propriété, ou celui des décemvirs, composé de dix membres nommés par les tribuns*, puis élus, avec compétence dans les procès relatifs à la liberté des personnes.

justice criminelle. Relèvent de la justice criminelle (*judicia publica*) les *crimes de droit commun* (homicides, violences, séquestrations et enlèvements, attentats aux mœurs, falsifications de testaments* et de monnaies*) et les *crimes politiques* (*perduellio,* action qui vaut à son auteur la qualification d'ennemi* public ; *crimen majestatis,* atteinte à la dignité du peuple romain, *ambitus,* corruption et brigue électorales ; *peculatus,* détournement de fonds publics ; *repetundae,* concussion). Pour chacun de ces crimes, le droit criminel prévoit une peine que les juges peuvent d'ailleurs atténuer.

Sous la République*, les causes étaient déférées devant les comices centuriales*. La procédure était organisée par un consul* ou ses délégués (*quaestores, duumviri*). Mais ses lenteurs firent instituer de bonne heure des jurys criminels, auxquels les comices déléguaient leurs pouvoirs dans les procès difficiles. D'extraordinaires, ces tribunaux devinrent permanents (*quaestiones perpetuae*) au IIe s. av. J.-C. Ces jurys, dont sénateurs* et chevaliers* se disputèrent le monopole, étaient présidés par un préteur* ou, à partir du Ier s. av. J.-C., par un magistrat spécialisé (*judex quaestionis*) : le président dirigeait les débats ; l'accusateur* devait être présent, sous peine de se voir condamner pour calomnie ; l'accusé avait la possibilité de s'exiler. Le déroulement des débats, sans être fixe, observait généralement l'ordre suivant : discours du ou des accusateurs*, réponses de l'accusé et de ses avocats*, production et discussion des témoignages. La défense avait le droit de parler plus longtemps que l'accusation. Au moment du vote*, les jurés pouvaient absoudre, condamner ou demander un supplément d'information. La sentence était irrévocable. Sous l'Empire*, ces jurys cessèrent peu à peu de fonctionner et furent remplacés par deux juridictions criminelles distinctes, celle du sénat* et celle de l'empereur*. Mais le sénat, surveillé par l'empereur, se montra peu soucieux d'endosser des responsabilités trop lourdes et finalement, la seule juridiction criminelle fut celle de l'empereur, jugeant par ses délégués, les fonctionnaires* (préfets* de la Ville et du prétoire).

justice militaire. Dans les camps*, la justice est rendue par le commandant en chef. Les peines vont de la privation de solde ou de butin jusqu'à la peine de mort* après fustigation.

Juvénal (**D. Junius Juvenalis : vers 55-après 130 apr. J.-C.**), poète satirique, né à Aquinum (Campanie).

On possède peu de renseignements sur sa vie. Il a écrit seize *Satires*, dans lesquelles il critique avec emportement et éloquence les vices, les ridicules, les snobismes, les abus. Mais la société qu'il passe ainsi au crible est celle des Flaviens, alors qu'il écrit sous Trajan*. De toute manière, dépassant le particulier, il atteint au général. Il ne paraît pas avoir eu beaucoup de succès de son temps.

l

Lait (lac). Le lait le plus apprécié des Romains est le lait de brebis, puis vient le lait de chèvre.

Le lait de vache était peu recherché, les Romains n'ayant pas élevé de races laitières et utilisant les bovins pour la traction. Quant au lait d'ânesse, il était employé comme lait de beauté.

On buvait le lait pur et non écrémé, ou coupé d'eau*, de vin*, d'hydromel*. En cuisine, un certain nombre de mets sont à base de lait (les bouillies de céréales par exemple). S'ils ne faisaient pas de beurre, les Romains connaissaient les fromages : lait caillé et aromatisé, différentes variétés de fromages non cuits. Au IIe s. apr. J.-C., ceux de Nîmes, du Gévaudan, de la Lozère étaient célèbres.

Les médecins* recouraient beaucoup au lait comme fortifiant ou curatif pour certaines maladies (goutte, phtisie).

Enfin, on offrait couramment du lait aux divinités dans les libations* et les sacrifices*.

Lamie (Lamia), **monstre mythologique, qui passait pour enlever et dévorer les jeunes enfants. Les Lamies servaient d'épouvantails aux nourrices et l'on racontait à leur sujet différentes légendes.**

lampes
→ éclairage.

lance (hasta), **arme de choc, employée par les légionnaires.**

Il ne semble pas que Marius* l'ait supprimée pour la remplacer par le javelot*. Elle est plus courte et plus légère que ce dernier.

Aux soldats qui s'étaient distingués, on offrait une lance dépourvue de pointe (*hasta pura*).

langue latine. Le latin, langue des habitants du Latium, progressivement étendu à toute l'Italie* et à une partie de l'Empire* romain (partie occidentale), appartient avec l'osque et l'ombrien au groupe italique, qui se rattache sans doute lui-même à l'italo-celtique, qui à son tour fait partie des langues dites indo-européennes. Langue essentiellement « orale », c'est-à-dire faite pour être parlée (la lecture « muette » n'apparaît à Rome que vers le IVe s. apr. J.-C.), le latin a été défini comme une « langue de paysans », c'est-à-dire une langue plus apte à désigner le concret que l'abstrait. Toutefois, sous l'influence de la philosophie et d'écrivains comme Lucrèce*, Cicéron*, plus tard Sénèque*, le latin est devenu une langue plus abstraite ; cette « conquête de l'abstrait » se poursuivra et parviendra à son terme avec les auteurs chrétiens*, qui exprimeront en latin tous les concepts de la philosophie et de la théologie, et livreront au Moyen Âge et aux temps modernes un instrument parfait. Le texte latin le plus ancien que nous possédons est une inscription sur une fibule, trouvée à Préneste et datant de 600 av. J.-C.. Mais les plus anciens textes littéraires ne sont que du IIIe s. (Livius* Andronicus). On distingue habituellement quatre grandes périodes dans l'histoire de la langue latine :

1° La *période archaïque* (IIIe-Ier s. av. J.-C.) : illustrée par Plaute*, Ennius*, Térence*, Lucilius* ;

2° La *période classique* (Ier s. av. J.-C.) avec Cicéron* et César* ;

3° La *période impériale* ou post-classique (Ier-IIe s. apr. J.-C.) : Tite-Live*, Virgile*, Horace*, Sénèque*, Lucain*, Juvénal*, Tacite*, Apulée*... ;

4° La *période tardive et chrétienne* (début du IIIe s.) : Tertullien*, Jérôme*, Augustin*, Ammien Marcellin, Prudence, etc. Bien entendu, entre les écrivains d'une même période, les différences peuvent être grandes, selon les écoles littéraires, les tendances stylistiques et la personnalité propre des auteurs. Si, en un sens, on peut dire que l'on n'a jamais cessé de parler latin (il n'y a jamais eu, en effet, de rupture brutale), on admet que, vers le VIe s., la langue latine s'est peu à peu différenciée en systèmes linguistiques, donnant ainsi naissance aux langues romanes (français, espagnol, italien, portugais, romanche, roumain). Mais le latin est resté la langue des savants jusqu'au XVIIIe s. et celle de la religion catholique.

Le latin est une langue flexionnelle, c'est-à-dire que les relations entre substantifs, adjectifs et pronoms, à l'intérieur d'un membre de phrase ou d'une phrase, sont exprimées par des désinences (ou finales des mots) variables selon les « cas », c'est-à-dire, approximativement, selon les fonctions grammaticales. Il y a six cas : le nominatif (sujet), le vocatif (appel), l'accusatif (complément d'objet), le génitif (compl. de nom), le datif (compl. d'attribution), l'ablatif (compl. circonstanciel). Mais tous les mots n'ont pas au même cas la même désinence : celle-ci est différente selon les « déclinaisons », c'est-à-dire les différents types morphologiques. Si le latin a, comme le français, deux nombres (singulier et pluriel), il a trois genres : masculin, féminin et neutre. Quant au système verbal, il ne coïncide pas exactement avec celui du français.

D'autre part, dans les mots latins, la quantité, c'est-à-dire la durée d'émission (longue ou brève) des syllabes joue un grand rôle, en particulier en poésie → **métrique**. Les mots portent un accent, dont la nature exacte (accent de hauteur ou d'intensité, ou les deux à la fois) ne nous est guère connue ; en revanche, nous connaissons sa place, qui est fonction du nombre et de la quantité des syllabes ; celle-ci a joué un rôle important dans l'évolution du latin aux langues romanes. Pour la prononciation du latin, on adopte de plus en plus aujourd'hui la prononciation « restituée », qui se veut aussi proche que possible de la prononciation des Romains de l'époque classique, et l'on délaisse la prononciation « à la française », dite « érasmienne », car c'est Érasme qui la mit en honneur ; quant à la prononciation de l'Église catholique, c'est approximativement celle de l'Église italienne des Ve-VIIe s. → **alphabet**; **écriture**.

laraire (lararium), **niche ou petite chapelle à fronton triangulaire, qui abrite l'image peinte ou la statuette du *lar familiaris**.**

Celui-ci est généralement représenté par un jeune homme, dansant sur un pied, vêtu d'une tunique* courte, couronné de laurier, et portant une corne d'abondance et une patère. À côté du lare*, il y avait parfois d'autres divinités particulièrement vénérées dans la maison. À partir d'Auguste*, on adora dans chaque laraire le génie* d'Auguste (*Genius Augusti*). C'est devant le laraire que se déroulait l'essentiel du culte* domestique. Il était situé dans l'*atrium**.

lares (lares). Ce terme, dont l'étymologie est obscure, a désigné primitivement des esprits infernaux qui poursuivaient les vivants ; puis ils auraient été considérés comme des divinités tutélaires, chargées de protéger les récoltes, les rues*, les cités... C'est ainsi qu'il y avait les *lares praestites*, protecteurs de Rome, les *lares compitales*, protecteurs des carrefours, les *lares viales*, protecteurs des routes*, etc. Plus tard, il y eut également les *lares Augusti* vénérés aux carrefours avec le génie* d'Auguste.

Une épithète donna son individualité à l'un d'entre eux, le *lar familiaris*, protégeant la famille* au sens large du mot. Dans chaque maison*, il y avait un laraire*. Tout événement marquant (naissance*, mariage*, mort*) était l'occasion d'une dévotion devant cet autel*. Entre les lares, les pénates*, les mânes* et les génies*, bien des confusions se sont produites dans la conscience religieuse des Romains.

larves → mânes.

latifundia (« larges biens-fonds »), **immenses domaines ruraux que les grands seigneurs romains et les grands propriétaires locaux se sont constitués sur les terres du domaine public (*ager* publicus*), qui en principe ne leur étaient données qu'à titre de « possession » (sans propriété du fonds), mais qu'ils finirent par considérer comme une véritable propriété (*dominium*).**

Ces vastes domaines étaient surtout constitués en pâturages sur lesquels les esclaves* élevaient les troupeaux; pour le reste, en cultures extensives (vigne et olivier). Mais il ne nous est pas toujours possible de faire la distinction entre ces *latifundia* et les grandes propriétés, divisées en domaines de superficie moyenne, confiées à des fermiers libres, pratiquant la polyculture, mais viticulteurs et arboriculteurs pour l'essentiel. Ces grandes propriétés paraissent avoir été nombreuses dans le nord de l'Italie, tandis que les véritables *latifundia* se seraient trouvés dans le sud de l'Italie*. De toute façon, en dépit de certaines lois* tendant à limiter la grande propriété et à transformer en petits propriétaires la plèbe urbaine (loi de Licinius Stolon en 376 av. J.-C., réformes des Gracques* en 133-121 av. J.-C.), d'autre part à fonder des colonies* permettant l'établissement sur de nouvelles terres (expériences proposées ou tentées par C. Gracchus, par Apuleius Saturninus, tribun* en 100 av. J.-C., par Drusus, tribun en 91 av. J.-C.), l'Italie semble être passée aux mains d'un petit nombre de propriétaires à la fin de la République*. Les empereurs (Auguste*, Nerva, Trajan*), pour leur part, ont voulu créer une classe de petits propriétaires, notamment dans les provinces*.

Latins. Le qualificatif de *Latini* ne s'applique pas seulement aux habitants du Latium, mais peut désigner une catégorie juridique de citoyens*.

1° Selon la tradition, l'une des premières victoires de Rome, après l'expulsion des Étrusques*, aurait été remportée sur une ligue de Latins (Tusculum, Aricia, Lanuvium...), près du lac Régille (496 ? av. J.-C.). Mais, quelques années plus tard, Rome aurait éprouvé le besoin de s'allier avec les Latins, sur un pied d'égalité : c'est ainsi que serait née la Ligue latine (*nomen Latinum*) en 493. Ligue entre peuples égaux, le *nomen Latinum* respectait l'autonomie de ses membres et leur accordait des droits réciproques. Les Latins avaient le droit de mariage avec les Romains (*jus connubii*), celui d'acquérir des biens (*jus commercii*), de voter à Rome (*jus suffragii*), mais ils étaient exclus des légions* et ne pouvaient être élus aux magistratures*; ceux qui venaient s'installer à Rome obtenaient la citoyenneté* complète. Ce statut parut insuffisant aux Latins; ils se soulevèrent, mais furent vaincus par Rome (340-338). La Ligue latine fut alors dissoute. Rome accorda à chaque cité un statut particulier, généralement favorable; certaines obtinrent le droit de cité complet. Mais entre Rome et les cités du *nomen Latinum* qui n'avaient pas obtenu le droit de cité complet, il n'y a plus de traités entre égaux : au *foedus aequum* succède le *foedus iniquum*, qui stipule, entre autres, l'interdiction pour les villes latines de se fédérer entre elles.

2° Par opposition aux Latins de l'ancien *nomen Latinum*, qu'on appelle les « anciens Latins » (*Latini veteres*), on appelle « Latins coloniaires » les citoyens des colonies* latines fondées après 338, et dont le statut, à partir de la fondation d'Arimunium (238), est moins favorable que celui des « anciens Latins » : en effet, ces colonies (Ariminium, Beneventum, Firmum, Brundisium, etc.) n'ont plus le droit de battre monnaie*, ne peuvent plus contracter de mariage* avec les Romains, et n'obtiennent plus automatiquement la citoyenneté romaine complète en allant résider à Rome. C'est ce droit latin (*jus Latii*) qui sera appliqué plus tard à certaines villes de provinces*. À partir de 49 av. J.-C., le droit latin n'existe plus sur le territoire de l'Italie*. Mais, en province, il est considéré comme une faveur, et est souvent une étape vers la citoyenneté complète.

lectisterne (lectisternium; de *lectus*, lit, et *sterno*, étendre), **cérémonie religieuse au cours de laquelle on offrait un repas (*epulum*) à une divinité couchée sur un pulvinar*.**

Le but de cette offrande était de rendre la divinité propice à ses vœux. Ainsi, après la défaite de Trasimène*, on offrit un grand lectisterne aux douze grands dieux* pour leur demander de favoriser les armées* romaines. Les dieux étaient représentés par des effigies ou des mannequins. Lorsque le repas sacré était offert à des déesses, celles-ci étaient assises et non pas couchées : cette cérémonie est alors un « sellisterne » (*sellisternium*, de *sella*, siège).

lectures publiques (recitationes). De tout temps, vraisemblablement, les auteurs ont lu leurs œuvres devant un cercle d'amis avant de les publier. Mais, à Rome, Asinius Pollion* mit le premier à la mode les « lectures publiques ». Les auteurs lisaient devant un public d'invités leur dernière tragédie ou leur dernier recueil de poèmes. Cela se passait soit chez eux, soit dans une salle spéciale (*auditorium*), soit dans un local prêté ou loué. Les moins aisés se contentaient d'un portique*, d'un carrefour propice, d'une salle dans les thermes*, ou encore de la boutique de leur libraire*. Les « récitations » ont dominé la vie littéraire de l'Empire* et Hadrien* fit même construire pour elles un édifice approprié, l'*Athenaeum*. Un danger guettait les auteurs, celui de la déclamation. Parfois, mais un peu plus tard semble-t-il, les « récitations » furent de véritables conférences données par les orateurs* à qui l'éloquence politique n'était plus permise.

légat (legatus, envoyé). **Le titre de légat peut recouvrir des fonctions diverses, selon les cas « chargé de mission », « représentant », « envoyé », « lieutenant », etc.**

Les légats du peuple romain (*legati populi Romani*) sont les sénateurs envoyés en ambassade auprès d'un pays étranger → **diplomatie**. Dans les provinces*, d'autre part, un certain nombre de magistrats portent ce titre : en effet, le gouverneur d'une province, sous la République, est entouré de conseillers, choisis par le sénat*. Ils ont le titre de *legati* et peuvent du reste remplacer le gouverneur dans ses fonctions ; ils sont appelés alors *legati pro praetore*. Sous l'Empire*, il y a également des *legati pro praetore*, adjoints du proconsul* dans les provinces sénatoriales. Dans les provinces impériales consulaires et prétoriennes, les gouverneurs ont le titre de *legati Augusti pro praetore viri consulares* ou *praetorii* selon le cas. Enfin, *legatus* peut être un grade militaire. Sous la République, il est attribué à un chargé de commandement spécial (cavalerie, réserves, etc.). Sous l'Empire, les légats sont des commandants de légions (*legati Augusti legionis*).

légion → armée.

lémures → mânes.

libation (libatio), **sacrifice* non sanglant (aliments, lait, fruits, etc.), offert surtout dans les cérémonies du culte* domestique.**

libraire (bibliopola, librarius). Les libraires étaient également « éditeurs », car ils copiaient ou dictaient, à un ou plusieurs esclaves* (*librarii*), les textes qu'ils exposaient ensuite avec beaucoup de soin sur les rayons, dans leurs boutiques. À Rome, le quartier des libraires était l'Argilète. Les librairies pouvaient parfois rassembler à des réunions mondaines, les auteurs venant y lire leurs œuvres devant un public de curieux et d'amateurs. À l'époque augustéenne, les frères Sosii furent les éditeurs d'Horace*.

licteur (lictor). **Les licteurs sont des appariteurs attachés au roi*, puis, sous la République* aux magistrats* revêtus de l'*imperium**, enfin à l'empereur*.**

Ils les précèdent dans leurs déplacements : leur rôle est d'écarter la foule et de l'inviter à manifester son respect. À l'origine, les licteurs étaient également chargés d'exécuter les sentences capitales.

Ils portent les faisceaux* sur l'épaule gauche : leur nombre est fonction de la dignité du personnage qu'ils servent : les consuls*, comme jadis les rois, ont droit à douze licteurs ; le dictateur* à vingt-quatre ; le préteur* à deux à Rome, à six hors de Rome ; l'empereur à douze, puis à vingt-quatre à partir de Domitien. Les magistrats de la plèbe* et, plus tard, les fonctionnaires* impériaux de l'ordre équestre* n'en eurent pas. D'autre part, le flamine* de Jupiter et les vestales* étaient précédés d'un licteur.

Les licteurs étaient des citoyens* ou des affranchis*. Il y a une catégorie spéciale de licteurs, les *statores*, ordonnances et gardes, attachés aux gouverneurs* de provinces*, aux généraux, à l'empereur.

limes (« route, limite »). À partir d'Auguste*, les Romains ont massé des troupes aux frontières de l'Empire. Elles étaient casernées dans des camps* fortifiés, reliés entre eux par des voies militaires et protégés par une ligne de défense (*limes imperii*), variable selon les pays : par exemple, en (Grande-) Bretagne, le mur d'Hadrien*, qui mesure 110 km de longueur, 1,50 m de large et 5 m de haut, et qui est protégé par un fossé extérieur de 4 m de profondeur ; ailleurs, le *limes* pouvait n'être qu'un fleuve ou un fossé aménagé. L'efficacité du *limes* n'était donc pas partout la même.

lit (lectus). Il y avait beaucoup de lits dans une maison* romaine ; en effet, on en distinguait plusieurs types : le lit de repos ou de sommeil (*lectus cubicularius*), le lit de table (*lecus tricliniaris, triclinium*), le lit de lecture ou de travail (*lectus lucubratorius*). Mais les différences qui les séparent ne sont guère sensibles : en général, ils sont faits de quatre pieds, supportant un châssis tendu de sangles, sur lesquelles sont posés matelas (*torus*), coussins (*cervicalia*) et couvertures (*stramenta*). Le lit de repos était assez élevé et l'on y accédait par un petit escabeau (*scabellum*) ; mais le *triclinium* était plus bas : il comprenait généralement trois places, et trois *triclinia* étaient disposés autour de la table* ; les places étaient attribuées en fonction du protocole. On remplaça finalement les trois *triclinia* par un seul lit entourant la table, appelé pour cette raison le *sigma*, du nom de la lettre grecque.

litière (lectica), **lit*portatif, couvert et muni de rideaux, voire de vitres.**

Les familles fortunées possédaient leurs litières, mais on pouvait également en louer. Au début, elles étaient utilisées par les femmes, mais leur usage se répandit et, dès la fin de la République*, il dut être réglementé.

Dans la chaise à porteurs (*sella gestatoria*), plus légère et moins encombrante, on était assis, au lieu d'être étendu.

lituus → augure.

Livie (Livia Drusilla : 58 av. J.-C. - 29 apr. J.-C.). Épouse de Tib. Claudius Nero, dont elle eut deux fils, Tibère* et Drusus. Octave* la contraignit à divorcer et il l'épousa en 39. À la mort d'Auguste* (14 apr. J.-C.), elle reçut le titre d'*Augusta*, que portèrent par la suite un grand nombre d'impératrices.

Livius Andronicus (280 ?-205 ? av. J.-C..). Il est le premier auteur de langue* latine. Originaire de Tarente, il fut amené très jeune à Rome comme esclave*, à la suite de la défaite de Pyrrhus (prise de Tarente en 272). Il fut affranchi* par son maître, dont il porte le gentilice (Livius), et fut « grammairien* ». Sa première pièce, tragédie ou comédie, on ne sait, fut représentée en 240, aux jeux* Romains. Nous connaissons peu de chose de ses tragédies, dont le sujet est emprunté au cycle troyen, encore moins de ses comédies, dont les titres eux-mêmes sont incertains. Il adapta en vers saturniens* *l'Odyssée* homérique non pas, vraisemblablement, dans le dessein de procurer à ses élèves un texte d'explication, ou de fournir aux Romains une traduction de l'œuvre homérique, mais sans doute a-t-il voulu donner à Rome sa première épopée nationale. En effet, à cette époque, différentes traditions faisaient d'Ulysse un héros italique, médiateur entre la Grèce et l'Italie*, où l'on situait d'ailleurs plusieurs épisodes de sa vie, ainsi que sa mort : en ce sens, *l'Odyssée* de Livius apparaît comme la « prise de conscience de l'hellénisme romain ». D'autre part, à cette époque, Rome protège les Grecs contre les Illyriens (conquête de l'Illyrie de 229 à 219). Ainsi l'actualité comme la légende faisaient-elles de Rome une cité hellénisante, à laquelle Livius donna une épopée qui définissait la vocation de Rome mieux que n'aurait pu le faire une épopée plus strictement nationale ou locale, sans la même portée symbolique.

livre (liber). Les Romains ont connu et utilisé deux types de livres, distincts par la matière et la présentation : le livre de papyrus, introduit au IIIe s. av. J.-C., et le livre de parchemin, utilisé vers le Ie s. apr. J.-C. Le livre de papyrus (« papier » vient de papyrus) se présentait enroulé autour d'une baguette, d'où son nom de *volumen* (« volume, rouleau »). Les feuilles de papyrus, écrites sur une seule face, étaient ensuite collées bord à bord, à droite les unes des autres ; les rouleaux comprenaient généralement 20 feuillets. Les derniers écrits sont les premiers enroulés, de sorte que, pour lire, on tenait le *volumen* dans la main droite et on le déroulait de la main gauche, d'où l'expression : *evolvere librum*, « lire » (« dérouler ») un livre. Mais les « volumes » de papyrus avaient des inconvénients : leur présentation elle-même d'abord, mais aussi leur fragilité. On les conservait dans des coffrets cylindriques (*capsae*) ; une étiquette, sur le bord supérieur du rouleau, en indiquait le contenu.

Le livre de parchemin était beaucoup plus commode et plus résistant, et il se présentait sous la forme de nos livres actuels. Dès le IIe s. av. J.-C., à Pergame, on trouva le moyen de traiter la peau de chèvre et de mouton de telle manière qu'on pût l'utiliser *recto verso*, la plier et la relier : on substitua donc au rouleau de parchemin le « livre » de « parchemin » (c'est-à-dire, étymologiquement, « la peau de Pergame », *pergamena*). Le livre de parchemin s'appelait *codex*, terme que l'on employait pour désigner des tablettes jointes entre elles. Mais ce livre coûtait cher ; il ne remplaça le « volume » de papyrus qu'à la fin du IIIe s. apr. J.-C. et, jusqu'à cette date, il fut très rare à Rome.

Le mot *liber*, livre (étymologiquement « la partie fibreuse de l'écorce »), désigna aussi bien le livre de papyrus que celui de parchemin. De très bonne heure, les livres furent illustrés.

Bien entendu, on écrivait aussi sur d'autres matériaux : feuilles de plomb, toile, tablettes* de cire... Mais leur usage recula devant celui du papyrus d'abord, du parchemin, surtout, ensuite.

livres pontificaux (libri pontificii), **livres rédigés par les pontifes*, comprenant : la *liste des pontifes* (*album* pontificum*) ; les *Commentaires* (*commentarii pontificum*), qui sont des documents adressés aux magistrats* ou aux particuliers touchant l'interprétation du droit* ; les *Fastes** ; les *Actes* (*acta pontificum*), comptes rendus de leurs activités ; les *Annales* (*annales maximi*), chronique des événements importants de l'année.**

Les *Annales* cessent en 130 av. J.-C., date à laquelle Mucius Scaevola (consul* en 133) estima qu'elles faisaient double emploi avec les œuvres des historiens ; elles constituaient 80 livres où puisèrent les écrivains romains. Mais les historiens perpétueront la tradition annalistique (découpage des événements par année). Enfin les livres pontificaux contenaient des formulaires de prières* et les *Fastes consulaires*, liste chronologique des consuls depuis la fondation de la République*.

livres sibyllins (libri Sibyllini ou Fatales). D'après la tradition, Tarquin* l'Ancien (ou le Superbe) avait acheté à la Sibylle de Cumes, en Campanie, des livres constitués par ses propres oracles. Un collège de deux prêtres* (*duumviri sacris faciundis*), porté plus tard à quinze membres (*quindecemviri** s. f.), était chargé d'y découvrir les moyens de préserver Rome en certaines circonstances particulièrement graves.

En réalité, ces livres, s'ils ont bien fait leur apparition à Rome à l'époque qu'indique la tradition, sont vraisemblablement d'origine étrusque, comme le montrent certaines des prescriptions rituelles qu'ils contenaient (sacrifices* humains, par exemple). Plus tard, vers le IIIe s., autant pour effacer l'origine étrusque de ces livres que pour leur conférer le prestige dont jouissaient les oracles des Sibylles, les annalistes ont imaginé cette légende, que rendait vraisemblable le fait que les livres sibyllins s'ouvrirent effectivement à des oracles de Sibylles. Sous la République*, les *livres sibyllins* étaient conservés dans une pièce souterraine du temple* de Jupiter Capitolin ; sous l'Empire*, ils furent transportés dans le temple d'Apollon.

loi (lex rogata, loi proposée). **La *lex rogata* est une décision votée par les comices*, sur l'initiative d'un consul*, préteur* ou tribun* ; soumise, à l'origine, à l'approbation du sénat* (*auctoritas patrum*), à partir de 339 av. J.-C. cette ratification fut transformée en une autorisation préalable.**

Les plébiscites*, qui échappaient à cette *auctoritas*, furent assimilés à des lois à partir de 287 av. J.-C. (*lex Hortensia*). Les véritables assemblées législatives furent les comices centuriates et, surtout à partir du IIIe s., les comices tributes.

Avant d'être soumis au vote*, le projet de loi élaboré par le magistrat, entouré de spécialistes, est publié (*promulgatio*) par affiches* trois nundines* avant le jour du vote et peut être discuté au cours de réunions publiques (*contiones**), voire modifié. Au cours du vote, dès qu'une majorité favorable s'est manifestée et s'il n'y a pas eu obnonciation*, la loi entre en vigueur : on l'affiche au forum* et les questeurs* sont chargés de la conserver dans les archives* de l'*Aerarium**.

Une loi contient un préambule circonstanciel (*praescriptio*), le texte lui-même (*rogatio*) et les sanctions prévues (*sanctio*). De ce point de vue, on distingue quatre catégories de lois : les *lois plus que parfaites*, qui annulent l'acte illégal et poursuivent le contrevenant ; les *lois parfaites*, qui annulent l'acte illégal ; les *lois moins que parfaites*, qui n'annulent pas l'acte illégal, mais punissent le contrevenant ; les *lois imparfaites*, qui ne prévoient aucune sanction : le législateur ne veut pas entrer en conflit avec la coutume*, à laquelle il se contente d'opposer un nouveau principe ; ce sont ces lois qui furent les plus nombreuses.

Une loi porte le nom* du magistrat qui en a eu l'initiative et n'est valable que pour les citoyens*. Elle n'a pas d'effet rétroactif ; en principe elle n'est pas abrogeable : toutefois, une loi nouvelle peut annuler les sanctions prévues par une loi précédente, et, dans certains cas, le sénat peut déclarer nulle une loi votée en période de troubles, ou dispenser quelqu'un de son observance.

Sous l'Empire*, dès Auguste*, l'empereur légifère pratiquement seul et peut s'opposer, en vertu de sa puissance tribunitienne*, à tous les projets qui lui déplaisent.

La *lex data* est d'une nature différente de la *lex rogata* : c'est une charte émanant d'un magistrat ou d'un général vainqueur et attribuée à une province* ou une ville.

loi curiate. Assez vite incomprise, la *lex curiata*, votée par les comices* curiates, confère en réalité au magistrat* élu l'investiture civile ; elle est susceptible de lui remettre selon les cas trois pouvoirs : l'*imperium**, la compétence judiciaire en rapport avec sa charge, le droit d'auspices*. La prise des auspices d'entrée en charge constitue ensuite l'investiture sacrale indispensable. Même réduite à l'état de fiction, la loi curiate continuera d'être votée lors de la désignation des empereurs.

loi des XII Tables (lex XII Tabularum). Elle représente la première législation écrite des Romains et la tradition la fait remonter au milieu du Ve s. av. J.-C. (451-449). Jusqu'alors n'existait que la coutume*, connue pratiquement des seuls patriciens*. Pour mettre fin à cette situation qui lésait les plébéiens*, le tribun* Terentillus Harsa aurait fait nommer une commission de dix membres (*decemviri legibus scribundis*), chargée de rédiger un code nouveau, connu de tous, affiché au forum*. Nous ne possédons plus, bien entendu, les tablettes originales, brûlées lors de l'incendie allumé par les Gaulois en 390, mais nous pouvons nous en faire une idée assez précise par les citations des auteurs anciens : toutefois celles-ci nous donnent un texte rajeuni et peut-être modifié, postérieur à l'incendie de 390.

Cette loi contenait des règles très diverses (droit* privé, criminel, religieux, procédure*, sanctions), mais aussi quelques grands principes, comme l'interdiction des « privilèges » et consacrait l'égalité des plébéiens et des patriciens devant la loi, encore que ce fût seulement beaucoup plus tard (sous la censure* d'Appius* Claudius, 312-308) que furent divulguées les formalités de la procédure (liste des jours fastes*, actions* de la loi, etc.), susceptibles de les mettre en œuvre. D'autre part, elle laïcisait le droit et créait un droit objectif : le droit existe, parce qu'il y a une loi que l'on peut connaître.

Toutefois, la loi des XII Tables demeure fragmentaire et n'est pas absolument originale : nombre de règles qu'elle formule remontaient très haut ; pour cette raison, pendant un certain temps, elle dut être complétée par le droit coutumier existant. Mais c'est à juste titre que les Romains l'apprenaient par cœur (encore à l'époque classique) et qu'elle fut largement diffusée dans tout l'Empire* : ils y voyaient légitimement le fondement de tout leur droit. Le premier commentaire qui en fut fait date du début du IIe s. av. J.-C. (Sext. Aelius Paetus, consul* en 198).

Lucain (M. Annaeus Lucanus : 36-65 apr. J.-C.), poète épique, né à Cordoue, neveu de Sénèque*, ami de Néron* ; compromis dans la conjuration de Pison, il dut se suicider. Il ne nous est parvenu de lui que *la Pharsale*, épopée stoïcienne* et « romaine », en dix chants, dont le sujet est la guerre civile* entre Pompée* et César*. Caton* d'Utique en est le véritable héros.

Lucilius (vers 180-103 av. J.-C.). Issu d'une riche famille équestre de Campanie, Lucilius fit partie du « Cercle* des Scipions ». Il écrivit de très nombreuses satires, sur tous les sujets, et n'hésita pas à s'en prendre nommément et avec vivacité à ses contemporains. Toute la satire romaine dérive de lui.

Lucrèce (T. Lucretius Carus : vers 99-55 av. J.-C.). Nous ne savons presque rien de la vie de Lucrèce. Il est l'auteur d'un poème en six chants, « Sur la Nature » (*De rerum natura*), où il expose la doctrine d'Épicure : la physique matérialiste rend compte de tous les phénomènes dont les hommes s'effraient et qu'ils attribuent à des divinités, qui en réalité ne se soucient guère des hommes. La mort n'est qu'une libération des atomes en vue de nouvelles associations ; l'Au-delà n'est qu'un mythe. Plus que ses prédécesseurs épicuriens*, Lucrèce a montré que la connaissance de la « nature », en libérant l'âme de ses terreurs, permettait d'atteindre la sagesse. À côté de passages techniques ou didactiques, il y a dans ce poème des analyses psychologiques, une imagination et une sensibilité qui en font un chef-d'œuvre.

luperques (luperci ; de *lupus*, loup). Confrérie sacerdotale, sur laquelle nous sommes très mal renseignés, les luperques étaient les servants du dieu Lupercus, dont l'étymologie, en rapport avec *lupus*, fait difficulté. Le 15 février, ils célébraient les *Lupercalia*, fêtes pittoresques et chargées de symboles magiques : ils couraient nus autour du Palatin, en frappant les femmes qu'ils rencontraient sur leur passage, avec des courroies découpées dans la dépouille du bouc immolé dans la grotte du *Lupercal* (au sud-ouest du Palatin). C'était là un rite destiné à assurer la fécondité.

On ne sait rien de précis sur le nombre et l'organisation des luperques ; peut-être s'agissait-il d'un sacerdoce annuel. Ils étaient divisés en deux groupes, les *Quinctiales et les Fabiani* ; en 44, un troisième groupe fut créé en l'honneur de César*, les *Julii*.

lustration (lustratio), **rite de purification qui a pour but de libérer de toute influence maléfique groupes (armée, ville...) ou choses (armes, champs...).**

La lustration consiste généralement en une procession autour des bénéficiaires, en prières* et en sacrifices*. Les animaux sacrificiels (souvent les *suovetaurilia**) sont conduits dans cette procession : ils délimitent ainsi eux-mêmes un cercle magique avant de transmettre, par l'immolation, les vertus qu'ils se voient attribuer.

Le calendrier* romain prévoyait de nombreuses lustrations : en mars et octobre, la lustration des armes (*armilustrium*), c'est-à-dire avant qu'elles servent et après qu'elles ont servi (la purification n'ayant pas les deux fois la même signification) ; en mai, lustration des champs (*ambarvalia*) ; début février, lustration des villes (*amburbium*), etc. De même, avant chaque bataille, l'armée* est purifiée ; et, tous les cinq ans, le cens* se termine par une lustration du peuple rassemblé sur le champ de Mars : le cortège des *suovetaurilia* tourne trois fois autour de lui : cette *lustratio populi*, quinquennale, s'appelle le *lustrum*.

lustrum → cens; lustration.

Lyon (Lugdunum), colonie* romaine fondée en 43 av. J.-C. sur l'actuelle colline de Fourvière et composée de marchands romains et de vétérans*. La ville prit rapidement de l'importance, sa situation géographique en faisant un centre commercial vivant. Sous Auguste*, Lyon devint la capitale de la Lyonnaise. Un culte* consacré à Rome et Auguste, établi au confluent du Rhône et de la Saône, rassemblait chaque année les populations de toute la Gaule*. Ce fut très tôt un centre chrétien (persécution de 177).

lyre (lyra), instrument à cordes de longueur égale, mais de tension et de grosseur différentes (leur nombre varie de trois à douze). Le résonateur (une carapace de tortue, le plus souvent) a des dimensions réduites. Cet instrument était destiné à accompagner la poésie « lyrique » (Catulle*, Horace*).

M

Magistrats (**magistratus**). Ce qui caractérise le régime républicain à Rome par rapport à la Royauté*, à laquelle il succéda, c'est essentiellement l'institution des magistratures. Plusieurs traits font leur originalité : elles sont collégiales, annuelles (sauf la dictature* et la censure), électives, gratuites, hiérarchisées.

En se plaçant à des points de vue différents, on peut établir entre elles certaines distinctions : les magistratures *curules,* qui donnent accès à la noblesse* (consulat*, préture*, édilité* curule, censure) et les magistratures *non curules* (questure*, édilité de la plèbe, tribunat*) ; les magistratures avec *imperium** (consulat, préture, dictature) et sans *imperium* (édilité, questure, censure, tribunat) ; les magistratures *majeures,* élues par les comices centuriates* (consulat, préture, censure), et les magistratures *mineures,* élues par les comices tributes* (questure, édilité, tribunat) ; celles qui possèdent les *auspices* majeurs* (consulat, préture, censure, dictature) ; celles qui ont les *auspices mineurs* (édilité curule, questure) ; celles, enfin, qui, pendant longtemps, n'ont pas eu le droit d'auspices (édilité et tribunat de la plèbe) ; on distingue encore les magistratures *ordinaires* (censure, consulat, préture, édilité, questure, tribunat) et les magistratures *extraordinaires* (dictature, maîtrise de la cavalerie*, dignité d'interroi*). On appelle magistratures plébéiennes le tribunat et l'édilité de la plèbe : à l'origine, ce ne sont pas, du reste, de véritables magistratures, mais plutôt des « fonctions ».

Au point de vue du protocole, les magistrats avec *imperium* ont droit aux licteurs* et aux faisceaux* ; les magistrats curules ont la toge* prétexte et la chaise curule ; les magistrats non curules portent la toge ordinaire et n'ont droit qu'au *subsellium* (banc assez bas, sans dossier). Peu à peu, les plébéiens eurent accès à toutes les magistratures : cette évolution est achevée en 366 av. J.-C. ; en revanche, les patriciens ne pouvaient obtenir le tribunat qu'en cas de *translatio ad plebem** (exemple célèbre de Clodius*). Les conflits susceptibles de naître du principe même de la collégialité furent évités par deux expédients : l'exercice des fonctions par roulement, puis le partage des compétences à l'amiable ou par tirage au sort. D'autre part, entre magistrats de même rang ou de rangs différents, les oppositions pouvaient se manifester selon trois procédures : l'intercession*, la prohibition* et l'obnonciation*.

Pour être éligible, il fallait être citoyen* complet, de sexe masculin, avoir servi dix ans dans l'armée*, ne pas être frappé d'infamie, et avoir l'âge requis. L'accès aux diverses magistratures se faisait selon un ordre réglé d'avance, qui respectait la hiérarchie existant entre elles : c'est ce que l'on appelle le *cursus honorum* (carrière des honneurs*).

Un magistrat élu était inamovible, mais n'était pas couvert par l'immunité ; au terme de sa magistrature, il « abdiquait », c'est-à-dire qu'il abandonnait volontairement sa charge. Mais il pouvait être prorogé dans ses fonctions comme promagistrat*.

Le mode de scrutin, la nature des magistratures, la structure de la société ont eu pour résultat que quelques familles ont monopolisé les magistratures et, en particulier, le consulat. Par exemple, de 200 à 146 av. J.-C. il n'y eut que 16 consuls (sur les 108) dont le gentilice n'apparaît pas dans les *Fastes* consulaires* avant eux.

Comme les autres institutions républicaines (sénat* et assemblées*), les magistratures subsistèrent sous l'Empire*, mais leur pouvoir fut considérablement réduit. De nombreuses fonctions qui étaient les leurs sont confiées alors aux fonctionnaires* impériaux. Toutefois, les magistratures sont encore honorifiques ; en particulier, le consulat conserve un grand prestige et peut donner accès aux charges les plus importantes ; les empereurs eux-mêmes ne dédaignent pas de le revêtir. Les candidats sont d'ailleurs moins élus par les assemblées qu'imposés à leur suffrage.

maison → habitation.

maître de la cavalerie (magister equitum), **auxiliaire d'un dictateur*, choisi par lui.**

Il peut n'avoir exercé aucune magistrature*. Une fois nommé, il est inamovible, mais ne reste pas en fonctions après le dictateur. À l'armée*, il est son chef d'état-major.

maître d'école → enseignement.

mânes (Manes, les Bons), **terme générique par lequel les Romains désignaient les esprits des morts.**

Dans un sens plus précis, les mânes sont ceux que l'on est parvenu à se concilier, en donnant aux morts* une sépulture* convenable et en les honorant régulièrement lors des fêtes* officielles *(Rosaria, Parentalia, Feralia)*, mais aussi en accomplissant scrupuleusement les actes du culte* domestique (devant le laraire* et le foyer*). Au contraire, les lémures ou les larves (Lemures, Larvae) sont les esprits des morts qui n'ont pas reçu une sépulture convenable ou qui ont commis pendant leur vie des actes criminels. Ces esprits reviennent alors sur terre sous forme de spectres. Pour les apaiser, on célébrait en mai les *Lemuria*, cérémonies archaïques, au cours desquelles on se rachetait en jetant des fèves noires dans les ténèbres et en conjurant larves et lémures de quitter la maison*.

Manilius (M. Manilius : mort après 22 apr. J.-C.), poète stoïcien* de l'époque d'Auguste*, que nous ne connaissons que par son poème en cinq chants, *l'Astronomie*, où il étudie les lois du destin* qui régissent le monde.

manipule → armée.

manteau. Plusieurs types de manteau ont été en usage à Rome. Pour sortir, les matrones* romaines revêtaient sur leur *stola** une sorte de grand châle dont elles recouvraient leurs épaules et s'entouraient le corps, et qui descendait jusqu'aux genoux : c'était la *palla*, assez semblable au *pallium* des hommes, mais plus luxueux. En public, elles se couvraient la tête avec un pan de leur *palla* ; au cours des cérémonies religieuses, elles se voilaient avec un foulard de couleur *(rica)*. Quant aux hommes, ils avaient la possibilité de mettre un manteau sur leur toge*, et même, dès le Ier s. apr. J.-C., prirent-ils l'habitude d'abandonner celle-ci au profit du manteau, beaucoup plus commode, chaque fois que les circonstances le leur permettaient (car la toge demeurait le vêtement national). Parmi les manteaux, ils avaient le choix entre : le *pallium*, vêtement grec, fait d'une grande pièce rectangulaire, dont ils s'enveloppaient ou se drapaient ; la *lacerna*, manteau court d'origine gauloise, dont l'usage se généralisa dès la fin de la République* ; c'était une pièce d'étoffe de forme circulaire, posée sur les épaules et retenue par une broche *(fibula)* ; en cas d'intempérie, on pouvait compléter la *lacerna* par un capuchon *(cucullus)* ; enfin la *paenula*, manteau très simple et très pratique, sans manches, pourvu d'un capuchon, utile en voyage, et qui jouait un peu le rôle de nos imperméables. Les matrones portaient également la *paenula*. À l'armée*, les soldats portaient sur la tunique un *sagum*, manteau assez court, ouvert sur le devant et rejeté en arrière ; le *paludamentum* lui ressemblait, mais était plus ample et plus long, de couleur écarlate, et était porté par le général.

Marc Aurèle (M. Aurelius Antoninus : 121-180 apr. J.-C.), empereur de 161 à 180. Originaire d'Espagne, Marc Aurèle fut adopté par Antonin le Pieux à la demande d'Hadrien*. Son règne a été marqué par une suite de catastrophes (peste, inondation, tremblements de terre) et par de nombreuses guerres en Orient et sur le Danube. Il mourut au cours d'une campagne contre les Marcomans et les Quades (peuples de Germanie). Ce philosophe stoïcien*, qui a laissé des *Pensées* écrites en grec, n'a peut-être pas été un véritable homme d'État et il a apporté peu d'innovations au régime impérial.

marché (macellum). À la différence du forum*, le marché est un établissement couvert, constitué généralement d'une place, entourée de portiques*, sur lesquels s'ouvrent les boutiques. On y vend des produits alimentaires (viande, légumes...) et toutes sortes d'objets de menue industrie.

À Rome, le marché de Trajan*, au nord-est du forum qui porte son nom, est un ensemble d'une grande importance : il comprend deux terrasses superposées, sur lesquelles donnent de nombreuses boutiques ouvertes au commerce* de détail ; certaines pièces servaient d'entrepôt. Peut-être Trajan a-t-il voulu centraliser l'activité commerciale de l'*Urbs** pour mieux la contrôler. Cette mainmise des services administratifs sur le commerce finira d'ailleurs par paralyser la vie économique de l'Empire*.

mariage (diverses formes de). Le droit* romain distingue deux sortes de mariage (*matrimonium, justae nuptiae ;* le terme *conubium* désigne plutôt le droit de se marier) : le mariage *cum manu*, qui place l'épouse sous la domination du mari, et le mariage *sine manu*, dans lequel l'épouse n'était pas juridiquement soumise à son mari. Il existait trois formes de mariage *cum manu :*

1° La *confarreatio* (*far*, blé, épeautre). Elle semble la plus archaïque et son caractère religieux est très net. Assistés du grand pontife* et du flamine* de Jupiter, en présence de dix témoins citoyens* romains, les époux offraient à Jupiter un gâteau d'épeautre *(farreus panis)* et prononçaient des prières*. Ce rite de mariage était assez rare, en honneur toutefois dans quelques vieilles familles patriciennes*, et nécessaire pour pouvoir être plus tard flamine ;

2° La *coemptio* (*emo*, acheter). C'était un mariage par « achat » de la jeune fille, en présence de cinq témoins. Procédure d'acquisition fictive, la *coemptio* n'était plus guère pratiquée à la fin de la République* ;

3° Le mariage *per usum*, c'est-à-dire « de fait », forme juridique de l'enlèvement. Il légitimait une union d'une année. Ce régime tomba très tôt en désuétude et ne fut plus qu'une curiosité juridique.

En réalité, le mariage *cum manu* a été rapidement délaissé au profit du mariage *sine manu*, qui apparaît dans la loi* des XII Tables, mais lui est peut-être antérieur. Ce régime, qui devait contribuer à l'émancipation de la femme romaine, recueillit sans doute des approbations moins avouables. En effet, depuis 445 av. J.-C. *(lex Canuleia)*, les mariages entre patriciens et plébéiens* étaient autorisés ; aussi bien, par le mariage *sine manu*, le patricien qui mariait sa fille à un plébéien gardait-il son autorité sur elle et conservait-il le pouvoir de rompre le mariage, disposition qui ne fut abolie qu'au IIᵉ s. apr.J.-C., même si, depuis longtemps, elle n'était plus appliquée.

Le droit de contracter de justes noces *(jus conubii)*, réservé aux patriciens, ne fut accordé aux plébéiens qu'en 450, mais resta refusé aux pérégrins* et aux esclaves*. Leur union donnait aux pérégrins les effets civils conformes au droit de leur cité ; quant aux esclaves, leur mariage n'était qu'une « cohabitation » *(contubernium)*.

mariage (cérémonies du). Quelle que soit la forme du mariage, les cérémonies étaient à peu près identiques. La veille du mariage, la fiancée *(sponsa)* revêt une tunique* droite *(tunica recta)* ; ses cheveux sont divisés en six tresses ramenées autour de la tête. Le matin du mariage, tous les parents et invités se réunissent dans la maison de la fiancée, qui porte un voile orangé sur la tête *(flammeum)* ; primitivement tout au moins, on offrait un sacrifice* et on inspectait les entrailles de la victime ; puis avait lieu l'échange des contrats devant témoins ; enfin les époux se donnaient leur consentement, en se joignant les mains *(dextrarum junctio)*. On appelait alors la bénédiction de cinq divinités : Jupiter (garant des engagements), Junon (divinité du Mariage), Vénus (déesse de l'Amour), Fides* (divinité de la Bonne Foi, de la Loyauté) et Diane (déesse de la Maternité). Dans la *confarreatio*, les époux offraient un gâteau d'épeautre à Jupiter. Un « repas de noces » mettait un terme à ce premier temps des cérémonies. Quand l'étoile Vesper paraissait dans le ciel, la mariée quittait le domicile paternel, en feignant de redouter ce départ. Les invités l'arrachaient aux bras de sa mère et un cortège joyeux, entonnant des chants d'hyménée et lançant toutes sortes de lazzi chargés d'une valeur apotropaïque, se dirigeait vers la maison du mari *(deductio ad domum)*. Sur le seuil, que la mariée ne doit pas toucher, son mari l'attend. Dans l'*atrium**, il lui présente l'eau et le feu, éléments vitaux et symboliques, et elle prononce ces paroles célèbres : « *Ubi tu Gaius, ego Gaia* », que l'on traduit : « Où tu seras Gaius, je serai Gaia », mais dont le sens primitif nous échappe. Enfin, elle offre trois pièces de monnaie*, une à son mari, la deuxième au lare*, la troisième au dieu du carrefour le plus proche.

Certains jours (calendes*, nones*, ides*) et certaines périodes de l'année (13-21 février, 1er-15 mars ; 1er mai-15 juin), il était interdit de célébrer des noces : ces temps étaient en effet consacrés à des cérémonies de caractère funéraire ou purificatoire qui auraient « contrarié » le rituel nuptial.

marine. Les Romains ont possédé une flotte marchande avant de posséder une flotte de guerre. Jusqu'au IVe s. apr. J.-C., l'organisation et le commerce maritimes ont été entièrement libres, l'État n'intervenant qu'en cas de nécessité. Toutefois, théoriquement du moins, les sénateurs* n'avaient pas le droit de posséder des navires* de commerce ni de se livrer à des activités de ce genre. Dans le milieu du commerce maritime, on distingue entre le personnel navigant (d'une part, l'équipage, sous le commandement du *gubernator* ; de l'autre, le *magister navis* et ses subordonnés, s'occupant uniquement des marchandises transportées) et le personnel à terre (entrepreneurs, propriétaires, armateurs, etc.).

Nous connaissons les principaux itinéraires commerciaux, ainsi que leur durée moyenne. Par exemple : Pouzzoles-Alexandrie : 9 jours ; Narbonne-Alexandrie : 20 jours ; Ostie-Narbonne : 3 jours ; Alexandrie-Marseille : 30 jours ; Gadès-Ostie : 7 jours ; Espagne Citérieure-Ostie : 4 jours ; etc. Bien entendu, les voyages pouvaient être plus longs ou plus courts, la durée de la traversée étant fonction du navire et des vents qui déterminent la route suivie. En Méditerranée, la navigation était traditionnellement suspendue de la mi-novembre à la mi-mars *(mare clausum)*.

Si les Romains paraissent avoir construit des bâtiments de guerre vers le milieu du IVe s. av. J.-C. (victoire en 338 de Maenius sur les Latins*, à Antium, → **rostres**), ce n'est qu'au moment de la première guerre punique* qu'ils ont construit une véritable flotte de guerre pour pouvoir lutter contre les Carthaginois*, excellents navigateurs. Le premier triomphe* obtenu pour une victoire sur mer *(triumphus navalis)* le fut par Duilius en 260 (bataille de Myles, au nord de la Sicile). Au cours du Ier s. av. J.-C., la marine de guerre a également joué un grand rôle (guerre contre les pirates, guerres civiles*). Mais c'est Auguste* qui le premier créa une flotte permanente qu'il répartit en plusieurs escadres : flotte de Misène *(classis Misenensis)*, du Pont *(classis Pontica)*, de Bretagne *(classis Britannica)*, etc., auxquelles il faut joindre les flottilles fluviales comme celles de Pannonie ou de Germanie. Les commandants de flotte portent le titre de *praefecti* (« préfets », amiraux). Le service dans la marine était peu recherché : les citoyens* romains l'évitaient.

marionnettes (sigilla). Les Romains, comme les Grecs, se sont divertis avec des spectacles* de marionnettes, dont le système ne devait guère différer du nôtre ;

mais nous n'en connaissons pas le répertoire, encore que nous puissions l'imaginer (contes, légendes).

Marius (C. Marius : 157-86 av. J.-C.). Né à Arpinum, la patrie de Cicéron*, d'une famille de paysans, il commença par faire une carrière de soldat et accompagna Scipion Émilien* en Espagne. Il est tribun* de la plèbe en 119, prêteur* en 116, propréteur* en Espagne l'année suivante. Il participe à la guerre contre Jugurtha* et s'y distingue. Il accède au consulat* en 107; en 104, il célèbre son triomphe* sur Jugurtha. Consul sans interruption de 104 à 100, il obtient son second triomphe en 101, après ses victoires sur les Teutons et les Cimbres à Aix et Verceil. À partir de ce moment, il participe à la lutte contre le sénat* ; il s'oppose à Sulla* et au parti des *optimates**. Il doit s'exiler en Afrique (88), mais, profitant de ce que Sulla est en Orient, il rentre à Rome avec le consul Cinna* (87). Il est alors élu au consulat pour la septième fois. Marius a profondément réformé l'armée* romaine : en appelant au service militaire les prolétaires, il a créé une véritable armée de métier; sur le plan tactique, il a donné un rôle prépondérant à la cohorte, unité de 600 hommes environ (la légion comprend dix cohortes).

Marseille (Massilia), colonie* fondée au VIIe s. av. J.-C. par les Phocéens (Ionie). Marseille fut longtemps une ville grecque très florissante, victorieuse au VIe s. des Étrusques* et des Carthaginois* coalisés. Alliée des Romains vers le milieu du IIIe s., Marseille s'inquiéta des progrès carthaginois dans le bassin occidental de la Méditerranée et incita Rome à s'opposer à cette avance de Carthage → **guerres puniques**. À plusieurs reprises au cours du IIe s., Rome vint au secours des Marseillais. Mais, en 49, César* se heurta à leur résistance et, dès lors, Marseille survécut très affaiblie.

Martial (M. Valerius Martialis : vers 40 — vers 104 apr J.-C.). Né à Bilbilis (Tarraconnaise), Martial vint à Rome pour y terminer ses études. Il fut l'ami de Quintilien*, Juvénal*, Pline le Jeune*. Il a écrit 15 livres d'*Épigrammes*, dont le premier, *Sur les spectacles*, célèbre les jeux* donnés par Domitien pour l'inauguration* de l'amphithéâtre* Flavien (le Colisée); les autres contiennent des sujets fort variés (faits divers, anecdotes, descriptions, etc.), mais la satire, d'un réalisme aigu, y domine.

masques.

1. **Masques funéraires** *(imagines)*. Les Romains faisaient mouler sur le visage de leurs morts des masques de cire, qu'ils conservaient dans des armoires ou des niches dans l'*atrium** ; on pouvait ainsi juger de l'ancienneté d'une famille au nombre de masques des ancêtres *(imagines majorum)* qu'elle possédait. Sous chacun de ces masques, une inscription *(titulus, elogium)* rappelait les hauts faits, authentiques ou moins vrais, de l'ancêtre. Lors des funérailles* d'un des membres de la famille, amis et parents portaient ces masques pendant le cortège funèbre. Mais tout le monde n'avait pas le droit de posséder ainsi les portraits de ses ancêtres : seules les familles nobles* (comptant un magistrat* curule dans leur ascendance) possédaient le *jus imaginum*. Les empereurs jouissaient du privilège de voir répandues partout leurs images, de leur vivant.

L'importance de ces images dans le domaine artistique n'est pas négligeable : on leur doit sans doute le goût du réalisme qui caractérise la sculpture* romaine, et aussi l'habitude de réduire les portraits au buste ; d'autre part, les *tituli* et les *elogia* qui les accompagnaient ont fourni une matière précieuse, même si elle n'était pas toujours sûre, aux historiens romains ; le goût pour les « notices » individuelles se retrouvera, avec des proportions plus vastes, dans le genre biographique.

2. **Masques scéniques** *(personae)*. Ils n'ont été utilisés par les acteurs* romains qu'au Ier s. av. J.-C. ; jusqu'à cette époque, n'en portaient que les personnages de l'atellane. Ils étaient en carton-pâte et coloriés ; l'expression était adaptée au rôle ; l'ouverture de la bouche servait de porte-voix. Les masques tragiques, de forme allongée, offraient une expression pathétique et violente ; les masques comiques se rapprochaient davantage de la forme du visage humain et visaient à amuser.

matrone (**matrona, femme mariée, mère**). Pour les Romains, il y a deux catégories de femmes : d'une part, celles qui sont de naissance libre, mères de famille ou destinées à le devenir ; d'autre part, toutes les autres. La notion de « conduite honorable » n'a de sens que pour les premières ; et c'est à elles seulement que s'appliquent les obligations morales que les hommes se reconnaissent à l'égard du sexe féminin. Quant aux secondes, elles sont en dehors de la morale et du droit et n'ont pas de comptes à rendre à la société : elles ne possèdent pas le *jus conubii* (le droit de se marier légalement) qui est l'une des composantes de la citoyenneté*. Ainsi, la condition féminine à Rome se pose d'abord en termes de relations sociales, avant de se poser en termes de relations personnelles, du moins à l'origine. Jusqu'en 445 av. J.-C., les mariages entre patriciens* et plébéiens* n'étaient pas permis.

On représente souvent la matrone romaine filant et tissant la laine chez elle, tenue à l'écart des occupations de son mari. En fait, si les Romaines n'ont pas bénéficié d'avantages comparables à ceux des femmes étrusques*, du moins n'ont-elles jamais été enfermées dans un gynécée.

Rome a toujours permis aux Romaines l'accès à la culture et, sur les bancs des écoles, filles et garçons s'instruisaient en même temps : il y eut de nombreuses femmes de l'aristocratie qui étaient cultivées, il y eut des poétesses, et même des pédantes. Dès le IIe s., les Romaines participent à la vie mondaine que mène leur mari (repas*, réunions, conversations). Vers cette époque également, leur émancipation est telle qu'elles n'hésitent pas à manifester dans la rue pour réclamer l'abrogation d'une loi d'austérité qui limitait le luxe de leur toilette. Bien qu'elles n'aient pas eu le droit de voter ni celui de participer aux assemblées, on voit certaines femmes « faire de la politique » : par exemple au Ier s. av. J.-C., Terentia, la femme de Cicéron*, Sempronia, qui participe à la conjuration de Catilina*, Clodia, la sœur du tribun* Clodius*. L'émancipation de la femme romaine se manifeste également dans le fait que la forme de mariage* la plus répandue est le mariage *sine manu*, qui maintient l'épouse sous la puissance de son père. Ce statut avait des avantages pour la femme, puisqu'il la soustrayait à la puissance de son mari. Il est vrai que la femme romaine est frappée d'incapacité juridique ; mais, dès la fin de la République*, sa mise sous tutelle équivalait pratiquement à une émancipation. D'autre part, au décès de son père, la femme *sine manu* devenait *sui juris* (indépendante). Cette forme de mariage permettait à la femme d'avoir des biens et des revenus. Seule sa dot était transférée au mari. Enfin, au début de l'Empire*, même une femme mariée *cum manu*, qui passait donc sous la puissance de son mari, eut le droit de divorcer de son propre chef.

Dès lors, le vieux préjugé des Romains, méfiants à l'égard de l'*impotentia muliebris* (l'emportement, l'absence de raison propres aux femmes), est définitivement battu en brèche.

mausolée (*mausoleum*, du nom de Mausolos, roi de Carie, à qui sa femme éleva un magnifique tombeau), tombeau* monumental, ayant la forme d'un temple* ou d'un édifice. Le plus célèbre à Rome est celui d'Hadrien*, aujourd'hui château Saint-Ange.

Mécène (**C. Maecenas : mort en 8 av. J.-C.**). Mécène, chevalier* romain, d'une famille originaire d'Étrurie, apparaît en 40 dans l'entourage d'Octave* et accomplit pour lui différentes missions auprès d'Antoine*. Mais il n'exerça aucune magistrature*.

Poète lui-même, il aima à s'entourer d'un cercle* littéraire dont firent partie Virgile*, Horace*, Properce*, C. Varius, contribuant ainsi à formuler l'idéologie de l'Empire* naissant. Par la suite, ses relations avec Auguste furent troublées, lorsque son beau-frère fut exécuté pour avoir comploté contre l'empereur (en 23). Il se retira alors dans ses jardins*, sur l'Esquilin.

médecin (**medicus**). Ce n'est qu'à la fin du IIIe s. av. J.-C. ou au début du IIe s. que sont apparus à Rome, venant de Grèce, d'authentiques médecins. Jusque-là, des guérisseurs et des charlatans, habiles dans la « science des herbes » *(scientia herbarum)*, avaient tenu leur place tant bien que mal.

Le premier dont on ait conservé le souvenir de l'installation à Rome était originaire de Sparte, un nommé Archagatus (219 av. J.-C.). Mais la médecine souffre du préjugé qu'ont les Romains traditionalistes, comme Caton* le Censeur, à l'égard de l'hellénisme*. Au début du Ier s. av. J.-C., Asclépiade de Pruse, médecin et philosophe, crée à Rome une école de médecine privée ; mais il faut attendre la fin du règne d'Auguste* pour qu'une école de médecine officielle, *scola medicorum*, soit fondée (14 apr. J.-C.). Cet enseignement*, du reste, est donné en grec (comme tous les enseignements spécialisés, hormis le droit*), et continuera de l'être jusqu'au milieu du IVe s. environ. Toutefois, les Romains de ce temps (autour de l'ère chrétienne) ne se désintéressent pas de la médecine, mais les traités de Varron*, de Pline l'Ancien ou de Celse relèvent plus d'un encyclopédisme pratique que de la science médicale proprement dite. Vers la fin du IIe s. apr. J.-C., Galien, originaire de Pergame, le plus grand médecin de l'Antiquité avec Hippocrate, s'installe à Rome : médecin particulier du futur Commode, il a laissé une œuvre remarquable (en grec), dans laquelle il a essayé de faire la synthèse des théories médicales professées par les diverses écoles.

En réalité, peu de citoyens* romains embrassaient la profession de médecin, bien qu'elle fût lucrative. Ce n'est d'ailleurs qu'au début de l'Empire que la médecine commence à être englobée parmi les « arts libéraux ». Les maisons riches avaient leur médecin particulier (un esclave souvent) ; les autres recouraient aux soins d'un médecin installé dans un cabinet *(medicina)* ou bien se déplaçant à domicile (*circulator*, « ambulant »).

Sous l'Empire, l'armée* eut ses médecins militaires *(medici castrenses)* et, vers le IIe s., on créa un système d'assistance et de prévoyance sociales : des médecins, recevant un traitement de l'État, donnaient des soins gratuits aux plus pauvres. À Rome, par exemple, il y en avait 14 (on les appelait les *archiatri populares*), soit un par « région » ; il y eut également des *archiatri Palatini*, collège de médecins attachés au palais impérial. Les archiatres bénéficiaient d'avantages divers et pouvaient faire de belles carrières politiques ; ils étaient les seuls à devoir fournir la preuve de leur science et de leur compétence devant des experts. Cependant, pour tous les autres médecins, la possibilité de s'installer comme praticiens « sans diplôme » en quelque sorte, était freinée par les sanctions graves que prévoyait la loi* en cas de dommage subi par le client à la suite de fautes professionnelles.

Dès le IIe s. av. J.-C., la médecine s'était spécialisée : à côté des médecins « généralistes », il y eut des chirurgiens*, des ophtalmologistes*, des dentistes* et, dans une branche annexe, des vétérinaires*.

ménageries (vivaria). Les Romains possédaient des ménageries et des parcs zoologiques où ils élevaient et dressaient des animaux destinés aux chasses* de l'amphithéâtre*, aux exhibitions des montreurs de bêtes, etc., et que l'on pouvait visiter. Les plus belles collections d'animaux datent de l'Empire : on cite celle d'Auguste*, qui comptait 3 500 animaux (tigres, lions, guépards, rhinocéros, éléphants...), celle d'Élagabale (empereur de 218 à 222) et surtout celle de Gordien Ier (empereur en 238). Les résultats auxquels parvenaient les dompteurs *(mansuetarii)* paraissent avoir été remarquables.

Messaline (Valeria Messalina). Arrière-petite-nièce d'Auguste*, elle épousa Claude en 40 apr. J.-C. ; elle eut de lui un fils, Britannicus*, et une fille, Octavie*, qui épousa Néron*. En 48, Messaline épousa un jeune noble, C. Silius. Claude, soupçonnant un complot contre lui, la fit exécuter.

Messalla → cercles littéraires.

métrique. Le seul vers proprement latin est le « vers saturnien », ainsi appelé parce que Saturne passait pour le premier roi mythique du Latium. Il ne nous est parvenu qu'une centaine de vers saturniens, et il est difficile d'en reconnaître exactement la théorie. L'opposition des syllabes longues et des syllabes brèves en était la base ; mais la division du vers en deux parties inégales, l'allitération, le nombre des syllabes de chaque mot jouaient également un rôle. Ce vers, d'origine indo-européenne, a été utilisé par Livius* Andronicus pour son *Odyssée* et Naevius* pour sa *Guerre punique*.

Tous les autres mètres ont été empruntés à la Grèce et adaptés au génie de la langue* latine. Le premier, Ennius* a renoncé au vers saturnien pour écrire une épopée *(les Annales)*, et recouru à l'hexamètre dactylique, le vers épique d'Homère. Mais l'hexamètre fut utilisé dans d'autres genres poétiques que l'épopée : c'est le vers de Lucilius*, Lucrèce*, Catulle* parfois, Virgile*, Ovide*, etc. L'hexamètre dactylique est un vers de 6 pieds, qui repose sur l'opposition : une syllabe longue/deux brèves ; la substitution des deux brèves par une longue est possible sauf au cinquième pied.

Combiné avec le pentamètre, il constitue le distique élégiaque (vers de l'élégie : Properce*, Ovide*, Tibulle*...).

La comédie et la tragédie romaines ont utilisé, dès les origines, la versification dite ïambo-trochaïque, parce que, selon les cas, l'ïambe (⏑—) ou le trochée (—⏑) en est la base.

Enfin, Catulle et les poètes lyriques, Horace* dans ses *Odes* ont recouru à la métrique dite *éolienne*, parce que ce sont des poètes de dialecte éolien, comme Alcée et Sappho, qui l'ont illustrée : c'est une versification très savante, qui permet différentes combinaisons en strophes (strophe saphique, alcaïque, etc.).

métrologie. Le vocabulaire de la métrologie est essentiellement concret, comme il est normal dans un système non métrique. Les étalons des poids et mesures étaient conservés dans le temple* de Castor et Pollux, sur le forum* : sous la République*, les édiles* étaient chargés de leur surveillance ; sous l'Empire*, cette tâche fut confiée au préfet* de la Ville.

Milon (T. Annius Milo : mort en 48 av. J.-C.), Tribun* de la plèbe en 57, partisan du sénat* contre les *populares**, Milon fit rappeler Cicéron* d'exil. En janvier 52, ses hommes tuèrent Clodius*. Au cours du procès* qui suivit, Milon fut défendu par Cicéron, qui, intimidé par le déploiement des forces militaires mises en place sur le forum*, ne put prononcer le discours que nous possédons (*Pour Milon*), et Milon dut s'exiler. En 48, il revint en Italie* et tenta de soulever les régions méridionales contre César*. Mais il fut pris et exécuté.

mines (metalla). Sous la République*, le système d'exploitation est celui de la ferme : lors du *lustrum**, les censeurs* attribuaient les mines aux plus offrants, généralement les publicains*. Toutefois, l'État céda parfois la propriété de certaines (hormis les mines d'or) à des particuliers. Sous l'Empire*, l'État s'en réserve le monopole et les place sous la surveillance de procurateurs* *(procuratores metallorum)*. Les principaux pays miniers étaient : la Gaule* (or, plomb, étain, fer) ; l'Espagne, le plus riche de l'Antiquité (or, plomb, cuivre, étain, fer) ; les pays d'Europe centrale (Pannonie, Dacie, Mésie) ; l'Asie Mineure (or, plomb, fer) ; l'Italie* (Toscane, Bruttium), la Sardaigne et la Sicile. L'exploitation se faisait à ciel ouvert ou bien dans des galeries souterraines. Les ouvriers étaient des esclaves*, et des condamnés* (de nombreux chrétiens* y furent envoyés).

miroir (speculum). Les Romains possédaient des miroirs muraux et des miroirs à main : ces derniers sont parfois de véritables bijoux. La partie réfléchissante est en argent ou en alliage de plomb et de cuivre ; la partie postérieure ainsi que le manche sont finement ciselés et ouvrés.

mobilier funéraire. Quelles que soient leurs conceptions de l'Au-delà, pour

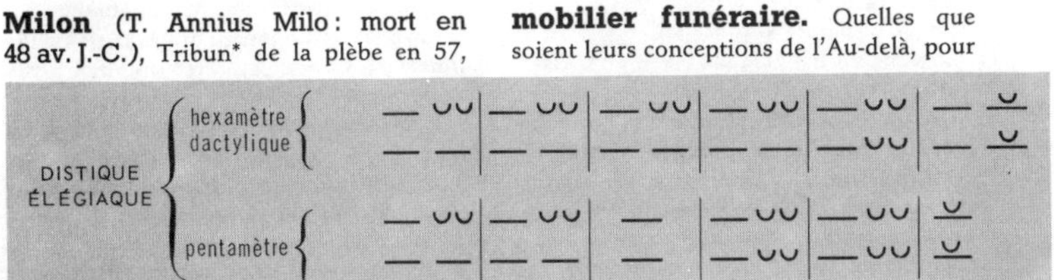

la plupart des Romains « le mort vit ». Aussi sa sépulture* est-elle considérée comme une demeure, où l'on dépose toutes sortes d'objets nécessaires à la vie d'outre-tombe : vêtements*, armes*, outils professionnels, lampes*, vases, monnaies*, accessoires de toilette, nourriture...

monnaie (pecunia; de *pecus*, le bétail). Les Romains paraissent n'avoir connu l'usage de la monnaie qu'assez tard, sans doute au IVe s. av. J.-C. Jusque-là, le moyen d'échange commercial était le troc.

La première monnaie *(aes rude)* consiste en morceaux de bronze plus ou moins informes; puis ils sont remplacés par des plaques de bronze sur lesquelles sont gravées des figures (animaux, armes...) : c'est l'*aes signatum*.

La première monnaie véritable, circulaire, fut l'« as libral », en bronze et pesant théoriquement une livre *(libra)* romaine, en fait beaucoup moins (273 g). Cet as est divisé en fractions duodécimales *(semis, triens, quadrans, sextans, uncia)*.

À la fin du IIIe s. av. J.-C. apparaissent les monnaies en argent :

le *denier* valant 2 as 1/2 ;
le *sesterce* valant 10 as.

Après une refonte générale des monnaies, on a, au IIe s. av. J.-C. :

le *denier* valant 16 as ;
le *sesterce* valant 4 as.

Sous César*, le sesterce est en bronze et la monnaie d'or fait son apparition :

le *sesterce* (bronze) vaut 4 as ;
le *denier* (argent) vaut 4 sesterces ;
l'*aureus* (or) vaut 25 deniers.

Sous l'Empire, l'as, qui n'avait plus été frappé dans le courant du Ier s. av. J.-C., réapparaît; d'autre part, le sesterce est désormais en laiton. On a donc les monnaies suivantes :

as (bronze) ;
sesterce (laiton) = 4 as ;
denier (argent) = 4 sesterces = 16 as ;
aureus (or) = 25 deniers.

Des origines de la monnaie romaine jusqu'à l'Empire, le poids de métal n'a cessé de baisser. L'as de bronze a successivement pesé 273 — 109 — 27 — 9, et enfin 2,3 g sous le Bas-Empire; le denier a contenu de moins en moins d'argent; le poids d'or de l'*aureus* est passé de 8,10 à 7,30 g sous le Haut-Empire et 6,5 g sous le Bas-Empire.

Les monnaies étaient frappées dans le temple* de *Juno Moneta* (Junon « Conseillère »), dont l'épithète *Moneta* finira par désigner la « monnaie ». Une commission de trois membres (les *tresviri monetales*, → **vigintisévirat**) était chargée du contrôle de la frappe. Sous l'Empire, il ne lui resta que la fabrication des monnaies en métaux non précieux, les empereurs se réservant le contrôle des pièces d'or et d'argent. — Sous la République, les pièces furent d'abord frappées à l'effigie de divinités, puis on prit l'habitude de varier les effigies. À partir d'Auguste*, les pièces sont à l'effigie de l'empereur; sur le revers apparaissent les thèmes les plus variés. Les monnaies racontent ainsi l'histoire de Rome par l'image et ont souvent une grande valeur artistique.

Sous l'Empire, il faut posséder 400 000 sesterces pour pouvoir faire partie de l'ordre équestre*, un million pour appartenir à l'ordre sénatorial. Les plus hauts fonctionnaires* de l'ordre équestre (préfets du prétoire, de l'annone, chefs des services de la chancellerie) perçoivent un traitement annuel de 300 000 sesterces. Les fortunes les plus considérables se comptent par dizaines de millions de sesterces. On estime qu'un million de sesterces sous Trajan* représente environ 330 000 F.

monuments funéraires (monumenta sepulcri). Ils sont très divers d'aspect et de dimensions. Souvent réunis le long des routes, à l'entrée des villes, ils constituent des nécropoles. Mais on ensevelissait parfois les morts dans une propriété de famille, à la campagne. Les familles modestes se contentaient d'ensevelir le cadavre ou l'urne funéraire dans une fosse particulière ou commune. On distingue deux parties dans un monument funéraire : la partie supérieure, la seule visible (*tumulus*), et qui peut être un autel*, une stèle*, un mausolée*... et la partie souterraine (le *sepulcrum*), qui contient le corps ou les cendres : ce peut être un caveau, un *columbarium**, une urne cinéraire* ou un sarcophage*.

morale → **coutume; droit; fides; philosophes; virtus.**

mort → condamnations ; funérailles.

mos majorum → coutume.

mosaïque (musivum opus). Née en Grèce, la mosaïque s'est développée dans le monde romain et, en un sens, on peut dire que ce sont les Romains qui en ont fait un art. À la fin de la République* et au début de l'Empire*, les mosaïques romaines et italiennes sont généralement en noir et blanc et représentent des motifs géométriques. Au IIe s. apparaît le style « fleuri » (ornements végétaux, silhouettes animales et humaines), toujours en noir et blanc. Enfin, au IIIe s., la polychromie se répand.

Mais parallèlement à cette école italienne, et, parfois, interférant avec elle, d'autres écoles se développent dans les provinces*, et en particulier dans les pays de langue grecque. Celles-ci se caractérisent par l'emploi de la polychromie et l'imitation de la peinture* (elles manifestent en particulier un goût très prononcé pour l'*emblema*, tableau central entouré de motifs géométriques, et les mosaïques-tapis).

Les mosaïques sont appliquées aussi bien sur les sols que sur les plafonds ou les murs. D'une manière générale, les mosaïstes romains ont eu le souci (dès le IIe s. apr. J.-C.) d'adapter les motifs à la destination des locaux : scènes marines dans les thermes*, enseignes* dans les boutiques, thèmes mythologiques dans les temples*, etc. La mosaïque est conçue comme un reflet de l'activité qui se déroule normalement dans le lieu où elle est posée, tout en y apportant la fantaisie et le rêve.

Au point de vue technique, on distingue l'*opus tesselatum*, mosaïque faite d'éléments en forme de troncs de pyramides (la *tessela* est une petite tessère*) et l'*opus vermiculatum*, dont les éléments sont plus petits et irréguliers, en forme de « vermisseaux ». Les premiers conviennent bien pour les motifs géométriques, les seconds pour les motifs figuratifs, car ils permettent une plus grande précision dans le dessin. Les uns et les autres sont taillés dans la pierre et le marbre ; parfois certains sont des cubes d'émail.

moulin (mola). Les moulins à grains comprennent deux parties essentielles : une base circulaire, se dressant dans sa partie centrale en forme de cône ; sur le pourtour de cette base, une rigole, destinée à recevoir les grains concassés qui glisseront le

Principales mesures

de longueur	doigt *(digitus)*		0,018 m
	paume *(palmus)* = 4 doigts		0,07 m
	pied *(pes)* = 16 doigts		0,28 m
	pas *(passus)* = 5 pieds		1,48 m
	mille *(mille passus)*		1 478,50 m
de superficie	pied carré *(pes quadratus)*		0,082 m²
	jugère *(jugerum)* = 28 8000 pieds		25 ares
	centurie *(centuria)* = 200 jugères		50 ha
de poids	once *(uncia)*		27,25 g
	livre *(libra)* = 12 onces		327 g
de volume	*a)* liquides :	setier *(sextarius)*	0,54 l
		conge *(congius)* = 6 setiers	3,28 l
		urne *(urna)* = 24 setiers	13,12 l
		quadrantal ou *amphora* = 2 urnes	26,26 l
	b) solides :	setier *(sextarius)*	0,54 l
		semodius = 8 setiers	4,39 l
		boisseau *(modius)* = 16 setiers	8,75 l

long du cône ; la seconde pièce, la meule, est constituée d'une sorte de grand sablier ou d'entonnoir double. La partie supérieure reçoit les grains ; la partie inférieure s'emboîte sur le cône ; les grains glissent de la partie supérieure de l'entonnoir dans l'espace compris entre le cône et la paroi de la partie inférieure de la meule et sont concassés par un mouvement de rotation. La farine est recueillie dans les rigoles de la base. Deux manivelles au milieu de la meule permettent de la faire mouvoir. Dans le détail, il pouvait y avoir des différences de conception. On distinguait, d'après la force motrice, le moulin à bras *(mola manuaria)*, le moulin à moteur animal *(mola asinaria, jumentaria)*, et le moulin à eau *(mola aquaria)*, découvert par les Romains en Asie au Iᵉʳ s. av. J.-C..

Les moulins à huile étaient conçus différemment.

Mucius Scaevola. Selon la légende, le jeune Romain Mucius Scaevola se serait introduit dans le camp de Porsenna, vengeur de Tarquin le Superbe, pour le tuer. Mais, s'étant trompé de victime, il se serait présenté alors devant le roi en mettant sa main droite dans un brasier, parce qu'elle avait commis une erreur ; d'où son surnom, « le Gaucher » (*scaevus*).

municipe (municipium, participation aux charges).

1. En *Italie**, ville qui a été annexée et à laquelle Rome fixe sa participation aux charges financières et militaires, mais qui conserve son autonomie, ses institutions, son droit, parfois sa langue. Dans le détail, des divergences de statut apparaissent : les plus anciens (Tusculum, Formies, Cumes, Fundi...) eurent l'autonomie la plus large et leurs habitants n'étaient pas citoyens* romains ; d'autres ont moins d'indépendance, et leurs habitants ont le droit de cité incomplet (sans droit de vote) ; dès le IIIᵉ s. av. J.-C., les municipes accèdent progressivement à la citoyenneté complète, soit par mesure collective, soit par mesure individuelle. En 42 av. J.-C., tous les municipes ont la citoyenneté complète.

2. Dans les *provinces**, il existe également des municipes. Le statut personnel des habitants est variable ; le sol est soumis à l'impôt* foncier. Après 212 apr. J.-C. (édit* de Caracalla), toutes les villes des provinces sont des municipes.

musique. Les Romains, qui ont repris aux Grecs leur système de notation, leurs modes et leurs rythmes, ont utilisé trois types d'instruments : — 1° les instruments à cordes : essentiellement la cithare* et la lyre*, qui accompagnaient la poésie lyrique ; — 2° les instruments à vent : en particulier la flûte (*tibia**) dont on jouait au théâtre* pour accompagner les parties chantées et les récitatifs des comédies, dans les banquets, les funérailles*, pendant les jeux*, etc. Mais les Romains ont utilisé aussi l'orgue hydraulique, qui eut une grande vogue, pour accompagner les jeux du cirque. Pour transmettre les ordres aux troupes, rythmer leurs mouvements, on utilisait différentes trompettes (*tuba**, *bucina**, *cornu**) ; — 3° les instruments à percussion, d'origine orientale, comme le tambour (*tympanum*), dont on jouait dans les cérémonies en l'honneur de Cybèle ou de Dionysos.

L'art de la musique a toujours été considéré comme un art grec, et rarement intégré dans l'éducation* des Romains. On assistait bien volontiers à des concerts dans les odéons ou chez soi, mais on ne jouait guère soi-même d'un instrument.

n

Naevius (vers 260 - vers 200 av. J.-C.). Originaire de Campanie, Naevius a fait jouer sa première pièce en 235. Il est l'auteur de tragédies à sujet grec, mais aussi à sujet romain, créant ainsi la « tragédie prétexte ». Il a écrit également des comédies, caractérisées par leur mordant. Mais son œuvre qui eut la plus grande influence est l'épopée *la Guerre punique (Poenicum Bellum)* : écrite en vers saturniens, elle retraçait l'histoire de Rome depuis les aventures d'Énée* jusqu'à la première guerre punique*. Elle fut composée vers 209, c'est-à-dire à un moment de la deuxième guerre punique où la victoire sur Hannibal* n'était pas encore certaine et apparut comme une épopée « nationale » qui montrait aux Romains que les dieux* leur étaient favorables.

naissance. À Rome, le nouveau-né est aussitôt baigné et déposé aux pieds de son père, qui peut le reconnaître ou ne pas le reconnaître comme son enfant. Dans le premier cas, il le prend dans ses bras et le soulève (*liberum suscipit*) : l'enfant est agréé comme légitime ; on l'emmaillotte de langes blancs et on décore la maison de fleurs*. Le bébé est l'objet de toutes sortes de gestes et d'attentions, qui ont pour but de conjurer le mauvais sort. Le huitième jour pour les filles, le neuvième pour les garçons, a lieu la cérémonie de purification* (*lustratio*) : ce jour-là, on offre un sacrifice* et on invoque particulièrement les Parques ; d'autre part, le bébé reçoit son prénom* ; autour du cou, on lui passe une petite « bulle » d'or ou de cuir (*bulla aurea, scortea*), signe d'une naissance libre et protection contre les forces mauvaises ; en effet, cette « bulle » contient des formules magiques qui préserveront l'enfant jusqu'à son mariage, s'il s'agit d'une fille, jusqu'au moment où il prendra la toge virile, si c'est un garçon ; à ce moment-là, la « bulle » lui sera ôtée du cou et consacrée à Junon ou au lare* selon le cas.

Mais si le père ne reconnaît pas le nouveau-né comme sien, celui-ci est exposé*. Quant aux enfants nés difformes, et dont la malformation était reconnue par des témoins, ils étaient tués ; usage barbare, qui s'adoucit peu à peu.

naumachie (naumachia), **spectacle* d'un combat naval, donné dans un amphithéâtre* aménagé pour la circonstance ou dans un grand bassin creusé à cet effet.**

La première grande naumachie eut lieu en 46 av. J.-C. : César*, qui l'offrait au peuple, fit construire un bassin dans le champ de Mars ; celui-ci fut relié au Tibre pour être approvisionné en eau. Parmi les naumachies célèbres, on cite celles d'Auguste*, de Claude, de Néron*, de Vespasien, de Titus... Comme les combats de gladiateurs*, elles sont des fêtes sanglantes.

navires (naves). Trois grandes catégories de navires ont existé → **marine** :

1° Les navires de guerre (*naves longae*), d'une cinquantaine de mètres, mus par des rames, avec l'aide de voiles. Selon le nombre des rangs de rameurs, il y a les birèmes, trirèmes, quadrirèmes, quinquérèmes, etc.

2° Les navires de transport et de commerce (*naves onerariae*), plus larges, plus lourds, mus essentiellement par les voiles. Ils ne pouvaient pas remonter le Tibre jusqu'à Rome.

3° Enfin, des navires d'usages et de formes variés (*naves actuariae*). — Chaque navire, quel qu'il soit, remorquait une ou plusieurs embarcations (*navigia*) pour aller à terre recueillir les passagers et l'équipage en cas de naufrage, accomplir diverses manœuvres d'embarquement ou de chargement.

nénie (naenia), **hymne en l'honneur d'un mort, chanté par des pleureuses *(praeficae)* pendant le cortège funèbre → funérailles.**

Néron (L. Domitius Ahenobarbus, puis Nero Claudius Caesar : 37-68 apr. J.-C.), empereur de 54 à 68. Fils d'Agrippine* la Jeune et de Cn. Domitius Ahenobarbus, il fut adopté par Claude en 50 et épousa sa fille Octavie en 53. Les cinq premières années de son règne furent heureuses : Néron est conseillé par Sénèque*, dont il a été l'élève, et s'appuie sur Burrhus, préfet du prétoire*. Il semble alors vouloir revenir à la tradition d'Auguste*. Mais, à la suite d'intrigues et de tragédies (meurtre de Britannicus* en 55, d'Agrippine en 59), le règne de Néron prend une orientation nouvelle et dangereuse. Sénèque est écarté ; et quand Burrhus meurt, en 62, Néron nomme, pour lui succéder, Tigellin, qui sera son « démon ». En 64, c'est le fameux incendie de Rome, dont on l'accusa d'être l'auteur : pour apaiser les soupçons, il fit supplicier les chrétiens* (première persécution à Rome). L'idéologie impériale qu'il façonne est marquée par des influences orientales : initié au mazdéisme, il se présente, d'autre part, comme le « nouveau Mithra ».

En 65, il découvre à temps la conjuration de Pison, où périrent, entre autres, Sénèque et son neveu Lucain*. En 66, il fait mettre à mort Thrasea, stoïcien*, chef de l'opposition sénatoriale. La même année, il se rend en Grèce, où il se produit comme acteur* et cocher dans les jeux*. En 68, une série de révoltes éclatent dans les provinces*, préludant à la fin de son règne : Julius Vindex en Gaule* Lyonnaise, Galba en Tarraconnaise, Othon en Lusitanie. Le sénat* déclare Néron « ennemi public » (juin 68) et les prétoriens l'abandonnent. Il se suicide le 9 juin 68. Avec son règne, célèbre par les extravagances et les cruautés de l'« empereur de la populace », se termine la dynastie julio-claudienne, qui a donné à Rome le plus illustre (Auguste) et le plus odieux (Néron) de ses empereurs.

noblesse → **classes sociales.**

noms de personnes. Les citoyens romains possèdent généralement trois noms : un prénom (*praenomen*), un nom de famille (*nomen gentilicium* ou *nomen*) et un surnom (*cognomen*), énoncés dans cet ordre. Le nombre des prénoms est limité pratiquement à une quinzaine : *Appius* (Ap.), *Aulus* (A.), *Gaius* (C.), *Gnaeus* (Cn), *Decimus* (D.), *Lucius* (L.), *Marcus* (M.), *Manius* (M.'), *Numerius* (N.), *Publius* (P.), *Quintus* (Q.), *Servius* (Serv.), *Sextus* (Sext.), *Spurius* (Sp.), *Tiberius* (Tib.), *Titus* (T.), *Vibius* (V.). L'enfant reçoit son prénom le huitième ou le neuvième jour après sa naissance*. Le nom de famille (le gentilice) est commun à tous les membres d'une même *gens**. D'après sa terminaison (*-ius, -na, -as, -nus...*), il est possible de déterminer son origine géographique. Par exemple, *Aemilius, Julius, Claudius...* sont des noms du Latium ; *Maecenas, Larinas...* des noms étrusques*, etc.

L'usage du surnom s'est introduit peu à peu et il devient constant à partir de Sulla* (début du Ier s. av. J.-C.). À l'origine, le surnom rappelle une particularité individuelle : *Balbus* (le Bègue), *Caecus* (l'Aveugle), *Cicero* (le Pois chiche), *Maximus* (le Très Grand), etc., mais il devient bientôt héréditaire et sert à distinguer les diverses branches d'une même *gens* ou les subdivisions d'une branche. Par exemple, la *gens Cornelia* comprend les branches *Cornelius*

Scipio, Cornelius Balbus..., et la branche *Cornelius Scipio* comprend à son tour une subdivision, *Cornelius Scipio Nasica*. En effet, à un premier surnom on pouvait en adjoindre un second ou plusieurs, rappelant une action d'éclat ou quelque fait mémorable : ainsi sa tactique de temporisation devant Hannibal* valut à Q. *Fabius* Maximus* un second surnom, *Cunctator* (le Temporisateur).

Sous l'Empire*, la mode des surnoms multiples se répandit. De plus, à partir des Antonins (IIe s. apr. J.-C.), on prit l'habitude de donner aussi des sobriquets (*signum, vocabulum*), personnels ou communs à un groupe (parents, associations). Le plus souvent, ces sobriquets étaient dérivés d'adjectifs et se terminaient en *-ius : Gaudentius* de *gaudens*, par exemple.

Généralement, les femmes n'avaient pas de prénom et conservaient comme nom de famille celui de leur père, mais au féminin : par exemple, *Cornelia**, épouse de *Tib. Sempronius Gracchus*, était la fille du grand *P. Cornelius Scipio* Africanus*. Dans les inscriptions*, on lit parfois, à la suite de leurs nom et surnom, le nom de leur mari au génitif.

Les enfants adoptés* prenaient les *tria nomina* (les trois noms) de leur père adoptif, suivis d'un *cognomen* terminé en *-anus* qui rappelait leur propre nom gentilice : ainsi, quand *P. Cornelius Scipio* adopta le fils de L. Aemilius Paullus, celui-ci s'appela *P. Cornelius Scipio Aemilianus*; de même quand Octave (*Octavius*) fut adopté par César*, il s'appela *C. Julius Caesar Octavianus*. Toutefois, cet usage fut abandonné progressivement sous l'Empire : les adoptés ajoutèrent simplement aux noms de leur père adoptif un ou plusieurs des noms de leur père naturel sans changement, et même leur propre prénom.

Quant aux esclaves*, ils n'avaient qu'un seul nom (désignant une particularité physique, leur pays d'origine, ou encore leur nom « indigène », latinisé au besoin). Quand ils étaient affranchis*, ils prenaient le prénom et le nom de leur maître, leur nom d'esclave devenant leur surnom : ainsi, quand Cicéron* affranchit *Tiro* (le Débutant), celui-ci devint *M. Tullius Tiro*.

nones → calendrier.

Numa Pompilius
→ origines de Rome.

numen, notion religieuse difficile à définir, qui tient une grande place dans la conception que les Romains se sont faite du sacré.

Le *numen* peut être la volonté, la puissance agissante, l'efficacité d'un être, d'une chose, d'une divinité. L'univers est considéré tout entier comme un réseau de dynamismes sacrés, de *numina*, si bien qu'à chaque instant de la vie il est nécessaire de se rendre favorable tel ou tel d'entre eux. C'est pourquoi, à peine est-il né, le Romain doit veiller à ne pas offenser Cunina, qui protège son berceau (*cunae*), Statulinus qui le fera se tenir debout (*stare*), etc. Certains objets, certaines plantes révèlent une présence sacrée, qu'il convient de vénérer : la forêt (*Silvanus*), la source (*Fons*), la limite d'un champ (*Terminus*)... Sous l'Empire, on rend un culte au *numen* d'Auguste*, qui domine l'humanité moyenne. Quant aux divinités individualisées, on les adore en tenant compte des différents aspects de leur puissance, qui se manifeste de façon particulière selon les cas : Juno Lucina, Moneta, Regina... ; Jupiter Capitolinus, Lapis, Fulgur... ; Venus Genitrix, Victrix... Dans ces exemples, on rend un culte à un pouvoir précis de la divinité, mais il n'est pas impossible que celle-ci se soit annexée des *numina* qui, primitivement, ne dépendaient pas d'elle.

On parle aussi, de façon générale, du *numen* d'une divinité, sans désigner telle ou telle efficacité, mais la puissance globale qui émane normalement d'elle-même : *numen Junonis, Jovis, Veneris*... D'où le sens de « divinité » que prend le mot à l'époque impériale. Mais, même dans ce cas, *numen* conserve, par rapport à *Deus* ou *dea* (dieu, déesse), une résonance plus sacrée. → génie.

nundines (nundinae; de *novem*, neuf, et *dies*, jour). Les *nundinae* reviennent tous les neuf jours. Ce jour-là se tenait le marché, et les travaux quotidiens ordinaires cessaient; certaines cérémonies religieuses avaient lieu.

On appelait *trinundinum* un intervalle de trois nundines : ce laps de temps jouait un grand rôle dans le droit* public et privé de l'époque républicaine.

C'était le délai légal qui devait s'écouler dans un certain nombre de cas précis : entre la convocation d'une assemblée* et le vote* ; entre le dépôt d'un projet de loi*, élaboré par un magistrat, et publié par affiches* (*promulgatio*) et sa mise aux voix.

O

Obnonciation (obnuntiatio, **opposition motivée par de mauvais présages**). Droit que possède un magistrat* de s'opposer à la réunion de comices*, en raison de « signes » défavorables. Assez vite, comme il est naturel, l'abus que l'on fit de ce moyen d'opposition lui fit perdre tout prestige religieux.

Octave → Auguste.

Octavie (Octavia).

— **1.** Sœur d'Auguste*, épouse de C. Claudius Marcellus (consul* en 50), dont elle eut un fils, M. Claudius Marcellus, mort à l'âge de 19 ans. Auguste avait pensé qu'il serait son successeur sur le trône. À la mort de son mari, Octavie épousa Antoine*, en 40, mais divorça en 31, avant la bataille d'Actium*.

— **2.** Fille de Claude et de Messaline*, femme de Néron*, qui la répudia pour épouser Poppée. Elle fut ensuite déportée et assassinée.

October Equus (Cheval d'Octobre). Sacrifice*, d'un rite très ancien, qui avait lieu le 15 octobre au champ de Mars, pendant les cérémonies de clôture de la saison guerrière organisées par les saliens*. Une course de chars* tirés par deux chevaux avait lieu et l'on sacrifiait le cheval de droite du char victorieux, auquel, au préalable, on avait passé un collier de pain au cou. La tête et la queue de la victime étaient emportées en toute hâte jusqu'à la *regia*, la demeure du grand pontife*, sur le forum*, de manière qu'on répandît du sang sur le foyer et que les vestales* pussent en conserver pour les *Parilia*, fêtes de bergers en avril. Ce sacrifice répond à la fois à des rites agraires et guerriers.

odéon → théâtre.

offrande → libation ; sacrifice.

omen, terme qui signifie peut-être, étymologiquement, « déclaration de vérité ». L'*omen* est un présage*, et plus précisément une parole annonciatrice.

ophtalmologiste (ocularii, medici **ab oculis**). Les oculistes paraissent avoir été nombreux et avoir fait preuve d'une belle compétence, en pratiquant des interventions comme celle de la cataracte ou de l'exophtalmie... Comme médicaments, ils utilisaient des collyres à base de substances végétales (myrrhe, safran) ou minérales, sous forme liquide ou, plus souvent, solide (bâtonnets, tablettes). Les ophtalmologistes possédaient des cachets *(signa ocularìorum)*, qui leur permettaient d'indiquer sur les produits leur nom, celui du collyre, son mode d'emploi, telle cette « étiquette » : *collyrium C. Tittii amimetum ad suppurationes* « collyre de C. Tittius inimi-

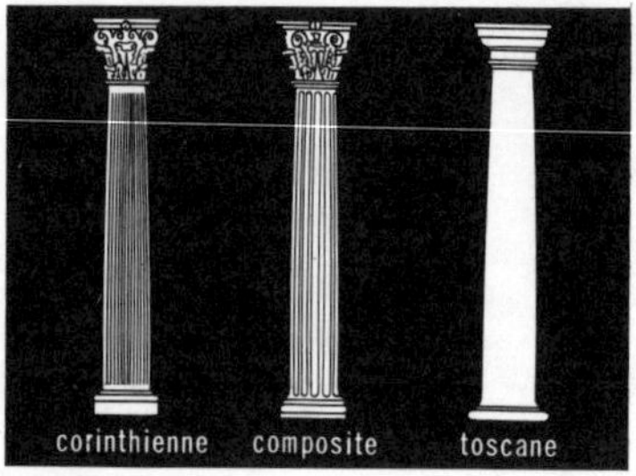

Ordres architecturaux les plus fréquents, mais le toscan nous est mal connu.

table contre les suppurations ». Les Romains ignoraient l'usage des verres de correction : toutefois, quelques tentatives ont peut-être été faites, si c'est bien en ce sens qu'il faut interpréter l'habitude qu'avait Néron*, qui était myope, de se servir d'une émeraude concave pour observer les combats de l'amphithéâtre*; mais nous n'avons aucune certitude.

optimates (de *optimi*, les meilleurs). Ce terme désigne, sous la République*, tous ceux qui appartiennent à l'aristocratie et sont les tenants du conservatisme, de la tradition et du sénat*. Ils constituent un groupe fermé et sont les adversaires des *populares*. Il n'y a pas équivalence entre noblesse* et *optimates*, car certains nobles appartiennent au parti* des *populares*.

orateur → avocat; rhéteur.

ordre → classes sociales; noblesse; ordre équestre.

ordre équestre (ordo equester). Il tire son nom et son origine d'une qualification militaire et est lié à l'organisation « servienne » des 193 centuries*. Dans ce cadre centuriate, il y a 18 centuries qui ont un cens* supérieur à celui de la première classe et qui reçoivent de l'État le « cheval public », c'est-à-dire le prix d'achat et d'entretien du cheval, pour servir dans la cavalerie. Ce sont les « chevaliers » *(equites Romani equo publico)*, distincts des simples « cavaliers » *(equites)* qui s'équipent à leurs frais. Ainsi pour être chevalier, il ne suffit pas d'avoir le cens requis (400 000 sesterces* au IIIe s. av. J.-C.), mais il faut encore être choisi par les censeurs*; c'est donc une dignité. Dès le IVe s. d'ailleurs, l'ordre équestre se détache de ses origines militaires, car le rôle de la cavalerie dans l'armée romaine est réduit et elle est fournie par les alliés* et les auxiliaires. L'ordre reste ouvert : patriciens* et plébéiens*, Romains et Italiens* y accèdent. Mais, à partir du IIe s., les sénateurs* n'en font plus partie : l'appartenance à l'ordre équestre est incompatible avec la carrière des honneurs*. Les chevaliers qui veulent accéder aux magistratures* doivent rendre leur « cheval ».

L'ordre équestre n'est pas composé uniquement d'hommes d'affaires et de publicains* : il y a de riches propriétaires fonciers, des professions libérales (jurisconsultes*, avocats*), des magistrats municipaux. À la fin du IIe s. av. J.-C., C. Gracchus* leur confie les tribunaux* permanents, que Sulla*, ensuite, leur enlève au profit des sénateurs. Leur appui politique et financier est important; mais les chevaliers ne constituent pas un « parti* » politique.

L'ordre équestre, aristocratie en second, a droit à des marques d'honneur : l'anneau* d'or, la *trabea* (toge blanche à bande de pourpre); le 15 juillet, chaque année, a lieu une *parade*, la *transvectio equitum*.

Sous l'Empire*, beaucoup de chevaliers fournissent les cadres de l'administration. Une « carrière des honneurs »* leur est réservée, mais l'empereur peut faire accéder à l'ordre sénatorial les chevaliers qui possèdent un cens suffisant.

ordres architecturaux. Pour l'ornementation extérieure et intérieure de leurs constructions, les Romains ont repris les ordres grecs (dorique, ionique, corinthien), mais avec moins de rigueur dans l'application des principes de style : par exemple en mariant une frise dorique à une colonnade ionique, ou bien en recourant à des ordres différents selon les étages (rez-de-chaussée en dorique, premier étage en ionique, second en corinthien). Le corinthien romain est d'ailleurs souvent une simplification (acanthes à feuilles lisses, à feuilles d'olivier) ou au contraire un enrichissement (figures humaines ou animales à la place des volutes d'angle) du corinthien grec.

D'autre part les Romains ont connu deux ordres nouveaux : le toscan, hérité des Étrusques*, qui est un dorique simplifié, et le « composite », dont les chapiteaux combinent les volutes ioniques et les corbeilles de feuilles d'acanthes. L'arc* de Titus est le premier monument pour lequel on a utilisé cet ordre composite. → **architecture.**

organisation municipale. Les différents statuts accordés par Rome aux cités d'Italie* et des provinces* leur laissaient le plus souvent une certaine autonomie administrative ; mais la romanisation de plus en plus grande de tout l'Empire* conduisit nécessairement à une unification, plus ou moins marquée, des institutions municipales, qui tendirent à copier celles de Rome. On rencontre généralement trois organes : 1° une assemblée du peuple *(comitia)* ; 2° un sénat *(curia, ordo decurionum)*, composé de décurions* ; 3° des magistrats, dont le nombre et les fonctions varient selon les cités : édiles, questeurs, duumvirs à compétence judiciaire. D'autre part, il existe des sacerdoces municipaux ; à cet égard, Rome s'est montrée très tolérante, ne cherchant pas à imposer ses dieux, et laissant se former des syncrétismes locaux.

Certaines cités de Grèce et d'Orient conservèrent pourtant leurs propres constitutions.

L'exercice de magistratures municipales permettait souvent d'accéder à la citoyenneté* romaine.

origines de Rome.

1. La légende. Quand Énée* a abordé sur les rives du Latium, il a obtenu la main de Lavinia, la fille du roi Latinus, et a fondé en son honneur la ville de Lavinium. À la mort d'Énée, son fils Ascagne (ou Iule) fonde la ville d'Albe la Longue, au pied des monts Albains. Douze rois succèdent au fils d'Énée, mais le dernier, Amulius, est un usurpateur, qui a détrôné son frère aîné, Numitor, et qui, pour lui ôter tout espoir de descendance, a fait entrer sa fille Rhéa Silvia chez les vestales*. Mais contre le destin*, les hommes sont impuissants : le dieu Mars s'unit à Rhea Silvia et lui donne des jumeaux, Remus et Romulus, qu'Amulius abandonne dans leur berceau sur le Tibre. Le courant les dépose au pied du Palatin : une louve qui gîte dans la grotte du Lupercal les nourrit ; puis deux bergers les recueillent et les élèvent. Devenus adolescents, Remus et Romulus vengent Numitor qu'ils rétablissent sur le trône d'Albe, tandis qu'eux-mêmes vont fonder une ville nouvelle. Sur le terrain où Rome doit s'élever, les deux frères prennent les auspices* : une querelle naît entre eux, au cours de laquelle Remus est tué. Romulus trace un sillon autour du Palatin : la *Roma* Quadrata* est née (753 av. J.-C.).

Romulus, premier roi de Rome, règne jusqu'en 717. Il divise la population en 3 tribus* et 30 curies*. Pendant son règne se place l'enlèvement des Sabines* qui provoque une guerre entre Sabins et Latins, qui finalement ne formeront qu'un seul peuple ; aussi Titius Tatius, roi des Sabins, partage-t-il le pouvoir avec Romulus. Celui-ci disparaît mystérieusement au cours d'un orage. Il sera vénéré sous le nom du dieu Quirinus. Un Sabin très pieux lui succède, Numa Pompilius (717-673). Il organise la vie religieuse (temple* de Vesta, de Janus, organisation du sacerdoce, création des flamines* majeurs, division de l'année en 12 mois, répartition des jours en fastes* et néfastes, etc.). Son successeur, sabin lui aussi, est un roi guerrier, Tullius Hostilius (672-641) : il mène la guerre contre Albe, réglée par le combat des Horaces* et des Curiaces, et intègre les Albains à l'*Urbs**. Il fait construire, pour les réunions du sénat*, la Curia* Hostilia. Le Caelius et le Capitole* sont incorporés à Rome. Un troisième roi sabin lui succède, Ancus Martius (639-616). Il institue le droit de la guerre* et les cérémonies de déclaration d'hostilités, incorpore l'Aventin et fonde la colonie* d'Ostie. Lucius Tarquinius (dit Tarquin l'Ancien), fils d'un Grec de Corinthe et habitant Tarquinies, était venu à Rome où son talent l'avait fait remarquer. Il succède à Ancus Marcus. Premier roi étrusque (616-579), il agrandit et embellit Rome : construction du Grand Cirque*, assèchement des vallées grâce aux égouts*, etc. Mais il meurt assassiné. Servius Tullius, second roi étrusque (578-535), donne à Rome une constitution : division de la cité en cinq centuries* d'après la fortune, création des comices centuriates*, division et répartition des citoyens en quatre tribus* d'après le domicile ; incorporation des monts Quirinal et Viminal ; construction du mur « servien » autour des sept collines. Il meurt assassiné, victime d'un complot organisé par sa fille et son gendre, Tarquin le Superbe, dernier roi de Rome (534-509). C'est un tyran, qui fonde son pouvoir sur la force. Néanmoins il étend l'autorité de Rome, continue d'aménager la ville, construit le temple de Jupiter, Junon, Minerve sur le Capitole*. Mais son gouvernement tyrannique est lourd à supporter.

Lorsque son fils Sextus cède à une passion criminelle et déshonore Lucrèce, une vénérable matrone*, une révolte éclate, conduite par Collatin, le mari de Lucrèce, et par Junius Brutus. Le roi et les siens sont chassés et la République* instaurée (509) ; les comices centuriates élisent les deux premiers consuls, Collatin et Brutus. Telle est la légende des origines de Rome, formulée sous la République et au début de l'Empire* par les poètes et les prosateurs.

2. La réalité. Mais, dès le XVIe s., les historiens ont émis des doutes sur l'authenticité des faits rapportés et qu'ont imaginés les Romains pour dissimuler des origines plus humbles. Les recherches modernes, à la lumière de la sociologie, de la mythologie comparée, de l'archéologie, permettent d'entrevoir la réalité, que recoupent parfois certains éléments de la légende. Le Palatin a été effectivement habité au VIIIe s. par des colons venus d'Albe et, au cours du siècle suivant, de nouveaux villages se sont installés sur les autres collines. Ces populations sont des pasteurs, vivant dans des cadres gentilices. Elles se sont fédérées pour former la ligue du Septimontium*, qui groupe les villages de Latins installés sur le Palatin, l'Esquilin et le Caelius (VIIe s.). Cette fédération, aux liens assez lâches, est contemporaine de la dissolution de la ligue albaine et de la chute d'Albe. Les monts Quirinal et Viminal sont habités par des Sabins ; après des luttes opposant Latins et Sabins, les deux races ont pu se fondre en une seule. On aurait eu alors la Ville aux sept collines, mais le mur d'enceinte ne peut être le mur « servien », plus tardif. Assez tôt a dû apparaître une activité commerciale, que favorisaient la navigation sur le Tibre et la construction de routes. L'organisation de la Rome royale, sous forme embryonnaire, est peut-être antérieure aux Étrusques* ; mais ce sont les Étrusques qui, vers 575, font de Rome une cité et imposent les cadres d'un gouvernement monarchique. Leur apport est important : le nom même de Rome est sans doute étrusque. Mais les réformes attribuées à Servius Tullius datent vraisemblablement du Ve siècle. Au début du Ve s. sont construits de nombreux temples : ceux de Jupiter Capitolin, de Saturne, de Mercure, de Cérès. Le départ des Étrusques se situe vers 480 ; mais le passage de la royauté à la République ne s'est pas opéré d'un seul coup ; pendant plusieurs décennies, et peut-être même pendant les dernières années de la présence étrusque, les patriciens* ont cherché un nouvel ordre politique.

ornements triomphaux (insignia triumphalia), **récompenses accordées sous l'Empire* aux généraux qui avaient remporté de grandes victoires, et qui ne pouvaient obtenir le triomphe* réservé de droit à l'empereur.**

Ces « ornements » sont le costume du triomphateur (toge* pourpre brodée d'or) et la couronne* de laurier.

otium, notion importante dans la civilisation de Rome ; mais l'étymologie de ce mot est incertaine et son contraire (*negotium*, activité) n'éclaire qu'en partie sa signification. En effet, celle-ci oscille entre une acception péjorative (paresse, désœuvrement) et une acception favorable et positive (réflexion, méditation).

C'est qu'en réalité l'*otium* vaut ce que vaut l'homme quand il est livré à lui-même, qu'il est libéré des affaires quotidiennes. C'est un art d'être soi-même, et donc un art difficile. Pour les uns, ce sera l'oisiveté, l'inaction ; pour d'autres l'individualisme égoïste ; pour d'autres encore, la facilité ou les plaisirs ; mais ce peut être aussi le loisir studieux, la contemplation, le retour fructueux sur soi, l'étude, la création littéraire ou philosophique. C'est surtout à partir du IIe s. av. J.-C. que, progressivement, s'imposa l'idée d'un loisir soustrait aux obligations de la ville et consacré à la culture de l'âme et de l'esprit.

ovation (ovatio), **récompense accordée à un général vainqueur, mais inférieure au triomphe*.**

Le vainqueur, couronné de myrte, entrait à Rome à pied ou à cheval, et montait au Capitole* offrir un sacrifice*. Le cortège qui l'accompagnait était moins spectaculaire et moins important que lors d'un triomphe.

Ovide (P. Ovidius Naso : 43 av.-18 apr. J.-C). Né à Sulmone (Samnium) d'une famille équestre, Ovide s'est tourné tôt vers la littérature. Il laisse une œuvre poétique variée : des poèmes érotiques, qu'il a écrits en homme de lettres plus qu'en amoureux passionné *(l'Art d'aimer, Héroïdes)*; des poèmes plus importants et savants (*les Métamorphoses*, épopée de goût alexandrin, *les Fastes*, sorte de calendrier commenté); des élégies, écrites en exil* à Tomes *(les Tristes, les Pontiques)*. Sur les raisons de cet exil (en 8 apr. J.-C) on est réduit aux hypothèses : d'après l'une d'elles, Auguste* aurait pris ombrage des convictions pythagoriciennes d'Ovide, qui le conduisaient à se livrer à des opérations de divination* sur l'avenir de l'empereur.

P

Pain (panis). L'usage du pain est récent à Rome (IIIe s. av. J.-C.) ; pendant longtemps on a utilisé galettes et bouillies. On distingue différentes sortes de pain, selon la cuisson (pain cuit dans une tourtière spéciale, *artopta*, dans un four, sous la cendre) et selon la qualité (pain de fleur de farine, de farine moyenne, pain noir, pain complet, pain de son pur). Le pain était aromatisé avec des graines de pavot, d'anis, de céleri, et était généralement présenté sous forme de miche ronde, fendue en quatre.

Jusqu'au IIe s. av. J.-C., le pain a été fait dans la cuisine ; puis sont apparus les boulangers (*pistores*). Ceux-ci étaient groupés en corporation* et, sous l'Empire*, ils étaient soumis au préfet* de l'annone. Constantin* réglementa rigoureusement la profession, qui devint héréditaire ou même imposée à titre pénal.

paix → fétiaux; guerre.

paix des dieux (pax deorum), expression révélatrice de la mentalité religieuse des Romains : avant d'entreprendre toute action, il faut avoir l'assurance que sa réalisation ne déclenchera pas une réaction hostile des dieux*, que ceux-ci ne seront pas irrités. Le prodige*, précisément, révèle à l'homme que cette paix entre les dieux et lui est rompue : il convient alors de trouver le moyen de les apaiser en conjurant le prodige et, ainsi, de maintenir l'accord entre l'humain et le divin. Ne pas rompre « la paix des dieux » est une condition nécessaire pour la paix de la cité.

paix romaine (pax Romana, Augusta). Cette expression désigne la longue période de paix et de prospérité qu'a connue l'Empire* durant les deux premiers siècles apr. J.-C. Venant après les guerres civiles* qui ont marqué la fin de la République*, entretenue aussi par l'idéologie impériale, cette période faste a été accueillie avec ferveur par les Romains, sensibles aussi à la domination qu'exerçait l'Empire sur l'ensemble du monde méditerranéen. Beaucoup, alors, étaient tout prêts à penser qu'elle serait éternelle. Cette « paix romaine », qui fut une réalité, assurée et maintenue par des empereurs de talent et une armée* de valeur, eut également des aspects religieux : culte de la Paix Auguste et culte* de l'empereur sont liés. Dès l'an 13 av. J.-C., Auguste avait voulu symboliser la pacification de l'Empire en faisant élever un autel de la Paix Auguste (*ara Pacis Augustae*), qui fut consacré en l'en 9 av. J.-C. (sur le champ de Mars). Il se trouve que c'est également l'une des plus belles réalisations de l'art romain. Les reliefs représentent des scènes relatives à la légende des origines* de Rome et une procession solennelle, où figurent, stylisés, mais parfois avec un mélange d'intimité, l'empereur, les membres de sa famille, les magistrats*, le sénat*, les prêtres*, le peuple ; comme si, depuis sa fondation, Rome n'avait grandi que pour pouvoir un jour inaugurer un autel en l'honneur de la pacification de l'univers. L'inspiration est donc celle d'Horace* et de Virgile* à la même époque. Toute la mystique impériale et l'idéologie du principat* y sont contenues.

Toutefois, il y eut, pendant ces deux siècles, des soubresauts et des guerres : crise de 69 apr. J.-C. ; absolutisme de Domitien ; crise de 193 ; au-dehors, les ennemis de Rome restent dangereux et franchissent parfois les frontières de l'Empire. Mais, aux yeux des Romains, ces événements restent localisés dans le temps et dans l'espace, et la réalité profonde de la paix n'est pas atteinte, « ...si grande est la paix qui règne dans l'Empire » (Aelius Aristide).

parti politique. Le parti politique de type moderne, avec sa structure hiérarchique, son appareil administratif et son programme politique défini, n'a pas existé à Rome. Ce qui unit un homme politique à ceux qui soutiennent sa candidature, c'est avant tout un ensemble de liens assez complexes, reposant sur la notion de *fides**, qui implique confiance, loyauté, respect de la parole donnée, protection, assistance et comporte toutes sortes de devoirs mutuels. Le candidat pour lequel on vote est moins celui qui représente ses idées politiques que celui auquel on est attaché par des liens réciproques. C'est la *fides* qui est à la base d'une amitié entre deux hommes ou deux groupes politiques, comme à la base d'une alliance ou d'une conjuration. Toutefois, en dépit de ces différences importantes, il y a eu des groupes ou des tendances politiques. Pour les désigner, la langue* latine dispose essentiellement de deux termes. D'une part, *factio :* ce mot a plutôt un sens familial, de portée limitée ; il désigne tous ceux qui sont unis par des liens de parenté ou de clientèle* à celui qui est considéré comme leur chef et vise à la défense d'intérêts personnels ; d'autre part, *partes :* ce mot suppose généralement des groupements plus vastes que les « factions », et dont les membres sont liés par des intérêts politiques ; en un sens, les *partes* seraient assez voisines de nos « partis d'opinion ». Ce terme peut désigner des formations assez vastes : le « parti » de Marius*, de Pompée*, de César*... Le « leader » s'appelle l'*auctor* (le garant, le fondateur), le *dux* (le guide) ou encore le *princeps* (le premier).

Ces différents partis ou groupes s'appuient sur tel ou tel ordre, sur telle ou telle classe* (noblesse*, ordre* équestre, plèbe*). Mais il n'y a pas coïncidence exacte entre un ordre et un « parti » et, d'autre part, leurs rapports ont varié. Par exemple, les Gracques, chefs des *populares**, étaient issus de la plus haute noblesse* ; Pompée, issu également de la noblesse, s'appuya, pendant une grande partie de sa carrière, sur les *populares**, sans renoncer à incliner vers les *optimates** quand il le jugeait bon ; et parmi ces derniers, on compte aussi bien des nobles que des chevaliers*.

Bien entendu, la notion de « parti » disparaît sous l'Empire*, où les carrières politiques dépendent désormais de l'empereur.

pater familias → puissance paternelle.

pâtisserie (dulcia, douceurs). La préférence des Romains allait aux gâteaux à base de fromage, souvent réduit en poudre ; ils étaient généralement cuits sur des feuilles de plantes ou d'arbres aromatiques et présentés enduits de miel et saupoudrés de graines de pavot ou de sésame.

Parmi les entremets les plus recherchés il y avait les beignets, les crèmes et les omelettes sucrées. Voici une recette de crème, que nous a transmise le gastronome* Apicius, contemporain d'Auguste* et de Tibère* : « Dans du vin au poivre, mettre du miel, du vin pur, du vin de paille, de la rue. Ajouter des amandes de pin, des noix, de la semoule cuite à l'eau ; puis des noisettes grillées et cassées. Servir. »

La confection des gâteaux et entremets était confiée à des « pâtissiers-confiseurs » (*pistores dulciarii*).

patres → classes sociales ; sénat.

patria potestas → puissance paternelle.

patron (patronus, de *pater*, père). Ce terme signifie « protecteur, défenseur » et s'emploie en plusieurs sens, selon les rapports qui s'établissent entre le patron et son ou ses protégés. On peut, en effet, être le patron : 1° d'un client*, 2° d'un affranchi* : celui-ci doit à son patron le respect (*obsequium*), qui limite ses droits en justice* en cas de litige avec le patron ; il lui est redevable aussi d'un certain nombre de travaux domestiques, personnels (*operae*) ; enfin une partie de ses biens (*bona*) reviennent au patron, lors de la succession, si l'affranchi n'a pas d'héritier. De son côté, le patron doit aide et protection à l'affranchi. D'autre part, en justice, le patron est l'avocat* qui prête l'appui de sa parole. — Les villes de province* avaient souvent à Rome un patron, qui les représentait et était chargé de défendre leurs intérêts (*patronus coloniae, municipii*).

patrum auctoritas → loi ; sénat ; sénatus-consulte.

Paul Émile (C. Aemilius Paullus : 228-160 av. J.-C.), Consul* en 182 et 168, il vainquit Persée, fils de Philippe V et dernier roi de Macédoine, à Pydna* (168) ; il entreprit alors la réorganisation politique de la Grèce. Pour ses funérailles*, Térence* écrivit *les Adelphes* et *l'Hécyre*. Paul Émile symbolise l'union de la tradition romaine et de l'hellénisme*, que son fils Scipion* Émilien maintiendra.

pêche (piscatus). Les techniques de la pêche étaient peu différentes des nôtres : on utilisait l'hameçon, le filet, la nasse, le trident. Le goût très prononcé des Romains pour le poisson (mulet, turbot, daurade) et les coquillages (huîtres, moules, palourdes) faisait de la pêche une industrie très active, avec ses annexes, viviers et parcs à huîtres (→ élevage ; gastronomie). Mais la pêche était aussi un sport*, en faveur surtout sous l'Empire*, et que pratiquèrent, entre autres, Auguste* et Marc* Aurèle.

pédagogue (paedagogus, « qui conduit les enfants »), **esclave* chargé de surveiller les enfants de son maître, de les faire travailler, de les conduire à l'école, etc.**

On choisissait pour cette charge un esclave raffiné et instruit, qui pût déjà contribuer à l'éducation* du jeune Romain, et, si possible, un Grec, de manière que l'enfant apprît très jeune la langue d'Homère, en même temps que le latin, ou même avant.

peinture. Nous connaissons la peinture romaine essentiellement par les fresques qui ornent les murs des maisons de Pompéi, Herculanum et Stabies, ensevelies en 79 apr. J.-C. sous l'éruption du Vésuve. En effet, en dehors de la peinture campanienne, on a seulement retrouvé quelques très anciennes peintures funéraires, qui décoraient des hypogées d'Italie méridionale, à Ruvo (Vᵉ s. av. J.-C.), à Paestum (IVᵉ s. av. J.-C.), à Cumes (IVᵉ-IIIᵉ s. av. J.-C.), et aussi une importante collection de portraits peints sur toile ou sur bois dans l'oasis du Fayoum (Moyenne Égypte) : ces portraits s'étendent de l'époque augustéenne à celle de Constantin et reflètent assez fidèlement l'évolution de la sculpture* contemporaine. On distingue traditionnellement quatre styles dans la peinture pariétale de Campanie. Le premier style (150-80 av. J.-C.) imite la polychromie des plaques de marbre ; les éléments figuratifs sont absents. Ceux-ci apparaissent avec le deuxième style (79 av. J.-C. - vers 30 apr. J.-C.). Éléments figuratifs et décoratifs s'intègrent dans une synthèse harmonieuse qu'il ne convient pas de dissocier. Ce second style se propose de donner l'illusion d'un décor architectural, détaché en avant de la paroi. Encadrés par des motifs architecturaux, les paysages, animés de personnages mythologiques ou réels, suggèrent l'espace au-delà de la paroi ; cette technique du trompe-l'œil permet de créer un paysage imaginaire qui s'introduit à l'intérieur de la maison* (maison de Livie à Rome, villa des Mystères à Pompéi). Le troisième style (vers 30 - vers 50 apr. J.-C.) renonce aux effets de perspective : les éléments architecturaux (colonnes, architraves, frontons) visent non plus à donner l'illusion de la profondeur, mais à orner ; ils encadrent des panneaux monochromes décorés en leur centre d'une figure isolée ou d'un petit tableau (maisons de Lucretius Fronto, du « Centenaire » à Pompéi). Le quatrième style enfin (vers 50-79 apr. J.-C.) est celui qui est le mieux représenté à Pompéi (maison des Vettii) ; il allie la composition décorative et spatiale, marque le triomphe de la fantaisie et des couleurs. Les motifs architecturaux, où abondent arabesques, dorures, ciselures, rappellent les décors dramatiques. Sur les panneaux, les personnages semblent évoluer comme des acteurs* sur une scène ; les paysages ne sont plus minutieusement dessinés, mais brossés à coups de pinceau rapides, animés par des jeux de lumière ; parfois des reliefs de stuc accentuent encore l'impression d'une véritable mise en scène. C'est dans ce style qu'est décorée la Maison d'Or de Néron* à Rome : il convenait en effet à l'empereur musicien et historien.

Après 79, il est difficile de suivre l'évolution de la peinture murale romaine, car les documents sont rares. À partir de la fin du IIe s. apparaissent les premières fresques sur les murs des catacombes* chrétiennes.

pénates (Penates). Au nombre de deux par maison, les pénates sont les divinités qui, à l'origine tout au moins, veillent sur les provisions de bouche (*penus*), l'une sur la boisson*, l'autre sur les aliments. Leur autel est le foyer* et ils sont représentés sous la forme de génies dansants et portant une corne à boire. Chaque jour, le repas* s'interrompt et, dans le silence, une portion des aliments est posée sur le foyer ou jetée dans son feu. Mais des confusions sont nées avec Vesta, déesse du foyer, avec le lare* aussi, et les pénates apparaissent dans le laraire*, où ils constituent une triade. Mais, à côté des pénates familiaux, il y avait les pénates publics, au nombre de deux également, chargés de protéger l'État. Ils possédaient un culte* à Lavinium (où ils passaient pour être ceux qu'Énée* avait ramenés de Troie), à Albe* et à Rome (dans le temple* de Vesta), où ils furent associés au culte de Romulus* et Remus, ainsi qu'à celui de Castor et Pollux.

père de la patrie (Pater ou Parens Patriae), **titre où s'expriment le respect, la reconnaissance et l'affection des Romains pour les hommes qui, dans des circonstances graves, ont bien servi l'État.**

Ainsi, sous la République*, Camille*, Q. Fabius*, Marius*, Sulla*, Cicéron* après l'échec de la conjuration de Catilina, enfin César* après Munda (45 av. J.-C. : victoire sur les fils de Pompée), l'ont mérité. Auguste* est dit également *Pater Patriae* en 2 av. J.-C. Par la suite, pratiquement tous les empereurs porteront ce titre honorifique.

Quelques impératrices (Livie*, Julia Domna, épouse de Septime Sévère, par ex.), reçurent le titre correspondant de *Mater Patriae.*

pérégrins (peregrini, « étrangers »), **hommes libres qui ne sont ni citoyens* romains ni Latins*, et se trouvent résider sur le territoire de Rome.**

Longtemps leur situation fut précaire, car, au civil, ils ne jouissaient d'aucun droit*. En 241 av. J.-C., on institua un préteur pérégrin (*praetor peregrinus*), chargé de régler les problèmes posés par leur présence et d'arbitrer les différends qui pouvaient surgir soit entre pérégrins, soit entre pérégrins et citoyens. En dehors de ces cas, ils vivaient sous leurs propres lois.

Sous l'Empire*, le droit de cité fut fréquemment accordé, et le nombre des pérégrins diminua.

péristyle (peristylium). Cour entourée d'un portique*, le péristyle fait son apparition dans l'architecture* de la *domus** vers l'époque des guerres puniques*, et devient le centre de la vie familiale, derrière l'ensemble constitué autour de l'*atrium**. Du même coup, l'ancien jardin* (*hortus*), assez modeste, essentiellement potager, a disparu pour laisser place au péristyle, agrémenté de plantes et de statues, avec au centre un jet d'eau. Sur le péristyle donne, dans l'axe de l'*atrium* et de l'entrée, l'*oecus,* salon luxueux, réservé aux réceptions. Quant au jardin, il est situé maintenant derrière l'*oecus* précisément : on y cultive plantes grasses, fleurs* (roses, lis, violettes), arbustes (lauriers-roses) ; statues, fontaines*, mosaïques*, jets d'eau l'embellissent. Plus généralement, le goût des jardins*, déjà très net dans le dernier siècle de la République*, ira en se développant sous l'Empire.

Perse (A. Persius Flaccus : 34-62 apr. J.-C.). Poète stoïcien*, ami de Lucain*, Perse est l'auteur de six *Satires*, écrites en un style énergique et dense, mais parfois obscur. Sa mort prématurée l'empêcha de laisser une œuvre plus ample, dans laquelle il aurait peut-être atténué sa rigueur doctrinale ; mais, telle quelle, son œuvre lui assura un succès immédiat.

Pétrone (C. Petronius Arbiter : mort en 65 apr. J.-C.). Épicurien*, ami intime de Néron*, puis compromis dans la conjuration de Pison, Pétrone fut contraint de se donner la mort. Il semble bien qu'il soit l'auteur du *Satiricon*, roman « picaresque » qui ne nous est pas parvenu en entier. La partie la plus importante en est *le Festin de Trimalcion*, qui peint le luxe d'un riche affranchi*. Pétrone y fait preuve de grandes qualités de réalisme et de fantaisie.

phares (phari, du nom de l'île de Pharos célèbre par son « phare » : 200 av. J.-C.). Comme les Grecs, les Romains ont construit des phares pour guider les navigateurs. L'un des plus célèbres est celui que fit construire Caligula à Boulogne : il avait une hauteur de 60 m environ et a subsisté jusqu'au XVIIe s. On ne sait pas si le système d'éclairage à intermittence était connu.

pharmaciens (pharmacopolae). C'est seulement à la fin de l'Empire* que la pharmacie a été conçue comme nous la concevons aujourd'hui, c'est-à-dire comme une auxiliaire de la médecine : le pharmacien prépare (ou préparait) le médicament prescrit par le médecin*. Jusqu'alors, en effet, il n'y avait pas de pharmacien à proprement parler, mais des marchands d'aromates, de parfums, d'onguents, d'encens, d'herbes diverses, qui vendaient toutes sortes de potions et de drogues, à la demande du client, sans qu'il soit besoin d'une ordonnance (ce commerce était réglementé par une loi*, datant du début du Ier s. av. J.-C., qui interdisait la vente des poisons). Aussi, lorsqu'un médecin prescrivait un remède, devait-il le préparer lui-même dans son officine.

Pharsale, ville de Thessalie, au sud de Larissa, où César* vainquit Pompée*, qui ne put tirer parti de sa supériorité sur mer et fut battu presque sans combat (9 août 48).

Phèdre (C. Julius Phaeder : 15 av.-vers 50 apr. J.-C.). Thrace, affranchi* par Auguste*, Phèdre a écrit plus d'une centaine de *Fables* : celles-ci, imitées d'Ésope, souffrent de la comparaison avec les *Fables* de La Fontaine, mais elles révèlent un goût sûr, sachant prendre les tons les plus divers.

Philippes, ville de Macédoine où, en 42 av. J.-C., Antoine* et Octave* battirent, en deux actions successives, les armées* républicaines que commandaient les pompéiens Brutus* et Cassius. C'est à Antoine, plus qu'à Octave, que revient le mérite de la victoire.

Philippiques → Antoine ; Auguste ; Cicéron.

philosophes (sapientes, philosophi). L'influence de l'hellénisme* s'est exercée sur Rome dès le début du VIe s. av. J.-C. par l'intermédiaire des Étrusques*, puis, plus tard, au contact des villes de la Grande Grèce (IVe s.). L'introduction de la philosophie à Rome n'est d'ailleurs qu'un aspect de cette influence de la Grèce. Déjà, Appius* Claudius, le censeur* de 312, était pythagoricien ; au siècle suivant, l'œuvre d'Ennius* est imprégnée de philosophie. Mais, vers le début du IIe s., lorsque la conquête romaine se développe vers l'Orient, des philosophes de profession viennent à Rome, où ils ne sont pas toujours bien accueillis. Cependant, en dépit des réactions du sénat*, la philosophie prendra droit de cité. Paul* Émile confie l'éducation de son fils, Scipion* Émilien, à des philosophes. Deux épicuriens*, Alcios et Philiscos, tiennent école à Rome : leur doctrine, en particulier leur morale*, pouvait paraître contraire aux vertus romaines, et le sénat les fit expulser. Mais d'autres philosophes reviennent, à nouveau chassés, en 161, par le préteur* M. Pomponius : la même décision vaut également pour les rhéteurs, ce qui tend à montrer que ce ne sont pas tant les doctrines qui sont visées par ces mesures qu'une certaine forme de culture, susceptible, aux yeux du sénat, de détourner la jeunesse d'activités plus utiles : les discussions sont une perte de temps. Deux ans plus tard, en 159, Cratès de Mallos, grammairien et philosophe, donne une série de conférences qui obtiennent le plus vif succès. On le voit, d'une part les Romains sont loin d'être insensibles aux enseignements qui viennent de Grèce ; d'autre part, les mesures d'expulsion n'ont qu'une portée temporaire. En 155 se place la célèbre ambassade de l'académicien Carnéade, du stoïcien Diogène de Séleucie et du péripatéticien Critolaos, venus à Rome pour plaider la cause d'Athènes qui avait quelques difficultés. Carnéade eut un succès de scandale : son habileté à faire l'éloge de la justice, puis à montrer ensuite qu'elle n'était qu'une chimère, déconcerta les sénateurs qui renvoyèrent nos trois philosophes. Entre-temps, C. Laelius, l'ami de Scipion Émilien, s'était converti au stoïcisme de Diogène, et rien ne pouvait empêcher les citoyens de recevoir chez eux des philosophes. C'est ainsi, par exemple, que le stoïcien Blossius est le conseiller de Tib. Gracchus* ; que Panetius de Rhodes, le fondateur du moyen stoïcisme, est admis en 140 dans le « Cercle* des Scipions », où il aura une grande influence immédiate sur le poète Lucilius*, entre autres, et à plus lointaine échéance sur Cicéron* et la philosophie romaine.

Dès lors, on peut dire que la philosophie est implantée à Rome. Écouter les leçons des philosophes fera partie de ce complément de culture que ne dispensent pas les écoles* romaines ; d'autre part, il y aura des philosophes romains (Lucrèce*, Cicéron, Sénèque*, Marc* Aurèle), qui donneront aux différents courants philosophiques une note originale, spécifiquement romaine. Sans doute arrivera-t-il à certains d'avoir maille à partir avec les empereurs Néron* ou Vespasien, mais ce sera pour des raisons politiques précises, et les décisions prises contre eux resteront sans lendemain. Schématiquement, on peut dire qu'il y eut une philosophie romaine à dominante stoïcienne et épicurienne sous la République*, stoïcienne sous l'Empire, néo-platonicienne sous le Bas-Empire ; mais c'est sans doute le stoïcisme qui a marqué le plus profondément la pensée des Romains, dont la sagesse (*sapientia*) était toute prête à accueillir ses leçons.

pietas, attitude qui consiste à remplir scrupuleusement ses devoirs aussi bien envers les dieux* qu'envers sa patrie et ses parents ou ses amis.

C'est donc, selon les cas, la « piété », l'affection, mêlée de reconnaissance et de respect, ou le patriotisme. Cette vertu, qui implique une relation réciproque de personne à personne, n'est guère concevable indépendamment des êtres sur lesquels elle s'exerce. C'est une attitude morale, une disposition intérieure, qui naît des rapports avec autrui et leur donne un style particulier. L'une de ses manifestations les plus belles est la *fides**.

Pietas fut divinisée à Rome et eut deux temples*.

piété → pietas ; religio.

Plaute (T. Maccius Plautus : vers 254-184 av. J.-C.). Originaire d'Ombrie, Plaute a été le plus grand auteur comique romain. Il aurait commencé par s'occuper d'entreprises de théâtre*, puis se serait ruiné et aurait écrit des comédies qu'il jouait lui-même, et qui obtinrent un grand succès. Il nous reste de lui une vingtaine de comédies (à sujet grec, dites *palliatae*) sur plus de cent qu'il aurait écrites. Parmi les plus célèbres : *Amphitryon*, comédie mythologique où le merveilleux se mêle à la farce, et qui fut souvent imitée dans le théâtre français ; *la Marmite*, dont Molière s'inspirera pour écrire *l'Avare ; les Ménechmes*, ou les malentendus et quiproquos suscités par la ressemblance de deux frères jumeaux ; *le Soldat fanfaron*. Ce qui caractérise le théâtre de Plaute, c'est d'abord le sens de l'action et du mouvement, que lui a peut-être donné son métier d'acteur*. L'intrigue, en effet, se réduit à un schéma que l'on retrouve à peu près identique partout : un jeune homme libre aime une courtisane ou une esclave et, pour l'acheter, il a besoin d'argent ; un esclave* rusé et point trop scrupuleux lui en procurera. Après bien des obstacles et des complications, plus ou moins vraisemblables, mais peu importe, on s'aperçoit que l'esclave ou la courtisane sont de naissance libre, et la pièce peut donc avoir une heureuse issue. Dans tout cela, peu de réflexions philosophiques, peu de psychologie (les personnages sont des types : le marchand d'esclaves, le vieillard près de ses sous, l'esclave rusé, le parasite...), mais une grande verve, un grand sens du comique et du « spectacle ». Les sujets sont empruntés aux Grecs de la comédie moyenne et nouvelle (recours à la « contamination »), mais Plaute a su combiner les éléments grecs et des traits romains, en particulier dans la satire de certains groupes sociaux. Sa morale est la morale traditionnelle des Romains de son temps : respect de la coutume*, défiance à l'égard de la passion amoureuse, sens du devoir civique, mépris pour le mode de vie des Grecs.

plèbe (plebs, masse). Les origines de la plèbe sont très discutées. Sans doute les plébéiens sont-ils, à l'origine, les descendants de population vaincues, d'étrangers* domiciliés, les anciens clients* des patriciens. Ils sont petits propriétaires, artisans, commerçants. Ils sont libres, mais n'ont aucun devoir ni aucun droit. Ils se différencient des patriciens en ce qu'ils ne possèdent pas leur organisation gentilice et ont « leurs » dieux* (Cérès, Liber, Libera, Mercure).

C'est la royauté étrusque qui fait entrer les plébéiens dans la cité : ce faisant, elle agissait pour des raisons de politique intérieure et extérieure : mais ils n'ont encore que des droits limités (le *jus commercii*, droit de faire des actes juridiques, mais non le *jus conubii*, droit de se marier légitimement). Toutefois les réformes attribuées à Servius Tullius (répartition des patriciens et des plébéiens dans les centuriens* selon la fortune, dans les tribus* selon le domicile), et qui datent sans doute du ve s., permettent progressivement à la plèbe d'acquérir l'égalité avec le patriciat. À plusieurs reprises, la plèbe se retira sur l'Aventin (où elle vénérait la triade Cérès, Liber, Libera) ou sur le mont Sacré (à une dizaine de kilomètres ou nord-est de Rome) ; devant cette menace de sécession, les patriciens accordèrent peu à peu ce que demandaient les plébéiens : en 491, création du tribunal* de la plèbe ; en 445, le *jus conubii* avec les patriciens ; en 367, droit d'accès au consulat* (lois Liciniennes) ; en 300, droit d'accès à la plupart des sacerdoces (loi *Ogulnia*).

Dès lors, l'opposition des deux ordres (patriciat et plèbe) s'estompe et il se forme une nouvelle aristocratie, composée des familles dont un membre a obtenu une magistrature* curule : la noblesse* (*nobilitas*).

La *plèbe* désigne alors le bas peuple.

plébiscite → assemblée de la plèbe ; loi.

pleureuses → funérailles ; nénie.

Pline l'Ancien → Pline le Jeune ; sciences.

Pline le Jeune (C. Plinius Caecilius Secundus : 62-vers 113 apr. J.-C.). Neveu de Pline l'Ancien, l'auteur d'une encyclopédie dite *Histoire naturelle*, qui trouva la mort pendant l'éruption du Vésuve, en 79 apr. J.-C. parce qu'il voulait observer de près le phénomène, Pline le Jeune fit une brillante carrière d'orateur, d'homme de lettres et d'homme politique, couronnée par le consulat* en 100 et le gouvernement* de la Bithynie en 111. Nous avons conservé de lui des *Lettres* (à ses amis, à Trajan*, avec les réponses de ce dernier), miroir de la société de son temps et témoignage sur la personnalité d'un honnête homme, cultivé et mondain ; son *Panégyrique de Trajan* (le discours de remerciement qu'il adressa, selon l'usage, à l'empereur quand il obtint le consulat) est un bel exemple d'éloquence d'apparat (avec ses exigences de tous ordres) et surtout un document historique important.

poignard (pugio). Il ne semble pas qu'antérieurement au IIe s. av. J.-C. le soldat romain ait été armé d'un poignard, c'est-à-dire d'une arme d'estoc différente de l'épée*, puisque celle-ci était déjà très courte. Mais, après l'adoption du glaive ibérique (fin du IIIe s. environ), le soldat a eu besoin d'une arme plus courte pour le corps à corps. Peut-être, au début, le poignard a-t-il été réservé aux officiers, mais, par la suite, son emploi s'est généralisé. Sa lame est courte (20 cm) et large (5 cm) ; on le porte à gauche.

Pollion (Asinius Pollio : 76 av. J.-C. 5 apr. J.-C.). Rallié à César* en 49, il est à Pharsale*, puis accompagne César en Afrique et en Espagne. En 40, il est consul et célèbre un triomphe* contre les Parthes.

Ami d'Antoine*, il se brouilla avec lui, mais garda toujours ses distances vis-à-vis d'Octava. Il fut lié avec Catulle*, plus tard avec Horace* et Virgile*, qui lui adressa sa quatrième *Bucolique*. Homme de lettres lui-même, il écrivit des tragédies, une *Histoire de la guerre civile* rapportant les événements de 60 à 43 av. J.-C., des discours, des poèmes, des traités de grammaire ; de cette œuvre, il ne nous reste rien. Il tint également un cercle* littéraire, ouvrit la première bibliothèque* publique (39 av. J.-C.) et organisa les lectures* publiques.

pomerium (de *post*, derrière, et *murus*, mur). Le *pomerium* est une sorte de « boulevard sacré », de part et d'autre du « sillon primordial » (*sulcus primigenius*) creusé dans la terre au moment de la fondation d'une ville → **urbanisme**. Cette enceinte fictive, de nature religieuse, matérialisée par des cippes*, ne coïncide pas nécessairement avec l'enceinte défensive, bien que l'une et l'autre aient tendu à se confondre.

Le tracé du *pomerium* pouvait s'agrandir dans la mesure où l'État accroissait ses conquêtes : ainsi, au temps de Sulla*, le *pomerium* de Rome, qui avait été plusieurs fois étendu, coïncidait avec l'enceinte de Servius Tullius, sauf en ce qui concerne l'Aventin, inclus dans celle-ci, mais exclu du *pomerium* jusque sous Claude. Après lui, Vespasien et Aurélien* l'étendirent à nouveau, et nous sommes, cette fois, bien renseignés sur ces extensions successives. Aurélien, le dernier, élargit la zone pomériale jusqu'à la muraille défensive qu'il fit élever : sans doute n'a-t-il pas jugé utile de placer des cippes, qui auraient fait double emploi avec elle. Du point de vue religieux et juridique, le *pomerium* a une grande importance : en pariculier, il établit une démarcation très nette entre les pouvoirs civils et militaires. Il était interdit de paraître en armes à l'intérieur du *pomerium* (sauf pour un triomphe*), d'y réunir les comices centuriates* qui, d'une certaine manière, étaient la nation « en armes » ; les licteurs* devaient retirer les haches de leurs faisceaux* ; les auspices* pris à l'intérieur du *pomerium* n'étaient pas valables à l'extérieur ; le droit d'intercession* des tribuns* ne pouvaient s'exercer qu'à l'intérieur ; les divinités étrangères, sauf exception, ne pouvaient y pénétrer ; les inhumations y étaient interdites, etc.

pompa circensis, procession solennelle qui précède la célébration des jeux*.

Mais ce sont les processions qui précèdent les jeux Romains et Plébéiens qui possèdent le plus d'éclat et de pittoresque. Le cortège partait du Capitole* et gagnait le Cirque* ; en tête, le magistrat* qui présidait les jeux, puis les prêtres*, la jeunesse romaine, les concurrents, les danseurs, les musiciens, enfin le cortège des dieux* sur des chars de parade. Dans ce cortège, musiciens et danseurs se livraient à toutes sortes de pitreries et adressaient des quolibets au public. Divertissement populaire d'essence religieuse, la *pompa circensis* a sans doute contribué à la naissance du théâtre* romain ; d'autre part, sa parenté avec les cortèges triomphaux est évidente.

Pompée

1. Pompée le Grand (*Cn. Pompeius Magnus* : 106-48 av. J.-C.). Issu de la plus haute noblesse*, Pompée fait ses premières armes sous les ordres de son père, lors de la guerre* sociale, puis combat contre les partisans de Marius*, en particulier en Sicile et en Afrique, où ses victoires lui valent le surnom de « Grand » (*Magnus*). De 77 à 72, il mène la lutte contre Sertorius qui, en Espagne, avait créé un véritable royaume romain. En 70, il est élu au consulat*, illégalement d'ailleurs, car il n'avait pas suivi les étapes de la carrière des honneurs*. Il s'emploie alors à défaire l'œuvre de Sulla*. En 67, on lui confie un commandement extraordinaire : il est chargé de la lutte contre les pirates qui sévissaient en Méditerranée. Son succès rapide lui vaut, l'année suivante, le commandement de la guerre contre Mithridate : les victoires qu'il remporte encore lui permettent de réorganiser et de pacifier l'Orient et d'adjoindre à l'Empire romain la province* de Syrie. Mais tous ses succès inquiétaient le sénat*, qui lui fit attendre un an le triomphe* (61). Mécontent et n'augurant rien de bon de l'anarchie gouvernementale, Pompée accepte de conclure une entente secrète avec César* et Crassus* : c'est le premier triumuvirat*

(60), que consolide le mariage de Pompée avec Julia, fille de César. Pendant l'absence de ce dernier en Gaule*, Pompée est pratiquement maître de Rome ; en 55, il est à nouveau consul ; en 54, il reçoit le gouvernement* des deux provinces d'Espagne, mais le confie à des lieutenants. La mort de sa femme en 54, celle de Crassus en 53 ont sensiblement ruiné le triumvirat. En 52, l'assassinat de Clodius* laisse craindre le pire. Aussi le sénat fit-il nommer Pompée consul unique et le chargea-t-il de rétablir l'ordre dans toute l'Italie*. On peut alors parler d'un « principat* » de Pompée, qui cherche à dépouiller César de sa puissance militaire. Mais, en 49, éclate la guerre civile : César franchit le Rubicon, frontière de sa province de Gaule Cisalpine. Pompée passe en Grèce et, après quelques succès locaux, il est finalement vaincu à Pharsale* (août 48). Il se réfugie en Égypte, mais il est assassiné sur l'ordre de Ptolémée XIV.

2. Sext. Pompeius Magnus (75-35 av. J.-C.), fils du Grand Pompée. Il lutta, après la mort de son père, contre César, puis contre Antoine* et Octave*. Il fut battu à Munda avec son frère (45) ; après quelques succès sur Octave en 38, il est vaincu par Agrippa* à Nauloque, près de Messine (36). Il se réfugia en Asie et fut tué à Milet.

Pont. → aqueduc ; architecture ; routes.

pontife (pontifex, « celui qui ouvre les voies vers les dieux »). Le collège des pontifes, créé par Numa, composé à l'origine de trois ou cinq membres, et, finalement, de seize, sous César*, tient une place exceptionnelle dans l'organisation religieuse de Rome. Gardien de la tradition, il est chargé de surveiller l'ensemble du culte* privé et public. Mais il a également d'autres attributions précises (*jus pontificale*) : consécration* des édifices, distinction des jours fastes* et néfastes, réglementation des jeux* d'origine romaine, garde des livres* « pontificaux » et, jusqu'à la fin du IVe s. av. J.-C., dépôt et connaissance des lois* et des formules des procédure*.

Ce collège fut ouvert à la plèbe à partir de 300 av. J.-C. ; ses membres furent d'abord recrutés par cooptation, puis furent élus par des comices restreints.

À la tête du collège, le grand pontife (*Pontifex Maximus*), nommé à vie par ses collègues, doté des prérogatives religieuses des anciens rois, loge dans leur ancien palais, la *Regia* ; les autres pontifes ne sont que ses conseillers ; il peut être magistrat et chef militaire. Si, théoriquement, il est inférieur en dignité au *Rex* sacrorum*, en fait c'est lui qui s'assure la primauté. Il nomme les quinze flamines*, choisit les vestales*, joue un rôle prépondérant dans le culte de Jupiter Capitolin, assiste aux mariages* par *confarreatio*.

Le prestige du grand pontife est considérable. César*, dès 63, obtient le grand pontificat ; sous l'Empire*, tous les empereurs porteront le titre de *Pontifex Maximus*.

populares (les « populaires »), **étiquette politique de tous ceux dont l'attitude commune est de s'appuyer sur la plèbe* et de chercher à gagner la faveur populaire : le lien le plus fort qui les unit est leur hostilité au sénat* et à tous ceux qui lui sont favorables (les *optimates**).**

En effet, on ne peut guère parler, à leur sujet, d'un parti* démocratique au sens moderne du mot. Ils ont peu ou pas de programme ; leur origine sociale est diverse : si les troupes se recrutent dans la plèbe, leurs chefs appartiennent souvent aux classes dirigeantes (noblesse*, ordre* équestre) ; ils n'ont souvent en vue que leurs intérêts personnels et, s'ils sont amenés à prendre effectivement des mesures en faveur de la plèbe, les lois sociales ne sont pas, en tant que telles, une fin en soi. Les *populares* apparaissent au IIIe s. av. J.-C., lorsque se forme une noblesse patricio-plébéienne. Parmi les plus célèbres, on peut citer C. Flaminius* (consul* en 223), les Gracques*, Marius*, Pompée*, Catilina*, Lentulus, son second, César*, Labienus, son lieutenant, Lépide, Antoine*. Mais seuls parmi eux, Flaminius et les Gracques ont combattu l'égoïsme de la noblesse par souci démocratique. Après l'échec des Gracques, la lutte entre les *populares* et les *optimates* culminera avec le conflit entre Marius et Sulla*, et dégénérera en batailles ouvertes sur le forum* entre Clodius* et Milon*.

port (portus). La côte italienne se prête moins bien que les côtes de Grèce à l'établissement de ports. En effet, les criques sont rares et les estuaires rapidement ensablés. Aussi les Romains ont-ils dû aménager des ports artificiels. En Italie*, ils créèrent les ports d'Ostie à l'embouchure du Tibre, de Civitavecchia, de Pouzzoles, etc. Le plus célèbre est celui d'Ostie qui, très tôt, fut celui de Rome, distante d'une trentaine de kilomètres. Mais c'est Auguste* qui tenta de rénover le port d'Ostie, toujours menacé d'ensablement ; après lui, Claude fit construire un bassin au nord de l'embouchure du fleuve, protégé par deux jetées incurvées aboutissant à un îlot artificiel qui fermait la passe ; ce bassin, doté de magasins et d'entrepôts, avait une surface de 70 ha. Trajan* l'agrandit encore en faisant creuser en arrière un autre bassin, hexagonal, de 32 ha et communiquant à la fois avec le bassin de Claude et avec le Tibre. Mais le port exigeait toujours de grands travaux de dragage pour pouvoir être utilisé par les gros navires* ; aussi lui préféra-t-on le port de *Cemtumcellae* (Civitavecchia), aménagé sur une côte rocheuse.

Rome avait sans doute possédé, dès les origines, un port au pied de l'Aventin, mais, assez tôt, les navires d'un gros tirant ne purent remonter jusque-là ; seules des embarcations légères apportaient les marchandises à l'*Emporium*, ensemble de docks et de magasins (*horrea*) à hauteur de la *Porta Portuensis*, sur la rive gauche du Tibre. En revanche, les navires de guerre, d'un tonnage moindre, remontaient jusqu'au port militaire de Rome, en bordure du champ de Mars, où étaient aménagés chantiers navals, arsenaux, etc. (*navalia*). Les ports étaient pourvus de phares* et d'amers pour guider les navires, d'ateliers et d'entrepôts de toutes sortes. Sous l'Empire*, les ports militaires furent ordinairement distincts des ports de commerce*.

porte.

1. Porte de ville *(porta)*. Dans les villes,

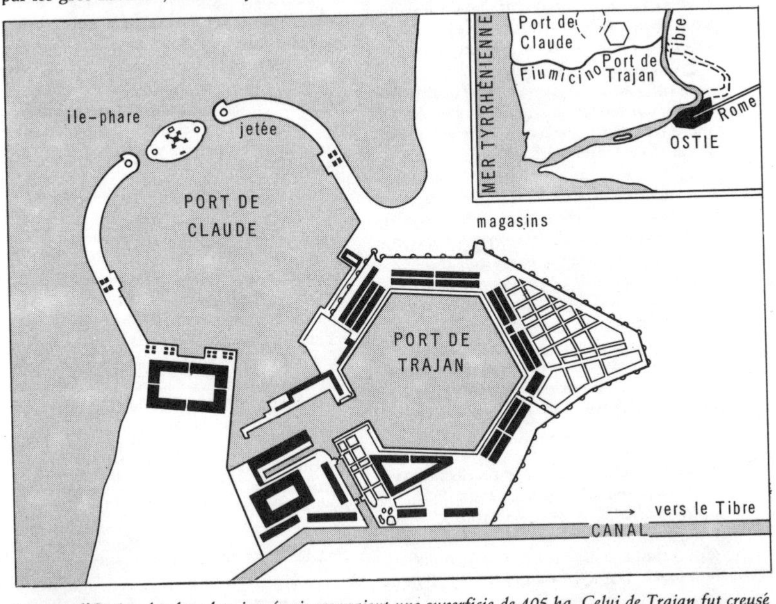

Le port d'Ostie : *les deux bassins réunis couvraient une superficie de 105 ha. Celui de Trajan fut creusé dans la terre ferme. Dans le cartouche, l'état actuel de la côte. (D'après A. Aymard et J. Auboyer,* Rome et son empire.)

les portes monumentales sont situées à chaque extrémité du *cardo** et du *decumanus* : elles sont donc en principe au nombre de quatre. Mais cela ne vaut pas pour Rome : le mur « servien » était percé d'une quinzaine de portes, et, beaucoup plus tard, le mur aurélien d'une vingtaine. Les portes, flanquées ordinairement de tours, comportaient de une à quatre baies.

Certaines, construites notamment pendant la « paix romaine »*, ont un but décoratif ; mais, par la suite, quand vinrent les invasions*, elles jouèrent le rôle défensif qu'elles ont en principe. Parfois des arcs* de triomphe ont tenu lieu de portes (par exemple, l'arc de Trajan* à Timgad), mais ils s'en différencient par la signification religieuse que ne possèdent pas les portes proprement dites.

2. Porte d'habitation *(janua)*. La porte d'entrée d'une *domus** est généralement en retrait par rapport à la rue, et l'espace, ainsi compris entre la porte et la rue, forme le vestibule, sorte de couloir tenant lieu de salle d'attente extérieure à l'appartement lui-même, où se tiennent du reste les clients* avant d'être reçus.

Les portes d'entrée sont généralement à deux battants (*fores*), en bois, et s'ouvrent à l'intérieur, en tournant autour de pivots (*cardines*) logés dans le seuil et le linteau. La fermeture est faite d'une serrure fermant à clef, doublée, pour plus de sûreté, de verrous ou de traverses. Pour se faire ouvrir, on frappait au heurtoir extérieur : certains marteaux de porte étaient d'une grande richesse. Franchir le seuil (*limen*) est un acte religieux ; y trébucher est de mauvais augure. À l'intérieur d'une maison, il n'y avait généralement pas de porte pour fermer les pièces mais des tentures*, ou, si les ouvertures étaient très larges, des espèces de paravents dont les battants (*valvae*) se repliaient.

porte-plume. Pour écrire sur le papyrus et le parchemin, les Romains ont connu le porte-plume à plume de bronze, mais l'usage en était très rare. On se servait communément d'un roseau (*calamus*) ou d'une plume d'oiseau (*penna*) que l'on taillait et fendait en deux.

Pour écrire sur les tablettes* de cire, on avait recours au stylet (*stilus, graphium*), en métal, en os ou en ivoire, dont une des extrémités, pointue, servait pour écrire, et l'autre, en forme de spatule, permettait d'effacer les lettres tracées, en polissant la surface, d'où l'expression : *vertere stilum*, « retourner son stylet », c'est-à-dire « effacer, corriger ».

On transportait commodément ces instruments dans une trousse ou un plumier (*theca*).

portique (porticus), galerie couverte dont la toiture est supportée par des colonnades : on en bordait les cours, les jardins*, les rues*, les temples*, les forums*. Prévus pour abriter de la chaleur et de la pluie, les portiques étaient souvent des lieux de promenade fréquentés, où s'installaient des magasins de luxe et qui s'agrémentaient de jardins et d'œuvres d'art. Les plus célèbres furent à Rome ceux du champ de Mars.

poste. Ce n'est que sous Auguste* que la poste devient un service d'État (*cursus publicus*), et, comme tel, il est réservé à la correspondance officielle. Il y avait des relais (*mutationes*), des auberges d'étapes (*mansiones*) où les courriers (*speculatores*) pouvaient se reposer. Les frais (entretien des chevaux, nourriture...) demeurèrent, malgré certaines dispositions, à la charge des cités traversées par le service postal. Mais les particuliers (comme du reste les magistrats* sous la République*) continuent de recourir à des esclaves* personnels (*tabellarii, cursores*). Les délais d'acheminement sont variables (selon les régions et les saisons) : on estime la vitesse moyenne de la poste romaine à 80 km par jour ; mais les nouvelles urgentes étaient communiquées plus rapidement : la révolte de l'armée du Rhin, les 1er et 2 janvier 69, fut connue à Rome neuf jours après, ce qui correspond à une course de 250 km par jour environ. L'hiver, la navigation étant pratiquement suspendue, la transmission des nouvelles se trouvait considérablement retardée.

poulets sacrés → présage.

préfecture (praefectura), **statut donné à certaines villes d'Italie*, moins libéral que celui des municipes*.**

Les préfectures ne conservent pas leur autonomie communale, mais sont administrées par des préfets (*praefecti jure dicundo*), nommés par les comices tributes* ou par le préteur*. La population a la citoyenneté* romaine sans le droit de vote (*civitas sine suffragio*). Ce statut fut celui de nombreuses villes d'Italie centrale : Cumes, Pouzzoles, Capoue, Volturnum, Atella, etc. Au Bas-Empire, les provinces sont regroupées en 4 préfectures.

préfet de l'annonce (praefectus annonae). Sous la République*, les édiles* étaient chargés de l'approvisionnement et du ravitaillement de Rome en blé et en denrées de première nécessité. César* avait même créé des *aediles Ceriales* spécialisés dans cette tâche (avec celle de l'organisation des jeux* en l'honneur de Cérès).

Mais Auguste les en déchargea et institua d'abord des *curatores* frumenti*; puis, à la fin de son règne, il créa une préfecture de l'annone, dont le titulaire, choisi dans l'ordre* équestre, exerçait la juridiction correspondant à ses fonctions.

préfet du prétoire (praefectus praetorio). Sous l'Empire*, deux préfets du prétoire, choisis dans l'ordre* équestre, commandent les cohortes* prétoriennes, qui sont la garde impériale. Mais, très tôt, ils ont reçu également le commandement de toutes les armées* d'Italie*. De plus, au IIe s., leur rôle devient de plus en plus politique et juridique : ils président le conseil* impérial en l'absence de l'empereur et ont une juridiction criminelle et civile qui s'étend progressivement.

Lorsque Dioclétien* divise l'Empire en quatre préfectures, il place à la tête de chacune d'elles un préfet du prétoire.

préfet des vigiles (praefectus vigilum). Auguste*, qui organisa une milice de sept cohortes* de vigiles, recrutés parmi les esclaves* et les affranchis*, chargés de lutter contre les incendies et d'assurer l'ordre dans la rue pendant la nuit, plaça à leur tête un préfet, recruté dans l'ordre* équestre.

préfet de la Ville (praefectus Urbi). Dans les dernières années de la République*, les consuls* qui s'absentaient de Rome purent nommer un préfet de la Ville pour les remplacer dans leurs tâches administratives. Sous l'Empire*, la préfecture de la Ville devint une institution permanente : le préfet, choisi parmi les sénateurs*, et de préférence les consulaires*, a pour mission d'assurer la tranquillité dans Rome et dans un rayon de 100 milles alentour. Il exerce également la juridiction criminelle et, au IIIe s., la juridiction civile.

prénom → noms de personnes.

présage, signe envoyé aux hommes par les dieux* pour les confirmer dans leurs entreprises ou, au contraire, les en détourner.

On distingue entre l'*omen**, présage qui s'offre à l'ouïe, et l'*auspicium* qui se présente à la vue → auspices.

En face d'un présage, les Romains gardent leur liberté d'action : en effet, les présages annoncent l'avenir, mais ne le déterminent pas. On peut agir sur eux par des paroles adroites, les transformer ou même les rejeter; attitude caractéristique de la psychologie religieuse des Romains, cherchant toujours à concilier le respect dû aux dieux et aux rites et le souci de l'efficacité présente. La limite de ce dosage est atteinte dans le cas des poulets sacrés (*pulli*), tenus en cage, et donc en mesure d'assurer, par leur appétit, que les dieux sont favorables à l'entreprise que l'on projette.

préteur (praetor). La préture fut créée en 367 av. J.-C. et ouverte, dès le début sans doute, aux plébéiens*. Jusqu'en 241, il n'y eut qu'un seul préteur, résidant à Rome, et chargé de l'organisation des procès*. Mais la multiplication des affaires et le souci de protéger les pérégrins* conduisirent à la création d'un second préteur, le préteur pérégrin (*praetor peregrinus*, le premier étant le préteur urbain), chargé des litiges entre pérégrins ou entre pérégrins et citoyens*. Les préteurs ne jugent pas le point de fait, mais, après avoir organisé l'instance et dressé la formule du procès, ils renvoient les parties devant un jury particulier; cette organisation de l'instance se fait selon les édits* qu'ils promulguent à leur entrée en charge.

Mais leurs activités ne se bornent pas à cela; ils peuvent exercer un commandement militaire, convoquer le sénat*, les comices*, proposer des lois*, et également gouverner des provinces*. D'ailleurs, depuis 241, leur nombre a augmenté : ils sont seize sous César*.

Les préteurs sont élus par les comices centuriates ; ils possèdent l'*imperium** et les auspices majeurs*. Leur magistrature n'est pas collégiale et leur compétence est tirée au sort.

Sous l'Empire*, le nombre des préteurs a varié ; l'empereur intervient indirectement, puis directement, dans leur nomination. Leur pouvoir a beaucoup diminué depuis la République*, mais on leur confie des compétences très spécialisées (préteur chargé des procès relatifs aux successions, préteur chargé des litiges entre le trésor et les particuliers, etc.). Cette magistrature demeure recherchée parce qu'elle permet d'obtenir le gouvernement d'une province.

prétoire (praetorium), **tente du général dans un camp* provisoire ; ou bien, dans un camp permanent, édifice où sont également installés ses bureaux.**

Sous l'Empire*, on donne le nom de *praetorium* au quartier général de l'empereur, à Rome ou ailleurs.

prêtres (sacerdotes). Vie privée, vie politique et vie religieuse ne sont pas séparées à Rome : tout père de famille sacrifie au dieu Lare* et les magistrats* ont le droit de prendre les auspices*. Toutefois il existe de nombreux sacerdoces, aux fonctions religieuses déterminées : d'une part, les sacerdoces individuels (*Rex sacrorum**, les flamines*), d'autre part, les sacerdoces collectifs, réunis soit en sodalités ou confréries servant une divinité particulière : les luperques*, les frères arvales*, les saliens*, les augustales*, soit en collèges, conseils de « théologiens » veillant sur le respect de la tradition : les pontifes*, les augures*, les fétiaux*, les quindécemvirs*, les vestales* ; enfin, un peu en marge, l'ordre des haruspices*. Sauf le *Rex sacrorum*, les prêtres peuvent participer à la vie politique : Scipion* l'Africain était salien, Cicéron* augure, César* *Pontifex Maximus*. Ils bénéficient d'avantages (exemption des charges publiques : impôts*, service militaire*, etc.) et ont droit à des marques d'honneur (toge* prétexte, places d'honneur dans les fêtes, les jeux*...). Sous la République*, les prêtres sont, selon les cas, élus par des comices restreints, choisis par cooptation, ou désignés par le grand pontife ; sous l'Empire*, l'empereur intervient dans leur nomination, directement ou indirectement. À partir du début du IIIe s. av. J.-C., les plébéiens accédèrent aux différents sacerdoces : toutefois, ils ne purent jamais être *Rex sacrorum*, flamines de Jupiter, de Mars, de Quirinus, ni enfin saliens.

prières (preces). Publiques ou privées, à voix basse ou à haute voix, les prières du culte officiel consistent en formules invariables : on les dit devant un autel* et on les termine par un geste d'adoration (on porte la main à la bouche). Elles peuvent être incluses dans des cérémonies collectives qui sont des sortes de pèlerinages aux différents sanctuaires, les supplications*.

Les prières sont, avec les sacrifices* et les purifications (lustrations*), l'un des rites principaux du culte*.

princeps → Auguste ; principat ; sénat.

principat. Le principat, que l'on oppose au « dominat* », désigne le régime du *princeps* (le « premier »), forme de gouvernement personnel, inauguré par Auguste* en 27 av. J.-C., et qui est l'aboutissement normal du dernier siècle de la République*.

En fait, Auguste se présentait comme le « restaurateur de la République » ; mais, pour ses contemporains, et surtout pour les provinciaux et les étrangers, il apparut comme le fondateur d'une monarchie. Si le principat marque une rupture dans le fonctionnement des institutions républicaines, psychologiquement les Romains y étaient préparés. Avant Auguste en effet, Sulla*, Pompée*, César* avaient ouvert la voie à l'Empire, et Cicéron* avait fait le portrait du *princeps* idéal qu'il souhaitait : sans doute, entre le principat ciéronien et le principat augustéen y a-t-il des différences, mais Auguste sut habilement tirer parti d'un vocabulaire politique existant, en se gardant de définir avec précision l'idée qu'il se faisait lui-même du *princeps*. Son autorité s'appuie sur des titres et sur des pouvoirs réels. Il s'appelle *Imperator** *Ceasar** *Augustus** et est l'objet d'un culte → **culte impérial** ; il possède la puissance tribunitienne*, l'*imperium** et le grand pontificat*. Les institutions républicaines (comices*, sénat*, magistratures*) subsistent, mais perdent peu à peu toute importance. En revanche, Auguste créa des organes nouveaux : le conseil du prince*, la chancellerie*, les fonctionnaires*. Après lui, la tendance à l'absolutisme s'accentuera, hormis quelques exceptions. Les conditions dans lesquelles Auguste avait créé l'Empire (l'autorité lui avait été donnée à titre personnel) n'avaient pas permis de résoudre le problème de la succession ; le principe de la dynastie (par hérédité ou adoption*) et celui de l'association partielle au pouvoir furent des expédients efficaces ; cependant, l'armée* joua parfois un rôle primordial, et, de toute façon, le sénat n'eut jamais qu'à confirmer des choix déjà faits. Seul vestige républicain, dans le domaine où l'on s'attendait le moins à le trouver, après la mort de l'empereur, le sénat retrouve ses droits en le divinisant, s'il estime qu'il a été un bon prince, ou en condamnant sa mémoire, s'il a été un tyran. → **apothéose ; domnatio memoriae.**

prisonnier. La peine de prison (*carcer*) était rarement prononcée, même temporairement, contre les citoyens*. De même, on leur épargnait généralement la prison préventive ; les prévenus étaient confiés à la garde de particuliers.

Si, à en croire Juvénal, il n'y eut à Rome, pendant de longs siècles, qu'une prison, il n'en est plus de même sous l'Empire*. De plus, les différentes casernes servaient de lieux de détention pour les prévenus, avant leur comparution devant l'autorité judiciaire. Les prisons relevaient, sous la République*, des *triumviri capitales* → **vigintisévirat**.

Sous l'Empire, elles passent presque toutes sous la direction du préfet* du prétoire. La plus ancienne et la plus célèbre est la prison Mamertine, sur le forum* : c'est dans l'un de ses cachots, le *Tullianum*, que furent exécutés les complices de Catilina* et Vercingétorix*.

Quant aux prisonniers de guerre (*captivi*), les ennemis* étaient réduits en esclavage ou exécutés ; les citoyens romains, pendant le temps de leur captivité, perdaient leurs droits ; mais, en vertu de la théorie du *postliminium* (retour dans la patrie), ils pouvaient à leur retour, et dans certaines conditions, recouvrer leurs droits de citoyens.

procédure formulaire (actiones per formulas), **procédure civile qui a fourni l'instrument permettant d'adapter le droit* aux nécessités pratiques et qui a succédé aux « actions* de la loi ».**

La division de l'instance en deux phases (auprès du magistrat* et auprès du juge*) est conservée, mais le rôle de l'un et de l'autre est beaucoup plus important. Dans une certaine mesure, le préteur* crée la loi en publiant, lors de son entrée en charge, un édit* énumérant les principes selon lesquels il recevra les actions ; de son côté, le juge est amené à déterminer lui-même l'importance du dommage et la bonne foi des parties. Le système des actions formulaires était perfectible ; il constitua le droit* prétorien, qui est la jurisprudence pratique issue des édits des magistrats.

procès → tribunaux.

proconsul, promagistrat* possédant l'*imperium consulaire.**

C'est généralement un consul* dont on proroge l'*imperium*, pour lui permettre de mener à son terme la guerre* qu'il a entreprise, puis, à partir du milieu du IIe s. av. J.-C., pour lui confier le gouvernement d'une province*. Mais, à dater de 52 av. J.-C., les consuls ne purent être nommés proconsuls-gouverneurs de province qu'après un intervalle de cinq ans. Sous l'Empire*, les proconsuls sont les gouverneurs des provinces sénatoriales, et ils n'étaient pas nécessairement d'anciens consuls.

procurateur (procurator), **fonctionnaire* appartenant à l'ordre* équestre et placé par l'empereur* à la tête d'un service important (bureaux de la chancellerie*, routes*, ravitaillement, eau, etc.),**

ou bien d'une province* impériale, avec les fonctions de gouverneur.

prodige (prodigium, et aussi *portentum, monstrum, ostentum*), **phénomène extraordinaire par lequel les dieux* manifestent leur colère, et signifient que la « paix des dieux » est rompue.**

Jusqu'au IIe s. av. J.-C., les Romains ont, en effet, assez nettement distingué le présage*, ou signe annonciateur envoyé par les dieux, du prodige, expression de leur courroux, mais ne préfigurant pas l'avenir. Il n'y avait donc pas de prodige « favorable » : tout événement échappant aux lois naturelles (éclipses, pluies de pierres, tremblements de terre, naissances monstrueuses, etc.) provoquait l'effroi. Pour apaiser les dieux, il convenait de conjurer le prodige (*procuratio prodigiorum*). La procédure de « procuration » des prodiges était bien établie : en cas de prodiges jugés mineurs, le sénat* confiait la cérémonie expiatoire aux consuls* ou aux pontifes* ; s'ils étaient plus graves, on avait recours aux quindécemvirs* et aux haruspices*, qui ordonnaient la suppression du prodige (enterrement de la foudre, noyade d'un enfant ou d'un animal monstrueux...) et une cérémonie expiatoire (lustration* ou supplication*).

Mais, après la deuxième guerre punique* et les crises qu'elle provoque, sous l'influence grandissante aussi de l'hellénisme*, les Romains, peu à peu, voient dans le prodige un présage, et la distinction entre les deux phénomènes s'estompe.

prohibition (prohibitio; ou *veto*, j'empêche), **défense faite par un magistrat* supérieur à un magistrat inférieur d'user de ses pouvoirs pour un acte déterminé, ou d'une manière générale.**

Toutefois, le droit de *veto* ne permet pas d'invalider l'acte du magistrat qui passerait outre à l'interdiction qui lui est signifiée ; mais celui-ci s'expose alors à être puni par le magistrat qui a usé de son droit de *veto*.

promagistrat (pro magistratu, en qualité de magistrat), **personne revêtue du pouvoir d'un magistrat*, mais seulement en dehors du *pomerium**.**

La promagistrature a toujours un caractère militaire (commandement militaire ou gouvernement de province*) ; aussi ne peut-il y avoir que trois sortes de promagistrats : les proconsuls*, les propréteurs* et (beaucoup plus rarement) les proquesteurs. On nomme promagistrats (généralement par sénatus-consulte*) soit des magistrats, en fonction ou à leur sortie de charge, en prorogeant leurs pouvoirs, soit des magistrats en fonction ou à leur sortie de charge, en leur conférant les pouvoirs d'une magistrature plus élevée, soit, enfin, en accordant le pouvoir consulaire, prétorien ou questorien à un simple particulier, qu'il ait ou non exercé une magistrature (par exemple, Pompée* obtint deux triomphes* sans avoir été magistrat). Théoriquement, le promagistrat est inférieur au magistrat dont il a les pouvoirs hors du *pomerium*. À la différence des magistratures, les promagistratures ne sont pas annuelles, mais d'une durée fixée généralement par sénatus-consulte.

Quand, sous Sulla*, le consulat et la préture devinrent des magistratures « urbaines », seuls les promagistrats purent exercer les commandements militaires et gouverner les provinces. Enfin, lorsque Pompée, en 52 av. J.-C., supprima la prorogation en exigeant un intervalle de cinq ans entre l'exercice d'une magistrature et celui d'une promagistrature, celle-ci devint pratiquement une fonction indépendante : la désignation d'un simple particulier comme promagistrat, d'exceptionnelle, devenait légale.

Sous l'Empire* les promagistrats sont des gouverneurs* de provinces.

Properce (Sext. Propertius : 47 ? - 15 ? av. J.-C.). Né en Ombrie, d'une famille plébéienne, Properce a laissé quatre livres d'*Élégies*, composées à partir de l'année 27 environ.

Il y raconte ses amours, malheureuses ou tourmentées — le bonheur n'est pas un thème élégiaque —, avec Cynthie, grande dame cultivée, riche et fort libre ; mais symboles et allégories recouvrent parfois des épisodes qui n'ont de réel que l'apparence ; d'autres élégies sont consacrées à la mythologie, à des questions d'actualité, à des problèmes moraux ; une place non négligeable, dans le quatrième livre surtout, est faite à l'inspiration nationale. Sa poésie est subtile et difficile ; souvent vigoureuse, elle est un art conscient.

propréteur (propraetor), **promagistrat* jouissant de l'*imperium** d'un préteur*.**

proscriptions (proscriptio, affichage), **mesures sanglantes prises, pendant les guerres civiles* de la fin de la République*, par Marius*, Sulla* et les hommes du deuxième triumvirat*, contre tous les citoyens* qu'ils estimaient nuisibles à leurs projets.**

Les premières proscriptions, ordonnées en 87 par Marius et L. Cornelius Cinna*, frappèrent au hasard. Aussi, en 82, Sulla fit-il dresser une liste des proscrits, affichée sur le forum* : 40 sénateurs et 1 600 chevaliers* furent tués. En 43, Octave*, Antoine* et Lépide firent périr 300 sénateurs et 2 000 chevaliers ; parmi les victimes, il y eut Cicéron*.

Pendant les proscriptions, des récompenses étaient offertes à qui exécuterait les proscrits dont les noms figuraient sur les affiches*. Leurs biens étaient confisqués et leurs descendants exclus des magistratures*.

provinces (provinciae), **territoires situés hors d'Italie* et gouvernés par des magistrats* romains.**

Le sol en est considéré comme propriété du peuple romain et est soumis à l'impôt* foncier en nature (*vectigal*) ou en argent (*stipendium*). La première province romaine a été la Sicile (241 av. J.-C.).

1. *Période républicaine.* Le général qui vient de conquérir une nouvelle province, assisté de dix représentants du sénat* (*decem legati*), fixe la charte de la province (*lex data provinciae*). Celle-ci demeure susceptible d'être complétée par les édits* des gouverneurs. Le grand principe de la politique romaine à l'égard des différentes villes des provinces a été d'éviter l'uniformisation, en tenant compte des particularismes et en multipliant les catégories distinctes, pour opposer les intérêts ; ceci, dans le dessein de mieux les tenir en main. C'est ainsi qu'on distinguait, d'une part, les villes libres et les villes fédérées (*civitates liberae, foederatae*), qui, théoriquement, jouissaient de l'autonomie administrative, étaient exemptes d'impôts et battaient monnaie, d'autre part, les villes à constitution municipale : colonies* romaines et municipes* de droit romain ou latin*. Le statut de ces différentes villes est comparable à celui des cités correspondantes d'Italie, avec cette différence que le sol est soumis à l'impôt foncier ; enfin, les villes sujettes (*civitates stipendariae*), qui reçoivent du gouverneur leur propre constitution (*lex civitatis*). Le statut de ces diverses catégories est susceptible d'évolution dans un sens favorable ou défavorable ; chacune d'elles comprend, de plus, des populations inégalement assimilées, sujettes et libres. À la tête de la province, le gouverneur est un magistrat ou un promagistrat*. On distingue, selon leur importance et la dignité du magistrat gouverneur, les provinces consulaires et les provinces prétoriennes. Le gouverneur a avec lui des légats*, des amis, un questeur*, des troupes, des auxiliaires. La charge est annuelle, non rémunérée, mais en fait, lucrative. Le pouvoir du gouverneur n'est limité que par la *lex provinciae* et les privilèges octroyés à certaines villes.

2. Empire*. La condition des cités provinciales évolua dans le sens de l'uniformisation : cette tendance était corrélative de la romanisation accentuée de l'Empire ; d'autre part, à partir de l'édit* de Caracalla (212), il n'y a plus que des citoyens* soumis à l'empereur. Dans chaque province, on créa un centre, où chaque année, autour de l'autel* de Rome et d'Auguste, desservi par un prêtre* de la province (*sacerdos provinciae*), se réunissait une assemblée (*concilium provinciae*), sous la présidence du gouverneur. Celle-ci votait un éloge ou un blâme à l'adresse de son gouverneur et le communiquait à l'empereur, qui en tenait compte.

Il y a sous l'Empire deux grandes catégories de provinces : 1° les provinces *sénatoriales*, considérées comme pacifiées, dégarnies de troupes et confiées à un promagistrat nommé par le sénat ; deux sont consulaires (Asie et Afrique) ; les autres sont « prétoriennes » : mais les gouverneurs des unes et des autres ont tous le titre de proconsuls* ; 2° les provinces *impériales*, généralement les plus récentes, qui exigent la présence de troupes ; elles re-

Provinces romaines

A. Provinces organisées sous la République

	av. J.-C.
1. Sicile	241
2. Sardaigne	231
3. Espagne Citérieure (Tarraconnaise)	197
4. Espagne Ultérieure (Bétique)	197
5. Illyrie (Dalmatie)	167 à 45
6. Macédoine et Achaïe	146
7. Afrique	146
8. Asie	133

		av. J.-C.
9. Gaule Narbonnaise		120
10. Gaule Cisalpine		81 ?
11. Bithynie		74
12.	Cyrénaïque	74
	Crète	67
13.	Cilicie	64
	Chypre	58
14. Syrie		64

B. Provinces organisées sous l'Empire

	av. J.-C.
15. Égypte	30
16. Mésie	29 ?
17. Lusitanie*	27 ?
18. Achaïe*	27
19. Galatie	25
20. Chypre*	22
21. Aquitaine	16
22. Lyonnaise	16
23. Belgique	16
24. Rhétie	15
25. Norique	15
26. Alpes Maritimes	14
	apr. J.-C.
27. Pannonie	10
28. Cappadoce	17

	apr. J.-C.
29. Germanie Supérieure	17
30. Germanie Inférieure	17
31. Maurétanie Tingitane	40
32. Maurétanie Césarienne	40
33. Pamphylie et Lycie	43
34. Bretagne	43
35. Thrace	46
36. Alpes Cottiennes	sous Néron
37. Épire*	sous Vespasien
38. Arabie	105
39. Dacie	107
40. Arménie	115
41. Mésopotamie	115
42. Assyrie	115
43. Alpes Pennines	IIe s.
44. Numidie*	début IIIe s.

Les provinces dont le nom est suivi d'un astérisque (*) sont celles qui résultent d'un démembrement : par ex., la Lusitanie a été créée par le démembrement de l'Espagne Ultérieure; la Numidie par celui de l'Afrique, etc.

C. Répartition des provinces au cours des Ier et IIe siècles apr. J.-C.

I. Provinces sénatoriales *a) consulaires :* Asie, Afrique.

b) prétoriennes : Bétique, Narbonnaise, Sardaigne et Corse*, Sicile, Macédoine, Achaïe et Épire*, Crète et Cyrénaïque, Chypre, Bithynie.

II. Provinces *impériales a) consulaires :* Tarraconnaise, Germanie Supérieure, Germanie Inférieure, Bretagne, Pannonie, Mésie, Dacie, Illyrie*, Cappadoce*, Syrie.

b) prétoriennes : Lusitanie, Aquitaine, Lyonnaise, Belgique, Galatie, Pamphylie et Lycie*, Cilicie, Arabie, Arménie, Mésopotamie, Assyrie, Numidie.

c) procuratoriennes : Alpes Maritimes, Alpes Cottiennes, Alpes Pennines, Rhétie*, Norique*, Thrace*, Épire*, Maurétanie Tingitane, Maurétanie Césarienne.

L'Égypte est gouvernée par un préfet.

Les provinces dont le nom est suivi d'un astérisque (*) sont celles qui ont changé de catégorie pendant ces deux premiers siècles de l'Empire.

lèvent directement de l'empereur qui gouverne par personne interposée. D'où le titre des gouverneurs des provinces impériales (consulaires et prétoriennes) : *legati Augusti pro praetore.* Ils sont maintenus en fonction aussi longtemps qu'il plaît à l'empereur. Ces provinces sont rangées en trois catégories par ordre d'importance : *a*) les provinces *consulaires,* gouvernées par un « consulaire », accompagné de trois légats, et d'un questeur, et commandant plusieurs légions ; *b*) les provinces *prétoriennes,* gouvernées par un « prétorien », accompagné d'un légat et d'un questeur, et ne commandant qu'une légion* ; *c*) enfin, les provinces *procuratoriennes,* considérées comme domaines de l'empereur, administrées par des « intendants », les *procuratores pro legato,* ou *praesides,* avec pouvoirs civil et militaire : ces dernières provinces sont jugées temporairement inassimilables et forment une catégorie à part.

Le gouverneur d'une province reçoit, comme le personnel qui l'accompagne, un traitement proportionnel à l'importance de celle-ci. Il a des attributions financières, judiciaires, politiques et, dans les provinces impériales, militaires. Mais l'exercice de ces fonctions est étroitement surveillé par l'empereur. La condition et l'organisation des provinces furent généralement heureuses.

Dioclétien* réorganisa les provinces en divisant l'Empire en 4 préfectures* (Italie, Gaule, Illyrie, Orient), partagées en 12 diocèses, subdivisés eux-mêmes en 96 provinces.

provocatio ad populum → appel au peuple.

publicains (publicani), **hommes d'affaires, chargés de l'adjudication de tous les travaux publics et de la perception des impôts*.**

Ils faisaient à l'État l'avance des fonds, qu'ils recouvraient ensuite eux-mêmes. Constitués en sociétés par actions, disposant d'un nombreux personnel à Rome et dans les provinces*, ils représentaient une puissance financière considérable. Ils avaient des liens étroits avec l'ordre* équestre, mais il n'était pas nécessaire d'être chevalier* pour être publicain, et, inversement, il s'en faut que tous les chevaliers aient été publicains. Mais l'exercice des magistratures* et la dignité de sénateur* étaient incompatibles avec la profession de publicain.

puissance paternelle (patria potestas), pouvoir que possède le père de famille (*pater familias*) sur les membres de sa famille, au sens large du mot (esclaves* compris). Personnes et choses qui sont dans la maison lui appartiennent, et il est libre d'en user comme il l'entend. Échappent à la puissance du père son fils, s'il l'a vendu trois fois, sa fille, s'il l'a vendue une fois ou si elle se marie* *cum manu,* ses enfants, s'ils sont adoptés*. D'autre part, la perte du droit de cité du père ou sa mort détruisent la *patria potestas.*

L'étendue de cette puissance fut progressivement limitée, au temps de Cicéron*, la famille romaine ressemble beaucoup à la famille moderne.

puissance tribunitienne → tribun de la plèbe.

pulvinar, coussin de parade sur lequel on étendait les statues des dieux* (réelles ou symboliques), pour les faire participer à des repas sacrés, les lectisternes*, ou les promener dans le cirque*.

Ce terme a désigné également la loge réservée à la famille impériale dans le Grand Cirque.

purification → lustration.

Pydna, ville de Macédoine, sur le golfe Thermaïque, où Paul* Émile vainquit et fit prisonnier Persée, fils de Philippe V de Macédoine (168 av. J.-C.). La bataille dura une heure ; les Macédoniens eurent, dit-on, 20 000 morts et 5 000 prisonniers, tandis que les Romains ne perdirent qu'une centaine d'hommes. Paul Émile réorganisa la Macédoine et la partagea en quatre républiques. Parmi les otages ramenés à Rome figurait Polybe, qui devait être l'ami de Scipion* Émilien et se consacrer à l'histoire de la conquête romaine.

q

Questeur (quaestor). **La questure est une magistrature qui a été créée en même temps que le consulat*.**

Les questeurs (au nombre de 20 au Ier s. av. J.-C.) sont des magistrats* mineurs, élus par les comices tributes*. Mais à partir de Sulla*, la questure ouvre l'accès au sénat. Les questeurs qui demeurent à Rome ont la garde du Trésor (*quaestores urbani* ou *Aerarii* Saturni**) : ils encaissent les impôts*, les amendes, le produit des confiscations et des ventes publiques ; d'autre part, ils versent l'argent destiné à la solde des troupes, aux constructions publiques ; enfin, ils gardent en dépôt les originaux des rôles dressés par les censeurs*, de tous les contrats passés par les autres magistrats*.

Ceux qui sont affectés en Italie* contrôlent l'administration financière locale. Enfin, dans les provinces*, des questeurs sont à la disposition des généraux ou des gouverneurs qu'ils assistent. Ils dirigent le Trésor militaire, effectuent les paiements avec l'argent qu'ils reçoivent de leurs collègues en fonction à Rome, tiennent la comptabilité. Il leur arrive parfois de cumuler leurs fonctions de questeur avec celles de propréteur* (*quaestor pro praetore*).

Sous l'Empire*, les questeurs n'ont plus la gérance du Trésor, qui est confiée à des préteurs ou à des préfets*. Leur rôle est réparti comme suit : deux questeurs sont au service de l'empereur comme secrétaires (*quaestores principis*), deux ont la garde des archives* (*quaestores urbani*), quatre sont secrétaires des consuls (*quaestores consulum*), enfin les douze autres accompagnent les gouverneurs de provinces avec le titre de *quaestor pro praetore*.

quindecimviri sacris faciundis, collège de deux, puis dix, et, enfin, quinze membres, chargés de conserver les livres sibyllins* et de les interpréter en cas de prodiges*, et, d'autre part, d'assurer le culte d'Apollon, celui de Cérès et enfin celui de la Grande Mère (Cybèle), introduit à Rome en 204 av. J.-C., pendant la crise religieuse provoquée par la seconde guerre punique*.

Ce collège, présidé par un *magister*, était recruté par cooptation parmi les patriciens* et les plébéiens* ; il fut le plus important après celui des pontifes*, mais eut surtout compétence dans l'organisation des cultes étrangers, pour lesquels il nommait des prêtres* et définissait les rites.

Quintilien (M. Fabius Quintilianus : **vers 30 - après 95 apr. J.-C.**). Originaire de Tarraconnaise, Quintilien vint à Rome pour y faire ses études de rhétorique. Avocat* et rhéteur renommé, il fut le premier titulaire d'une chaire d'État, qui lui donnait droit à un traitement annuel. Il eut comme élèves Pline le Jeune* et le futur empereur Hadrien*. Il a écrit une *Institution oratoire*, douze livres où il résume son expérience pédagogique sur la façon de former un orateur*. Son propos est beaucoup plus pratique que ne l'était celui de Cicéron* dans ses ouvrages de rhétorique. En matière de style, il se montre cicéronien convaincu et réagit contre la manière d'un autre Espagnol, de la génération précédente, Sénèque*.

quirites. À l'époque classique, ce mot n'est utilisé que sous cette forme plurielle et ses emplois sont limités : dans les assemblées*, les orateurs* s'adressent à leurs auditeurs par ce mot : *Quirites !*, c'est-à-dire « citoyens ou concitoyens romains » (au contraire, au sénat*, l'orateur s'adresse à son auditoire en disant : *Patres conscripti*, « sénateurs ») ; dans la langue du droit, le *jus quiritium* est le droit* civil ; enfin, dans la langue familière, l'exclamation *Quirites !* équivaut à notre « Bourgeois ! ».

Mais l'origine du mot est obscure, en rapport cependant : avec le nom du dieu Quirinus, vénéré sur le mont Quirinal (habité à l'origine par les Sabins), mais dont les Romains ne connaissaient guère la nature et les fonctions exactes ; d'autre part, avec Cures, ville de Sabine.

Ainsi *quirites* désignerait les citoyens après l'union des Latins et des Sabins.

Par ailleurs, en mettant en parallèle les formules consacrées et anciennes du type *Senatus Populusque Romanus* et *Populus Romanus Quirites* et en se référant à des hypothèses sur la tripartition ancienne de la société indo-européenne, on a proposé de voir dans les *quirites* peut-être un souvenir de la classe travailleuse et productrice, celle de Quirinus, tandis que *populus* représenterait la classe guerrière et combattante, dévouée à Mars, et *senatus* la classe sacerdotale et dirigeante, au service de Jupiter.

r

Recensement → cens; censeur.

recettes publiques. Les recettes de l'État proviennent de six sources, différentes selon les époques : — **1°** revenus des domaines publics, qui sont de deux sortes : les lieux publics (marchés*, aqueducs*, ponts*, etc.), dont certains sont affectés à l'usage des particuliers contre une redevance, et, d'autre part, l'*ager publicus** ; — **2°** impôts directs levés sur les provinces* : la législation est compliquée et a beaucoup varié; sommairement, on peut dire que l'impôt sur les personnes (capitation) est rare; la principale source de revenus est l'impôt sur la propriété foncière, perçu en nature (*vectigal*) ou en argent (*stipendium*); jusqu'à Dioclétien*, en effet, seules les provinces paient un impôt foncier; — **3°** impôts indirects : le *portorium* est un impôt de circulation (douanes, octrois, péages); il est perçu sur toute l'étendue de l'Empire* et Rome* n'a jamais supprimé les droits de douane proprement dits à l'intérieur de l'Empire; — **4°** droits sur les ventes et les mutations; ils ont été institués pour la plupart par Auguste* : impôt du centième sur toutes les ventes publiques, du vingtième sur les affranchissements* et sur les successions; — **5°** les monopoles et droits régaliens : monopole très ancien du sel, maintenu sous l'Empire; fabrication de la monnaie*; produit des amendes; biens tombés en déshérence; — **6°** ressources extraordinaires : le tribut*; le butin de guerre en nature (*praeda*) ou en argent (*manubiae*); dons et legs des particuliers ou des provinces; biens confisqués (*bona damnatorum*). Sous la République*, les impôts indirects sont affermés, la plupart du temps par les publicains*; sous l'Empire, au contraire, la perception directe se généralise peu à peu pour tous les impôts.

Regulus (M. Atilius Regulus), consul* en 267 et 256 av. J.-C. Lors de la première guerre punique*, il battit les Carthaginois au cap d'Ecnome (256), puis débarqua en Afrique l'année suivante et fut fait prisonnier (255).

Quelques années plus tard (249 ?), les Carthaginois l'envoyèrent à Rome, avec mission de convaincre le sénat* romain de négocier la paix* ou d'échanger des prisonniers*. Mais à Rome, Regulus déconseilla aux sénateurs d'accepter ces propositions. Fidèle à son serment, il revint à Carthage, où il fut torturé et exécuté. Certains historiens modernes ont émis des doutes sur l'authenticité de ce traitement, mais Regulus fut considéré par les Romains comme un héros de la *fides**.

relégation (relegatio), **sous l'Empire*, peine moins grave que la déportation*.**

Prononcée à temps ou à vie, elle n'entraîne pas la confiscation des biens ni la perte des droits politiques et juridiques.

religio. Les Romains eux-mêmes n'étaient pas d'accord sur le sens étymologique de ce terme : est-ce le fait de choisir soigneusement ses actes et ses paroles, en évitant ceux ou celles qui offenseraient les dieux* ? le fait de se lier avec les dieux, de contracter une obligation envers la divinité ? l'accomplissement scrupuleux des devoirs envers les dieux, en s'attardant consciencieusement sur chaque détail des opérations religieuses ? Quoi qu'il en soit du sens premier de ce mot, la *religio* traduit le sentiment de se trouver devant un ordre surnaturel, d'où découle l'exercice scrupuleux d'observances cultuelles. Les sens particuliers que l'on rencontre dans les textes (« scrupule », « respect », « croyance religieuse », « culte », etc.) dérivent de cette attitude fondamentale.

Le contraire de la *religio*, c'est la *neglegentia*, c'est-à-dire le fait de négliger les dieux, de se dispenser d'accomplir les actes cultuels, conduite qui suppose soit le mépris, soit la légèreté et l'indifférence. Quant au mot *superstitio* (« superstition »), dont aucune étymologie ne paraît pleinement satisfaisante, il désigne tout ce qui n'est pas la *religio*, c'est-à-dire les observances et les craintes inutiles ou bien l'adhésion à des innovations étrangères.

religion romaine. Elle est une synthèse d'éléments indo-européens et méditerranéens ; dans celle-ci, les Étrusques* ont joué un rôle important, en particulier en léguant aux Romains certaines pratiques rituelles. Des traits d'archaïsme se sont maintenus jusque sous la République* ; sentiment de la présence de forces agissantes (les *numina* → **numen**), souci de purification*, vieux rites agraires, comme en témoignent les fêtes des *Parilia*, *Lupercalia*, *Arvalia*, etc. Mais, peu à peu, les dieux* du panthéon grec sont romanisés. Sous la République, les pontifes* ont pour rôle de surveiller et maintenir la religion nationale, tandis que les quindécemvirs* représentent les tendances novatrices, accueillantes aux cultes et aux divinités venus de l'étranger : l'existence de ces deux collèges met bien en évidence l'un des aspects de la religion romaine, qui n'est jamais statique, définitivement formulée. Elle demeure susceptible de développements, d'adaptations, selon les milieux sociaux, les familles d'esprits. Dès la fin de la République, les courants philosophiques et les cultes étrangers infléchissent les anciennes croyances et sont l'occasion de divers syncrétismes originaux. D'autre part, le sentiment que certains hommes sont investis d'une mission et participent plus intimement à la divinité aboutit au culte des empereurs → **culte impérial**. Cependant, les cultes de salut qui se répandent à Rome et dans l'Empire, les tendances au monothéisme, d'origine religieuse ou philosophique, préparaient les Romains à accueillir le christianisme*. Mais aucune synthèse n'était plus possible, la religion romaine ne pouvait plus absorber la « religion nouvelle » : le christianisme se présente comme universel et exclusif des autres cultes. Pendant deux siècles et demi, périodes de persécutions et périodes de paix relative se succèdent. Mais, en 313, la liberté de tous les cultes est décrétée ; en 394, le christianisme devient religion officielle.

On considère souvent la religion romaine comme une religion formaliste, sans vie : il convient sans doute de distinguer à cet égard entre les rites, dont certains n'étaient plus compris à l'époque historique, mais que l'on conservait parce que, à l'origine, ils avaient été porteurs d'un sens du sacré, et les comportements de la vie quotidienne, qui témoignent souvent d'une croyance assez profonde à l'existence d'un ordre surnaturel, dont dépend en grande partie l'ordre terrestre.

repas. Les Romains prenaient trois repas, mais un seul était important et servi dans le *triclinium**. À l'époque ancienne, ils prenaient un « petit déjeuner » le matin, au réveil, le *jentaculum*, très sobre (galettes, pain, ail, biscuits pour les enfants) ; au milieu de la journée (7e-8e heure*), le repas principal, la *cena** ; le soir (11e-12e heure), un souper léger, la *vesperna*. Mais les habitudes changèrent vers le IIe s. av. J.-C., peut-être afin de ne plus « couper » la journée par le repas principal. On eut donc le matin, au réveil (1re-2e heure), le *jentaculum* ; vers la

6e-7e heure (soit vers midi), un déjeuner rapide et léger pris sur le pouce, le *prandium* (poissons, légumes, fruits) ; enfin, le dîner, la *cena**, vers 15 heures (9e-10e heure).

représentations dramatiques (ludi scaenici), C'est aux *ludi Romani* de 240 av. J.-C. que fut représentée la première pièce romaine (tragédie ou comédie de Livius* Andronicus). Par la suite, les différents jeux inscrivirent à leur programme des représentations dramatiques. Mais le goût des Romains pour le théâtre est beaucoup plus ancien. D'après la tradition, en 364, des *ludi scaenici* avaient déjà eu lieu pour conjurer une peste : ces représentations données par des Étrusques* consistaient en danses, chants, pantomimes. Mais les Romains prirent goût à ces spectacles mêlés, d'où naquit une ébauche de théâtre, les *saturae*. Bien des traits de leur caractère ou de leur civilisation naissante portaient, d'ailleurs, dès les origines, les Romains vers le théâtre : les cérémonies religieuses hautes en couleur, les processions (du triomphe*, du cirque*), les funérailles*, les divertissements des noces, le penchant pour la satire, la caricature, les bons mots, les invectives, etc.

Toutes ces tendances trouvaient à s'exprimer dans la comédie, dont les deux plus illustres représentants furent Plaute* et Térence*. On distinguait deux grands types de comédies : celles dont le sujet était grec, les *palliatae* (parce que les acteurs* portaient le *pallium* et non la toge*), et celles dont le sujet était romain, les *togatae*, parfois appelées *tabernariae* ou *trabeatae* quand elles mettent en scène des corps de métiers ou des chevaliers. Cette distinction vaut également pour les tragédies (les *palliatae* sont les tragédies à sujet grec, les *praetextae* les tragédies à sujet romain). Les Romains ont imité les grands tragiques grecs, mais aussi peut-être certains auteurs de l'époque hellénistique. Des tragédies de l'époque républicaine, il ne nous reste que des fragments : l'auteur le plus important fut Accius (170-85 av. J.-C.) ; on lui doit une quarantaine de *palliatae* et deux *praetextae* (les *Énéades, Brutus*). Après lui, la tragédie, qui avait été un genre populaire et vivant, a connu une période moins faste. Sous Auguste*, on récite des tragédies dans les lectures publiques*. L'histoire de la tragédie se clôt avec le théâtre de Sénèque*.

Mais, dès le milieu du IIe s. av. J.-C., le théâtre littéraire est progressivement délaissé au profit de spectacles* où le génie inventif et parodique des acteurs* se donne libre cours et où la qualité littéraire importe peu. L'atellane, genre venu de Campagnie, mettait en scène des personnages stéréotypés : *Maccus*, le goinfre ; *Dossenus*, le bossu ; *Pappus*, le vieillard gâteux, etc. Un canevas simple permettait toutes sortes d'improvisations bouffonnes. Il y avait aussi le mime, essentiellement parodique, mêlant le dialogue et la danse, et accordant une grande importance à la « mimique », car les acteurs de mime ne portaient pas le masque*. C'était le seul genre qui admît les actrices. Bien que le texte importât peu, quelques auteurs, à la fin de la République*, tentèrent d'élever le mime à la dignité de genre littéraire, mais vainement. Du mime naquit la pantomime, muette, avec masque : les acteurs devaient exprimer leurs sentiments par des mouvements du corps, de la tête et surtout des mains. Elle eut un grand succès pendant tout l'Empire*.

république, régime politique de Rome depuis la chute de la Royauté* (509 av. J.-C., selon la tradition) jusqu'à l'instauration du principat* par Auguste* (27 av. J.-C.).

Il repose sur trois organes essentiels : les assemblées*, les magistrats* et le sénat*.

On peut distinguer trois grandes périodes dans l'histoire de la République romaine : la première, des débuts à la fin de la deuxième guerre punique* (201), au cours de laquelle la plèbe* conquiert peu à peu l'égalité politique avec le patriciat et où se constitue une noblesse* patricio-plébéienne, tandis qu'à l'extérieur Rome assure sa domination sur l'Italie* ; la seconde va jusqu'au début du Ier s. : c'est l'âge d'or de l'oligarchie sénatoriale et la conquête de la Méditerranée par Rome ; enfin la troisième, jusqu'à l'établissement du principat, marquée par les guerres civiles* et l'annonce de plus en plus nette du régime impérial.

rescrit
→ constitutions impériales.

res publica. **Ce terme, qui signifie littéralement « la chose publique », s'oppose donc à « la chose privée » (*res privata*) et désigne une notion à la fois juridique et politique.**

Elle implique une organisation déterminée par des règles de droit* (excluant certains régimes comme la tyrannie ou l'oligarchie), par la solidarité et l'union des citoyens dans une communauté : c'est l'expression politique du « peuple » dans son ensemble (*populus*). L'intérêt particulier de chacun (*res privata*) est donc normalement subordonné à l'intérêt supérieur de l'ensemble (*res publica*). Aussi, selon les contextes, *res publica* peut vouloir dire « État », « administration de l'État », « vie politique », « affaires publiques », etc., rarement « régime républicain », qui se dit plutôt *libera respublica, libera civitas*, ou *liber populus*.

Rex sacrorum (ou *Rex sacrificulus*, Roi du sacré, des sacrifices). Lorsque la royauté* fut renversée, les Romains conservèrent tout de même un « roi », mais ne possédant plus que des fonctions religieuses, du reste de plus en plus réduites. Cette fiction politique devait, dans l'esprit des Romains, assurer la continuité des deux régimes et éviter l'effet désastreux qu'aurait pu provoquer sur les divinités la suppression radicale du roi, qui avait été si longtemps le trait d'union entre elles et les hommes : scrupule très révélateur de la mentalité romaine.

Obligatoirement patricien*, le *Rex sacrorum* ne pouvait pas exercer de magistrature et était surtout voué au culte de Janus, dieu des commencements.

rhéteur. → enseignement.

rire rituel. L'union de rire et du sacré se retrouve chez beaucoup de peuples. Le rire, en effet, manifestation d'épanouissement et de vitalité, est censé combattre les forces du mal. On retrouve ce rite à Rome au cours des *Lupercalia* → luperques, des fêtes agraires (*Liberalia* en l'honneur de Liber, *Consualia* en l'honneur de Consus), dans les triomphes*, dans le cortège nuptial → mariage, lors des funérailles*, etc.

Roma quadrata (Rome carrée). **Par cette expression, la tradition désignait l'enceinte sacrée que Romulus aurait tracée avec sa charrue, sur le Germal (croupe ouest du Palatin), en fondant Rome selon le rite étrusque (753 av. J.-C.).**

Mais les historiens modernes, qui n'admettent plus la légende de la fondation de Rome par Romulus*, se demandent si, en réalité, cette expression ne ferait pas allusion à l'enceinte carrée qui a pu protéger la « bouche d'enfer » (*mundus*), creusée par les premiers colons latins* sur le Palatin (VIIIe s. av. J.-C.) et dans laquelle ils auraient enfoui des mottes de terre apportées de leur patrie, selon un rite archaïque de prise de possession. D'autre part, on peut également imaginer que *Roma quadrata* signifie « Rome quadrillée » : cette expression garderait alors le souvenir de la fondation de Rome par les rois étrusques, selon leurs propres rites, conservés d'ailleurs par les Romains → urbanisme : le *decumanus* correspondait à la rue qui s'est appelée plus tard la *Sacra via* et le *cardo** au *vicus Tuscus** et à l'Argilète. Peut-être enfin cette expression désigne-t-elle la division de Rome en 4 tribus*.

Rome → Capitole; forum; origines de Rome; urbanisme; Urbs.

Romulus → origines de Rome.

Romulus Augustule, dernier empereur de l'Empire romain d'Occident. Il régna un an (475-476) et fut renversé par le Barbare Odoacre. → chute de Rome.

rostres (rostra), **tribune aux harangues, située au sud-est du *Comitium**.**

Cette situation permettait donc aux orateurs* de s'adresser soit aux comices curiates* et tributes*, réunis sur le *Comitium*, soit, en regardant vers le sud, à la foule rassemblée sur le forum*. D'ailleurs, à partir du milieu du IIe s. av. J.-C., les comices tributes se sont rassemblés sur le forum, beaucoup plus vaste que le *Comitium*.

L'appellation de cette tribune lui vient des éperons de navires ennemis (*rostra*, « éperons »), rapportés à Rome par C. Maenius en 338 av. J.-C., après sa victoire sur les Latins* à Antium, et dont il orna la tribune aux harangues : celle-ci consistait en une plate-forme de 24 m de large sur 10 m de profondeur, élevée à 3 m du sol. La plate-forme que l'on voit aujourd'hui à côté de l'arc* de Septime Sévère est une tribune aux harangues datant peut-être d'Auguste*.

routes (viae). Le réseau routier de l'Italie* et des provinces* est, on le sait, une des gloires de la civilisation romaine. Ce sont le plus souvent des routes stratégiques et, chaque fois que c'est possible (fût-ce au prix de travaux d'art importants), elles sont droites.

La première grande route pavée fut la *via Appia* (construite sous la censure* d'Appius* Claudius en 312) : elle joignait Rome à Capoue et fut prolongée ensuite jusqu'à Brindisi. À la fin de la République* toute l'Italie était pourvue d'un réseau dense et en bon état, mais les provinces étaient moins bien partagées : les empereurs* rattrapèrent ce retard. De la Lusitanie (Portugal) à l'Asie Mineure, l'Empire fut sillonné de routes, dont les modernes ont souvent repris le tracé.

Sous la République, ce sont les censeurs* qui ont la charge des routes d'Italie, celles des provinces relevant des gouverneurs*. Sous l'Empire, on confia ce soin à des curateurs*, les *curatores viarum*.

Les frais étaient probablement partagés entre le Trésor* public, les autorités locales et les propriétaires des terrains sur lesquels passaient les routes.

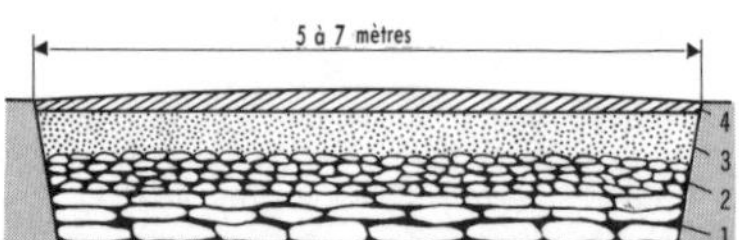

Coupe théorique d'une route romaine, d'après P. Salama, les *Voies romaines d'Afrique.*
1. Statumen *(radier de fondation) 0,30 à 0,60 m ;* 2. Rudus *(bétonnage de pierres concassées) 0,25 m ;* 3. Nucleus *(bétonnage de matériaux fins) 0,30 à 0,50 m ;* 4. Summum dorsum *(revêtement dallé ou bétonné) 0,20 à 0,30 m.*

Les ingénieurs romains avaient mis au point leur technique de construction ; on commençait par tracer deux sillons parallèles délimitant la largeur de la route, puis l'on creusait le terrain jusqu'à ce que l'on trouvât une roche résistante. On étendait alors, en principe, quatre couches de matériaux divers : une fondation en ciment (*statumen*) ; par-dessus, un blocage de cailloux et de ciment (*rudus*) ; puis une couche faite d'un mélange de sable, de chaux et de briques (*nucleus*) ; enfin, le pavement de cailloux ou de pierres (*summa crusta*). L'épaisseur de ces diverses couches variait selon la nature du terrain ; et naturellement, toutes les routes n'étaient pas de cette qualité. Elles étaient bombées, pour permettre l'évacuation des eaux ; leur largeur pouvait atteindre une dizaine de mètres. Le long des routes étaient placées des bornes* milliaires et aussi des marches qui permettaient de monter à cheval ; des dégagements étaient prévus pour les croisements.

Les routes d'Italie les plus connues sont, en plus de la *via Appia*, la *via Aurelia* (de Rome à Arles), la *via Flaminia* (de Rome à Rimini), la *via Salaria* (de Rome à l'Adriatique). Les routes portaient souvent le nom du magistrat* qui les avait fait construire ou le nom du pays traversé.

royauté (regnum), **régime politique que Rome a connu, selon la tradition, depuis ses origines en 753 jusqu'à 509 av. J.-C.**

En réalité, s'il n'est pas impossible que les Romains aient eu un embryon de régime monarchique avant l'arrivée des Étrusques*, ce sont ces derniers qui ont donné à Rome une organisation et des institutions politiques. La royauté comprend trois organes de gouvernement : — **1°** le *roi*, chef politique, militaire et religieux ; il exerce aussi une certaine activité judiciaire (crimes contre les particuliers ou contre l'État, par exemple). Le pouvoir royal n'est pas héréditaire, mais strictement personnel. Le roi est choisi par le sénat*, après une période d'interrègne* et acclamé par les comices curiates ; — **2°** le sénat, réunion des chefs de famille (les *patres*) ; il est le conseil du roi. Le nombre des *patres* dépendait sans doute du nombre de familles ; la tradition le fixe à 300. Le sénat n'a pas de compétence bien déterminée, mais certaines décisions importantes, comme les déclarations de guerre* lui sont soumises ; — **3°** les *comices curiates**.

La répartition des citoyens en centuries*, attribuée à Servius Tullius, est, en réalité, plus tardive. Toutefois, il est possible que les assemblées centuriates aient eu un début de réalité sous la Royauté, en particulier pour ce qui concerne l'organisation de l'armée*, dont les plébéiens* firent partie. Cette organisation rompait avec le cadre gentilice et a dû préparer le passage du *regnum* à la *res publica**.

Rubicon → César; Italie.

rues. Les rues de Rome*, surtout celles du centre, étaient étroites et sinueuses : en effet, le développement de la ville et l'attachement au passé n'avaient pas permis un quadrillage plus rationnel des rues. De plus, elles étaient souvent mal entretenues, rarement pavées et bordées de trottoirs. Toutefois, sous l'Empire, on fit un gros effort pour les améliorer. On les désignait sous le nom de *vici*, à l'exception de quelques-unes, qui étaient des *viae* (*Sacra via, via Nova*), terme généralement réservé aux grandes voies extérieures. Il y avait également les *clivi* (« rampes ») comme le *clivus Capitolinus*, et des *gradus* (« escaliers »), exclusivement réservés aux piétons. Dans certains quartiers, où seul un *vicus* tenait lieu de « grande rue », une série de passages (*sentes, semitae*) et d'impasses (*angiportus*) se greffaient sur ce *vicus*, de façon plus ou moins désordonnée. Pour aérer ces ensembles de rues, dont les plus larges atteignaient 8 m et les plus étroites ne dépassaient pas 3 m, il y avait, en plus des onze forums* (sous l'Empire), de nombreuses places (*areae*), esplanades (*campi*) et carrefours (*compita*), où statues, colonnes, fontaines*, temples*, portiques*... entretenaient chez les Romains le goût de la promenade et de la flânerie : de plus, Rome possédait de nombreux parcs et jardins*, souvent très vastes et fort agréables.

Dans les rues, l'animation était grande et la circulation difficile (les embarras de Rome sont un thème satirique connu), malgré l'interdiction faite aux véhicules* de pénétrer dans la ville pendant la journée. Mais, la nuit tombée, l'absence d'éclairage* public rendait les rues plus incertaines : aussi sortait-on accompagné d'esclaves* qui portaient des flambeaux et écartaient éventuellement les mauvaises rencontres.

S

Sabines (enlèvement des). La légende raconte que, pour peupler Rome, Romulus* y attira les habitants des environs, les errants, les hors-la-loi. Parmi eux, il n'y avait aucune femme. Romulus eut alors l'idée de donner des jeux* dans le Grand Cirque* et d'y inviter les populations des alentours. Au cours du spectacle, à un signal donné, les Romains maîtrisèrent les hommes et enlevèrent les jeunes filles, dont la plupart étaient des Sabines. Les Sabins décidèrent de se venger et, avec l'appui du roi sabin Titus Tatius, livrèrent un combat aux Romains. Alors les Sabines se jetèrent entre les combattants, suppliant d'une part leurs pères et leurs frères, d'autre part leurs nouveaux maris, de faire la paix. Leurs prières furent entendues. Sabins et Romains décidèrent de ne former qu'un seul peuple et, pour sceller ce pacte, Titus Tatius partagerait le pouvoir avec Romulus. D'autre part, les Romains jurèrent de respecter et d'honorer leurs épouses.

La légende a sans doute plusieurs sens : d'une part, elle est une illustration mythique du rituel nuptial : le mari enlève son épouse à sa famille; d'autre part, elle montre la place privilégiée de la matrone* dans la famille, puisque, dès les origines, les Romains ont juré de la respecter; enfin, les Sabins passaient pour être des populations d'une vertu exemplaire : il était donc glorieux que les premières « matrones* » fussent des Sabines.

sacrifice (sacrificium). Cérémonie religieuse d'une importance essentielle dans la religion* romaine (culte* domestique et culte public), le sacrifice peut avoir pour but une expiation, une action de grâces ou la connaissance de l'avenir. Les sacrifices se divisent en deux types selon qu'ils sont sanglants (hommes, animaux) ou non sanglants (offrande de gâteaux, de produits du sol → **libération**). Leur liturgie est minutieusement réglée par les pontifes* et varie selon les intentions et les divinités. Quand il y a victime, l'immolation peut être faite selon le rite romain (le sacrificateur a la tête voilée et opère au son d'une flûte*) ou selon le rite grec (le sacrificateur est sans voile, la tête couronnée de laurier; il y a accompagnement de musique*). Ce dernier rite, introduit vers le début du IVe s. av. J.-C., contrastait avec l'archaïsme et la sévérité du rite romain : il apportait, en outre, des cérémonies populaires et joyeuses comme les supplications* et les lectisternes*. L'objet offert en sacrifice pouvait être soit entièrement réservé à la divinité, soit partagé pour une consommation collective.

Si, dans la mentalité religieuse primitive des Romains, les sacrifices humains n'étaient pas considérés comme un rite abominable, toutefois cet ancien rite s'humanisa assez tôt. On connaît le célèbre dialogue entre Jupiter et le roi Numa* Pompilius : « Tranche une tête, exige Jupiter. — Nous trancherons une tête d'oignon de mon jardin, répond le roi obéissant. — Une tête d'homme, dit Jupiter avec insistance. — Les cheveux alors, rétorque Numa. — Non, un être vivant, réplique Jupiter. — Des poissons donc. » Jupiter s'avoue vaincu et sourit. Ainsi, de substitution en substitution, les Romains remplacèrent les victimes par des simulacres et les animaux eux-mêmes par des images ou des offrandes tirées des produits du sol. Cependant, les sacrifices humains n'étaient pas interdits. En 226 et 216 av. J.-C., on immola un couple de Gaulois et un autre de Grecs, la première fois sous la menace d'une invasion gauloise, la seconde fois après la défaite de Cannes*. D'autres eurent lieu encore à la fin du IIe s. av. J.-C. Mais, en 97 av. J.-C., un sénatus-consulte* mit fin aux sacrifices humains.

Cependant, les combats de gladiateurs* restaient une forme de sacrifices humains : même si ce caractère religieux s'est peu à peu effacé dans la conscience des Romains, tout indique qu'ils furent, à l'origine, une substitution des sacrifices humains.

saliens (salii), **prêtres* réunis en une confrérie (*sodalitas*) vouée au culte* de Mars ; celle-ci se divisait en deux groupes, l'un qui vénérait le dieu sur le Palatin, le second qui le vénérait sur le Quirinal.**

Les saliens étaient recrutés par cooptation parmi les patriciens*. À leur tête ils avaient un *magister*. Leurs fonctions consistaient à assurer la garde des boucliers sacrés* (les *ancilia*) et à ouvrir et clôturer solennellement la saison de la guerre* (en mars et en octobre). Les fêtes* du mois de mars comprenaient la « mise en mouvement » des *ancilia*, des courses de chevaux (les *Equirria*), la purification* des armes (*armilustrium*) et des trompettes de guerre (*tubilustrium*), un sacrifice fait par le *Rex sacrorum**. En octobre avaient lieu les cérémonies, moins importantes, de la clôture de la saison guerrière : purification des armes, courses de chevaux et sacrifice de l'*Equus October** (auquel, du reste, les saliens ne participent pas).

Pendant ces différentes cérémonies, les saliens parcouraient la ville en promenant les *ancilia*, en chantant (nous possédons des fragments du *carmen saliare*, d'interprétation difficile), et en dansant le *tripudium*, danse* guerrière sur un rythme grave (leur nom *salii* est apparenté à *salto*, danser). Ils portaient un costume particulier : tunique* courte, cuirasse* et bonnet conique.

Salluste (C. Sallustius Crispus : 85-35 av. J.-C.). Né en Sabine, d'une famille plébéienne, Salluste commença une carrière politique (questure*, tribunat*), mais il fut exclu du sénat* en 50 sous le prétexte d'immoralité. Protégé par César*, il reçoit le gouvernement de l'*Africa Nova* (Numidie) et y fait fortune. Après l'assassinat de César (44), il abandonne la vie publique pour s'adonner à l'histoire, retiré dans ses jardins* sur le Pincio, au nord de Rome → **otium**. Il a écrit deux monographies, la *Guerre de Jugurtha* et la *Conjuration de Catilina*, où il souligne le rôle que peuvent jouer les grands hommes dans l'histoire et insiste sur les causes morales de la décadence de la République*, et aussi cinq livres d'*Histoires*, dont il ne nous reste que des fragments. Son style est original : il a su mêler les archaïsmes et les innovations, les hellénismes et les familiarités, aussi bien en syntaxe que dans le vocabulaire. Il eut une grande influence à Rome et fut étudié dans les classes comme un auteur « classique ».

salutation (salutatio). Les Romains s'abordaient par les mots *Salve* ou *Ave*, à quoi on répondait : *Salve et tu* ; on se quittait en se disant : *Vale — Vale et tu*. Selon les provinces*, divers usages avaient cours. À l'époque ancienne, les Romains se serraient la main.

Dans les lettres, les formules sont très simples. Par exemple, Cicéron commence ses lettres à son ami Atticus* : *Cicero Attico s(alutem dat)*, « Cicéron à Atticus, salut », et termine simplement par *Vale* (« Porte-toi bien »). L'empereur eut droit à des marques de respect plus grandes. Déjà Domitien se faisait appeler *Dominus*, « Seigneur » ; vers la fin du IIIe s., le cérémonial qui entoure l'empereur est minutieusement fixé. D'autre part, pour les magistrats* et les fonctionnaires*, une hiérarchie d'épithètes louangeuses est établie selon l'ordre auquel ils appartiennent et le poste occupé : il y a les *Clarissimi*, les *Perfectissimi*, les *Eminentissimi*, etc.

La salutation matinale (*salutatio matutina*) était la visite que tout client* devait faire le matin à son patron* pour lui marquer son respect (*obsequium*).

sarcophage (sacrophagus), cuve de pierre rectangulaire fermée par une dalle. Mais les sarcophages les plus modestes sont constitués de briques posées à plat, sur lesquelles on plaçait le corps, et de briques réunies en dos d'âne pour le recouvrir. Au Ier s. apr. J.-C., les sarcophages sont encore très rares ; ils deviennent beaucoup plus nombreux au fur et à mesure que l'inhumation replace la crémation. On peut suivre une évolution dans la forme des sarcophages : bas et allongés au début du IIe s. apr. J.-C., ils sont très hauts au IIIe s. et permettent ainsi l'étagement du décor sculpté sur plusieurs plans superposés, ou la représentation de figures de grande taille.

Les bas-reliefs qui ornent les sarcophages luxueux ne sont pas uniformes : ils reflètent les modes esthétiques aussi bien que les préoccupations spirituelles et religieuses des individus ou des groupes (scènes de la vie intellectuelle, représentations dionysiaques, chrétiennes, tableaux mythologiques, quotidiens, etc.). Le portrait du défunt figure au centre d'un médaillon. Les sarcophages étaient surtout ornés quand ils étaient destinés, non pas à être enterrés, mais à être exposés dans un mausolée*.

sceptre (sceptrum). Le sceptre est l'insigne des divinités et en particulier de Jupiter, mais également du roi*, des consuls* et de l'empereur*. C'est le plus souvent un bâton d'ivoire, orné, au sommet, d'un aigle.

sciences. La contribution des Romains au progrès des sciences est négligeable. Réservée aux spécialistes, l'étude des sciences occupe peu de place dans l'enseignement* que dispensent les écoles. Sans doute trouve-t-on là un aspect du génie latin, peu porté à la recherche désintéressée. Encore faut-il remarquer qu'à l'époque hellénistique, l'enseignement des sciences n'est guère plus développé. D'autre part, dans l'Antiquité, tout ce qui est du domaine de la physique, entendue au sens large (astronomie, météorologie, phénomènes naturels, etc.), relève, de près ou de loin, de la philosophie : or, à cette époque, les philosophes s'intéressent surtout aux problèmes de morale*, les connaissances de « physique » étant tenues pour acquises. Il ne faut donc pas s'étonner outre mesure de cette indifférence des Romains à l'égard de la « science » : pour une part, elle tient à des circonstances historiques définies.

D'ailleurs, ils n'ont pas négligé les acquisitions des Grecs : Lucrèce*, Manilius* et Sénèque* rassemblent une documentation « scientifique » dans la mesure où elle peut fournir des éléments de réponses à des problèmes de morale ou de métaphysique. Pline l'Ancien écrit une *Histoire naturelle*, vaste compilation, mais témoigne d'une curiosité scientifique certaine.

On peut se faire une idée du « bagage » scientifique que possédait un Romain cultivé : il avait des notions d'arithmétique, de géométrie, d'astronomie et surtout de sciences naturelles ; culture somme toute suffisante, dans une société où ce sont les carrières politiques qui attirent les meilleurs.

Cependant, la contribution des Romains au progrès des techniques est plus importante : leurs ingénieurs ont su perfectionner les méthodes d'arpentage*, de construction (routes*, ponts, voûtes...), la fabrication du verre et la métallurgie.

Scipion l'Africain (P. Cornelius Scipio Africanus : 235-183 av. J.-C.). Scipion l'Africain est l'une des grandes figures de la République romaine et appartient à une famille illustre, qui, de 259 à 146 av. J.-C., a géré quinze fois le consulat* et a exercé une telle influence que les historiens modernes appellent cette période « le siècle des Scipions ».

Édile* curule en 213, Scipion l'Africain fut chargé, deux ans plus tard, de lutter en Espagne contre les Carthaginois* ; en 209, il s'empare de Carthagène : action rapide qui lui vaut un grand renom. Mais en 208, il ne peut empêcher Hasdrubal de franchir les Pyrénées pour rejoindre son frère Hannibal*. En 207, il remporte plusieurs victoires qui chassent les Carthaginois d'Espagne. Consul* en 205, il veut porter la guerre en Afrique, alors qu'Hannibal se trouve toujours dans le sud de l'Italie*, décision qui ne reçoit par l'appui du sénat* ; mais, sous la pression populaire, Scipion obtient tout de même l'autorisation d'exécuter son projet, sans recevoir les moyens matériels de le réaliser. Avec une armée* composée en partie de volontaires, il débarque, au printemps 204, près d'Utique. En 202, il bat Hannibal à Zama*, mettant ainsi fin à la deuxième guerre punique*. Il obtient les honneurs du triomphe et le surnom d'« Africain ». Pourtant, il reste en butte à l'opposition du sénat, qui ne lui confie pas le commandement de la guerre contre Antiochus : il ne peut la faire qu'à titre de lieutenant de son frère, L. Cornelius Scipio Asiaticus, consul en 190 : tous deux remportent la victoire de Magnésie (Lydie) en 189. Mais, peut-être à l'instigation de Caton*, les deux frères sont accusés d'avoir conservé une partie du butin de guerre en Syrie. L'accusation resta sans suite, mais Scipion se retira de la vie politique et vécut à Literne, sur le littoral campanien. Homme d'action, il fut considéré de son temps comme le descendant spirituel d'Alexandre et le protégé de Jupiter Capitolin.

Scipion Émilien **(P. Cornelius Scipio Aemilianus : 184-129 av. J.-C.).** Fils de Paul* Émile, adopté par l'un des fils de Scipion* l'Africain, Scipion Émilien était avec son père à Pydna* (168). Il est en Espagne en 151, puis est chargé d'une ambassade auprès de Massinissa. En 148, il obtient l'édilité* et, l'année suivante, le consulat*, de manière doublement illégale, puisqu'il n'avait pas l'âge requis et n'avait pas observé la succession des magistratures* ; il reçoit le commandement de la guerre* contre Carthage*, qu'il prend et détruit en 146. Cette victoire lui vaut les honneurs du triomphe*. En 142, il est censeur* et, en 134, de nouveau consul ; en 133, il réprime les révoltes de Numance. Ses succès en Afrique et en Espagne lui valent le double surnom d'*Africanus Numantianus*.

Grand ami des lettres, il organise autour de lui le « cercle* des Scipions », réunion de lettrés, influencés par l'hellénisme* et la pensée stoïcienne* ; en politique, il s'oppose aux réformes que propose son cousin (par adoption) et beau-frère Tib. Gracchus*.

sculpture. Comme la mosaïque* ou la peinture*, qu'il faut toujours situer dans l'ensemble pour lequel elles ont été faites, la sculpture romaine est subordonnée à l'architecture*. Cela est surtout vrai des reliefs, pour lesquels les Romains ont eu un goût particulier. Sous l'Empire*, les bas-reliefs se déploient sur tous les monuments : temples*, autels*, arcs* de triomphe, colonnes*, sarcophages*, etc. Ils combinent différents éléments : motifs végétaux, figures allégoriques ou mythologiques, personnages et scènes historiques.

Quant à la statuaire, elle est liée autant à la vie religieuse (encore que les représentations des divinités aient été relativement tardives et sous l'influence étrusque) qu'à la vie privée. Thermes*, villas*, jardins*, carrefours sont ornés de statues. Les sujets sont variés : mythologiques, familiers, historiques, ou caricaturaux. Mais c'est le portrait qui avait la faveur des Romains, toujours sensibles au prestige de l'individu, même s'ils sont souvent prêts à le suspecter d'aspirer à la tyrannie. Les portraits romains (en ronde bosse ou en relief) révèlent d'ailleurs une évolution du goût dont la tendance au réalisme seule ne suffit pas à rendre compte. Le plus ancien portrait que nous possédions date du IVe s. av. J.-C. : c'est le Brutus* du Capitole*, qui est une grande réussite psychologique. Le légendaire magistrat, fondateur de la République, présente un visage d'une belle gravité idéalisée. Mais nous ne connaissons l'histoire du portrait qu'à partir du Ier s. av. J.-C. : la plupart des portraits de cette époque sont d'ailleurs réduits au buste. Il faut peut-être voir là une influence des masques* funéraires. Toutefois, nous possédons, de cette époque également, des statues de Romains en pied, dans le style grec (personnages nus ou demi-nus, couverts d'un manteau). L'insistance sur le réalisme qui caractérise cette époque est plus nette dans les œuvres romaines que dans celles de style grec. Au contraire, les portraits de l'époque d'Auguste* à Claude sont souvent marqués par un retour à un classicisme grec, volontiers idéaliste. Sous Néron*, le portrait est romantique ou pathétique. À la fin du Ier s. apr. J.-C., on retrouve le classicisme, qui renonce à l'expression passagère pour exprimer un trait de caractère marquant (énergie, résolution, gravité...) : toutefois, une innovation technique (globe de l'œil cerné d'un trait, prunelle évidée) manifeste le goût toujours latent pour le réalisme. Vers la moitié du IIe s. apr. J.-C., les portraits sont pathétiques ou tourmentés : on retrouve le style qui avait caractérisé l'époque de Néron. Par contraste, la seconde moitié du IIIe s. est classicisante. Enfin, à partir du IVe s., l'art du portrait s'oriente vers la stylisation et la majesté, non sans quelque froideur. Cette tendance, qui convient aux portraits d'empereurs, est moins favorable au portrait privé, qui ne peut trop s'éloigner d'une certaine vérité : celui-ci d'ailleurs devient rare.

sénat (senatus).

1° *Royauté**. Le sénat est le conseil du roi ; il est composé des chefs de famille (*patres*), qui donnent leur avis sur les affaires importantes. À la mort du roi, ils assument l'interrègne (les « pères » faisant fonction d'interroi* à tour de rôle) et ils désignent celui qui devra soumettre sa candidature à l'assemblée curiate.

2° *République**. Le nombre des sénateurs alla en augmentant : de 300 il passa à 900 sous César*. Vraisemblablement, les plébéiens y entrèrent vers le milieu du IVe s. : leur titre fut différent de celui des patriciens ; en effet, tandis que ceux-ci continuèrent à s'appeler les *patres*, les sénateurs plébéiens furent les *conscripti* (d'où l'expression *patres conscripti* pour désigner l'ensemble du sénat). Si les différences entre les uns et les autres s'atténuèrent progressivement, toutefois les *patres* conservèrent certains privilèges → **interroi, patrum auctoritas**. Le choix des sénateurs échut d'abord aux consuls*, puis, vers la fin du IVer s., aux censeurs*, qui devaient les prendre parmi les anciens magistrats* (curules au début, puis sans distinction au début du Ier s.) et éventuellement les particuliers éminents. L'âge requis était de 46 ans ; il fut abaissé à 30 par Sulla*. Les sénateurs sont classés en fonction de la dignité des magistratures qu'ils ont exercées et de leur âge : celui qui est en tête de la liste s'appelle le *princeps senatus*. Les sénateurs ont droit à la tunique* à large bande de pourpre et à des chaussures* ornées d'un croissant. Ils possèdent un certain nombre de privilèges, mais sont aussi l'objet d'interdictions (en particulier, il leur est défendu de faire du commerce*, d'affermer les impôts*, etc.).

Le président du sénat est le magistrat (consul, préteur* ou tribun*) qui l'a convoqué ; les sénateurs se prononcent sur sa proposition et leur décision est un sénatus-consulte*, qui a pratiquement force de loi*. Les réunions du sénat se tiennent dans un *templum**, généralement la curie*. Les portes restent ouvertes.

Théoriquement, le sénat, en tant que « conseil de la *Respublica** », n'a aucune compétence : il n'a ni le pouvoir exécutif (réservé aux magistrats), ni le pouvoir législatif (qui appartient aux comices*), ni enfin le pouvoir judiciaire (partagé entre les magistrats et les comices). Mais, de fait, il a une grande influence, que lui assurent sa permanence et la constitution d'une véritable noblesse* sénatoriale. Le sénat apparaît comme le gardien de la tradition. Son prestige à Rome et à l'étranger est très grand.

Son autorité se manifeste sur un certain nombre de points : maintien du culte* traditionnel, police des mœurs, participation aux tribunaux* permanents, administration financière (vote des crédits pour la guerre, administration des provinces*), politique étrangère (négociations, traités de paix*), affaires militaires (répartition des commandements), législation (sénatus-consultes, ratification des lois votées par les comices, transformée en autorisation préalable), juridiction sur les magistrats à leur sortie de charge, enfin pouvoirs exceptionnels en cas d'événements graves (attribution aux magistrats de très larges pouvoirs, ou, au contraire, suspension de certains d'entre eux, annulation des lois, mise hors la loi de citoyens* dangereux en les déclarant ennemis* publics, etc.). Ainsi toutes ces compétences assurent la « majesté » du sénat (*majestas senatus*).

3° *Empire*. Le sénat voit son autorité diminuer progressivement, en dépit d'éphémères « restaurations sénatoriales ». Le nombre des sénateurs est ramené à 600. Ils sont recrutés par l'empereur parmi d'anciens magistrats, déjà agréés par lui, et, de plus, l'empereur peut toujours nommer sénateur un particulier possédant le cens* sénatorial (il est fixé à un million de sesterces* et n'existait pas sous la République). Une innovation marque ce recrutement : le sénat s'ouvre aux provinciaux. Ainsi, sur 231 sénateurs dont nous connaissons l'origine sous le règne de Trajan*, 104 sont provinciaux.

Parmi les attributions nouvelles que reçoit le sénat et qui compensent celles qu'il a perdues, il y a ses attributions judiciaires : il fonctionne comme cour d'appel au civil et comme jury criminel dans certains cas ; il légifère également sur des questions de droit privé. Mais, au IIIe s., l'importance du sénat décroît définitivement : quand, à partir de Dioclétien*, Rome n'est plus la capitale de l'Empire, le sénat devient le conseil municipal de Rome.

Au début de l'Empire, le sénat avait été le refuge de l'opposition républicaine et stoïcienne*.

sénatus-consulte (senatus consultum), **avis donné par le sénat* à un magistrat* qui lui a soumis une question.**

Après le vote de cet avis, celui-ci doit être déposé dans l'*Aerarium* Saturni* et recopié au *Journal** officiel. Si, théoriquement, un sénatus-consulte (appelé aussi parfois *decretum, ou sententia*) n'est pas obligatoire pour les magistrats, pratiquement il a force de loi*.

Si, au moment du vote*, un magistrat a manifesté son opposition en faisant jouer son droit d'intercession*, le sénatus-consulte demeure tout de même à titre indicatif comme une *senatus auctoritas* (volonté du sénat) et peut être soumis à un nouveau vote. Ni le sénatus-consulte, ni la *senatus auctoritas* ne doivent être confondus avec la *patrum auctoritas* (approbation des sénateurs patriciens), qui a été d'abord la ratification donnée par les sénateurs patriciens au vote d'une loi ou à l'élection* d'un magistrat, puis (à partir de la fin du IVe s.) une simple autorisation préalable.

Sous l'Empire*, les sénatus-consultes ont force de loi.

Quant au *senatus consultum ultimum*, c'est une mesure de salut public prise par le sénat et conférant aux magistrats des pouvoirs très étendus. La possibilité de prendre cette décision, qui évitait d'avoir recours à un dictateur*, semble n'avoir existé que depuis la fin du IIe s. av. J.-C..

Sénèque (L. Annaeus Seneca : 2 ?av. J.-C. -65 apr. J.-C). Né à Cordoue, fis d'un rhéteur* célèbre, Sénèque « le Rhétheur », qui nous a laissé un recueil important d'exercices oratoires pratiqués de son temps→ **enseignement**

, Sénèque « le Philosophe » était mieux placé que personne pour apprendre l'art de persuader. Mais il suivit également les leçons des philosophes*, les stoïciens* Attale et Sextius, le pythagoricien Sotion, entre autres. Nous retrouvons, dans l'œuvre de Sénèque, la synthèse de cette double culture qu'il a reçue et assimilée. Brillant avocat*, il commença une carrière politique ; mais Messaline*, la première femme de Claude, le fit exiler en Corse, à la suite d'intrigues mal éclaircies. Il fut rappelé en 49 par Agrippine*, qui lui confia l'éducation du futur empereur Néron* (qui avait alors 13 ans). Quand celui-ci prend le pouvoir (en 54, il n'a que 17 ans), et pendant cinq années, Sénèque, qui exerce une grande influence sur son élève, est maître du pouvoir et consacre ses loisirs à élaborer son œuvre. Mais il devient bientôt pour Néron une conscience gênante, et il est écarté. En 65, impliqué dans la conjuration de Pison, Sénèque dut s'ouvrir les veines.

Son œuvre est une et diverse : l'orthodoxie stoïcienne fournit à Sénèque ses principaux thèmes doctrinaux, mais les circonstances de la vie lui donnent l'occasion d'exercer sa réflexion, de remettre en question ce qu'il croyait acquis et de donner des conseils.

Il a écrit trois *Consolations*, des traités *Sur la Providence, Sur la colère, Sur la vie heureuse, Sur les bienfaits,* etc. Les *Lettres à Lucilius*, rédigées dans les dernières années de sa vie, sont son chef-d'œuvre : lettres de « direction de conscience », elles n'ont rien de dogmatique ou de conventionnel. Rarement la philosophie a été mêlée d'aussi près à la vie que dans ces 124 lettres, dialogue constant entre l'élève et son maître. Le style de Sénèque, imagé, varié, souvent vigoureux et saisissant, vise à un effet de choc propice à la méditation. Parallèlement à son œuvre philosophique, Sénèque a écrit neuf tragédies qui ont exercé une grande influence sur le théâtre* des XVIe et XVIIe siècles.

seniores → âges de la vie; armée.

Septimontium (ligue du). Vers la fin du VIIIe s. av. J.-C. ou au début du VIIe, sept villages de Rome (Germal, Palatual, Velia, Oppius, Cispius, Fagutal et Caelius) se sont groupés en une fédération politique et religieuse, de caractère assez lâche. Peut-être faut-il voir dans cette ligue une amorce d'unification de Rome ? Plus vraisemblablement celle-ci est due aux Étrusques*. Sous l'Empire* encore, le 11 décembre, on célébrait la fête du Septimontium.

sépulture → cimetières; monuments funéraires; sarcophage.

serment. La langue latine* possède deux mots pour rendre ce que nous appelons un « serment » : *jusjurandum et sacramentum.* Tous deux ont une valeur religieuse, mais le premier s'applique à des actes de la vie politique et juridique, le second à des actes de la vie militaire.

Les magistrats*, à leur entrée en charge, les jurés (*judices*) et les accusateurs*, avant un procès*, prêtent le serment (*jusjurandum*) de respecter les lois : *jurare in leges*; de même, dans un litige, demandeur et défendeur jurent l'existence ou la non-existence du droit réclamé.

Le *sacramentum* est le serment prêté par les soldats* au moment de l'enrôlement; celui qui y manque est déclaré *sacer* (maudit) et est condamné à mort. Le *sacramentum* crée un lien de nature religieuse et personnelle entre le chef et le soldat : celui-ci s'engageait à combattre tout ennemi désigné par son chef, à ne pas déserter, à ne rien faire contre les lois; c'est la prestation de serment qui donne le droit de porter les armes et de les utiliser; de son côté, le chef qui reçoit le serment a un droit absolu de vie et de mort sur le soldat.

Il est vraisemblable que le serment militaire, avec les conséquences qu'il entraîne, n'est pas sans lien avec l'une des procédures des actions* de la loi, procédure archaïque et rituelle, dite du *sacramentum*, où les parties affirmaient leur droit sur une chose, et où la partie perdante devait faire un sacrifice d'expiation, remplacé ensuite par une somme d'argent versée au Trésor*.

Sous l'Empire*, non seulement les soldats, mais également les magistrats et les fonctionnaires sont liés par serment (*sacramentum*) à l'empereur.

service militaire → armée.

Servius Tullius → centuries; origines de Rome; royauté; tribus.

sesterce → monnaie.

sièges. Les Romains, chez eux, utilisaient moins les sièges que nous, étant donné les multiples usages qu'ils faisaient du lit*. Il y en avait toutefois de plusieurs types : — la *cathedra*, siège d'appartement à dossier parfois légèrement incliné, réservée en principe aux femmes : c'est à peu près notre chaise actuelle (le mot d'ailleurs vient de *cathedra*); — la *sella*, siège portatif, léger, sans dossier, éventuellement pliant; — la *sella curulis*, réservée aux magistrats* curules, en ivoire, les pieds en X; — le *subsellium*, banquette, que l'on trouve dans les tribunaux, les lieux de spectacle; — le *solium*, véritable fauteuil, avec bras et dossier perpendiculaire, l'ancêtre du fauteuil Louis XIII; il est réservé au maître de maison, au patron* quand il reçoit ses clients*, aux divinités.

Sur tous les sièges, il n'y a pas ordinairement de capitonnage : aussi sont-ils recouverts de coussins et de draperies. Comme pour les tables* ou les lits, ce sont surtout les pieds qui retiennent l'attention de l'ébéniste*.

soldat → armée.

Spartacus. Esclave* thrace, Spartacus entraîna ses compagnons d'une école de gladiateurs* de Capoue à la révolte (73 av. J.-C.). Il semble avoir voulu permettre à ses troupes, composées surtout de Celtes et de Germains, de retrouver la liberté, en les reconduisant dans leurs patries. Mais, sans que l'on en voie les raisons, il fit demi-tour, de Gaule* Cisalpine vers le centre de l'Italie*. Cette décision lui fut fatale. Rome, qui avait essuyé des revers devant Spartacus, s'effraya et donna un commandement exceptionnel à Crassus* ; finalement, l'indiscipline des troupes révoltées perdit Spartacus (mars 71) : 6 000 esclaves furent crucifiés le long de la *via Appia*. Mais il avait fallu deux années de combat aux légions* romaines pour venir à bout de la « guerre servile ». Sur leur route, Spartacus et son adjoint Crixus, un Gaulois, avaient réussi à lever jusqu'à 90 000 hommes. Cette guerre révéla aux Romains le danger d'une société esclavagiste, dans laquelle des hommes vivent à part, avec leurs mœurs, leur religion*, leur droit*.

spectacles → **cena; chasses; courses de chars; gladiateurs; représentations dramatiques; théâtre.**

sport. L'athlétisme, qui a joué un rôle important dans l'éducation des Grecs, ne s'est imposé que tardivement à Rome ; en effet, le goût de la compétition sportive leur parut pendant longtemps futile et sans raison. Sur le champ de Mars, les jeunes gens s'adonnaient certes à des exercices physiques, mais c'était un entraînement militaire : maniement des armes, course, équitation, natation dans le Tibre...Toutefois, Agrippa* aménagea des terrains de sport sur le champ de Mars, inspirés des gymnases grecs et permettant aux jeunes Romains de pratiquer des sports qui ne fussent pas directement utiles pour la guerre. Plus tard, dans le même esprit, Domitien construisit un stade, toujours sur le champ de Mars. Il fut restauré par Sévère Alexandre et pouvait contenir 30 000 spectateurs, mais il ne semble pas qu'il y en eût jamais d'autres à Rome. D'autre part, les particuliers se faisaient construire dans leur villa*, comme Domitien dans son palais du Palatin, des stades, des gymnases, des « hippodromes », où ils s'adonnaient à quelques exercices physiques, mais pour entretenir leur bonne santé, comme le leur recommandaient les médecins* : plus que des exercices sportifs à proprement parler, c'étaient des exercices d'hygiène.

En réalité, la jeunesse romaine préférait le cirque*, où elle pratiquait la voltige et le carrousel, et l'amphithéâtre*, où elle faisait de l'escrime et affrontait les fauves dans des chasses*. C'est à ces sports que va la prédilection des jeunes gens, qui, à partir de l'époque d'Auguste*, faisaient partie de clubs élégants et aristocratiques, les *collegia juvenum*. Et, de fait, ces sports étaient plus dans la tradition romaine que l'athlétisme.

sportule (sportula, petit panier), **secours en nature (aliments, repas, provisions...) que les patrons* accordaient à leurs clients*, à l'heure de la salutation* matinale ; par la suite, ce secours fut remplacé, souvent, par une somme d'argent.**

stèle (stela), **pierre tombale indiquant l'endroit où repose le mort. Les stèles sont généralement quadrangulaires, simples ou sculptées, proches parfois, par leur forme, des autels* funéraires.**

sténographie (notae). Comme nous, les Romains abrégeaient souvent les mots ou les expressions, lorsqu'il n'y avait aucun risque d'erreur d'interprétation (RP = *Respublica*, S P Q R = *Senatus populusque Romanus*, etc.) : ils usaient surtout d'abréviations dans les inscriptions* qu'ils gravaient sur les monuments.

Exemples de notes tironiennes du haut Moyen Age, d'après E. Chatelain.

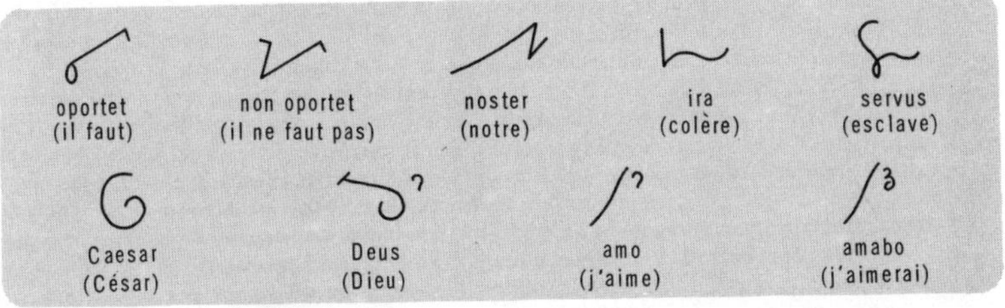

Mais, de plus, ils ont connu une sorte de sténographie, les « notes tironiennes », qui doivent leur nom à Tiron, l'affranchi* de Cicéron*, à qui l'on fait honneur d'avoir inventé ce système, mais qui, peut-être, s'est contenté d'adapter au latin un système en usage chez les Grecs. L'enseignement de la sténographie s'est développé sous l'Empire* et surtout le Bas-Empire, quand les *notarii* (sténographes) deviennent les secrétaires indispensables de l'administration.

stoïciens. Les Romains ont toujours eu une prédilection pour le stoïcisme, dont les vues sur la Providence et le destin* ou la morale* convenaient bien à leur conception de la grandeur romaine et à leur « gravité ». La philosophie stoïcienne s'implanta définitivement à Rome dès le milieu du IIe s. av. J.-C., lorsque Panétius fut admis dans le « cercle* des Scipions », où il exerça une grande influence. Tib. Gracchus* eut comme maître et conseiller le stoïcien Blossius de Cumes. Plus tard, Cicéron* fut l'élève de Posidonius qui, avec Panétius, son maître, a infléchi l'ancien stoïcisme, plus théorique et dialectique, vers le moyen stoïcisme, plus orienté vers les problèmes de morale.

Sous l'Empire*, de nombreux écrivains subirent l'influence de la doctrine du Portique (Manilius*, Perse*, Lucain*, Tacite*) ; d'autres furent de véritables philosophes (Sénèque*, Musonius Rufus, Épictète, Marc* Aurèle) : ces derniers forment la troisième grande période de l'histoire du stoïcisme, celle que l'on appelle le « stoïcisme impérial ».

L'idéal de vertu, d'humanisme, cher aux Romains, est imprégné de stoïcisme ; mais celui-ci a joué également un rôle dans la vie de la cité, par exemple dans la politique des Gracques ou dans la conception initiale du principat* : en effet, pour les stoïciens, un tel régime, pourvu qu'il fût aux mains d'un « sage », était susceptible de réaliser le bien ; d'où le réveil de l'opposition stoïcienne, chaque fois que le principat paraissait dévier de sa ligne idéale. → **épicuriens ; philosophes.**

stola, robe longue, resserrée à la taille, que portent les matrones* romaines sur la tunique*.

Mais, en public, elles revêtent un manteau* (*palla*) par-dessus. Le bas des *stolae* était agrémenté d'une broderie (*instita*). Un motif particulier, mais que nous ne connaissons pas, ornait les *stolae* des mères de « familles nombreuses » (les parents de trois enfants avaient des privilèges, *jus trium liberorum*).

strigile (strigilis), lame en métal ou en os recourbée, sans tranchant, avec laquelle on raclait l'épiderme.

En principe, on s'en servait pour ôter l'huile dont les athlètes se couvraient le corps afin de donner moins de prise à l'adversaire. Mais, bientôt, tous les Romains utilisèrent des strigiles, les hommes après les exercices physiques, les femmes pour éliminer les onguents.

stylet → porte-plume.

Suétone (C. Suetonius Tranquillus : vers 75-vers 160 apr. J.-C.). Issu d'une famille de rang équestre, ami de Pline* le Jeune, secrétaire *ab epistulis* d'Hadrien* → **chancellerie**, puis disgracié, Suétone fut un encyclopédiste dans la tradition de Varron* et de Pline* l'Ancien ; mais de son œuvre érudite, seuls des fragments nous sont parvenus ; en revanche nous possédons ses *Vies des XII Césars*, qui sont une mine de renseignements sur la période qui s'étend de César* à Domitien et continuent à servir de référence aux historiens aujourd'hui.

Sulla (L. Cornelius Sulla : 138-78 av. J.-C.). Issu d'une famille patricienne*, mais sans éclat et pauvre, Sulla est questeur* de Marius* en 107 et acquiert quelque renom en arrêtant Jugurtha ; la guerre* sociale, qu'il réprime, lui donne la gloire, et en 88 il est élu au consulat*. En dépit de l'opposition des *populares** qui ont fait voter des lois* antisénatoriales, le sénat lui confie le commandement de la guerre contre Mithridate (88). Contraignant Marius à s'enfuir de Rome, Sulla part pour l'Orient, où, après trois années de guerre, il obtient la victoire. Quand il rentre à Rome en 83, la ville est aux mains des partisans de Marius ; mais une victoire aux portes mêmes de Rome (82) lui redonne le pouvoir.

Nommé dictateur*, il procède à des réformes constitutionnelles : augmentation de l'effectif du sénat*, qui passe de 300 à 600 membres, du nombre des magistrats*, révision de la carrière des honneurs* (l'âge du consulat est porté à 42 ans), diminution des pouvoirs des tribuns*, des consuls et des préteurs*, attribution aux sénateurs des pouvoirs judiciaires, etc.

Toutes ces réformes se firent dans le sang : 40 sénateurs et 1 600 chevaliers*, inscrits sur les listes de proscriptions*, furent massacrés. Cependant, Sulla se donne les apparences d'un monarque et se fait appeler *Felix* (l'« Heureux », c'est-à-dire « favorisé par les dieux »). Il abdiqua en 79, et laissa le souvenir d'un homme cruel et cynique.

suovetaurilia, sacrifice d'une truie (*sus*), d'une brebis (*avis*) et d'un taureau (*taurus*), lors de certaines cérémonies de purification (lustration*).

superstition → religio.

supplications (supplicationes), **prières* et cérémonies d'action de grâces, décrétées par le sénat* en l'honneur d'une ou plusieurs divinités : la foule était invitée à visiter les temples* et à voir les dieux couchés sur leur *pulvinar**, en se livrant à des manifestations de piété (adoration, agenouillement).**

Le sénat pouvait également voter des actions de grâces (*supplicationes*) en l'honneur des généraux vainqueurs qui n'étaient pas jugés dignes d'une récompense plus élevée (triomphe* ou ovation*).

surnom → noms de personnes.

t

Table (*mensa*). La table est une pièce essentielle du mobilier romain. Elle sert pour les repas, les sacrifices*, les jeux... Les formes sont extrêmement variées (rondes, rectangulaires, en demi-cercle), à un ou plusieurs pieds, hautes ou basses, en bois, en marbre, en bronze ou en pierre. Le plateau pouvait être en bois rare et incrusté ; mais ce sont surtout les pieds qui étaient l'objet de motifs recherchés et riches.

tablettes (*cerae, pugillares*), **petites planches de bois recouvertes de cire molle et entourées d'un petit rebord.**

Les Romains employaient les tablettes pour leurs notes, leurs lettres, leurs brouillons, etc. Ils traçaient les signes avec des stylets*. Ces tablettes étaient généralement en cire, plus rarement en plomb ou faites de feuilles d'ardoise. On avait la possibilité de réunir entre elles deux ou plusieurs tablettes, obtenant ainsi des diptyques, etc. On donnait le nom de *codex* à un ensemble de tablettes ainsi « reliées ». → **livre.**

tablinum, grande pièce de réception, donnant sur l'*atrium, dans l'axe de la porte* d'entrée.**

Une ouverture pratiquée dans le mur postérieur permet de communiquer avec le jardin* ou avec le péristyle*, s'il y en a un. C'est dans le *tablinum* que se tient le maître de maison pour régler ses affaires et recevoir ses clients*.

Tacite (P. Cornelius Tacitus : 55-120 apr. J.-C.). Originaire vraisemblablement de Gaule* Transalpine, Tacite a suivi la carrière sénatoriale, qui l'a conduit au consulat* en 97 ; c'est d'ailleurs à cette époque qu'il se tourne vers l'histoire. Ses premières œuvres sont deux brèves monographies, la *Vie d'Agricola*, éloge* funèbre de son beau-père, et *la Germanie*, traité ethnographique et géographique sur les peuples au-delà du Rhin.

Ses deux grandes œuvres historiques sont les *Histoires* (vers 110) qui racontent les événements de la mort de Néron* à Domitien, et les *Annales*, qui vont de la mort d'Auguste* à Néron. Pour les écrire, Tacite s'est documenté sérieusement, utilisant les témoignages oraux, les archives* du sénat*, le *Journal** officiel de Rome, etc. Psychologue, il analyse avec acuité, et non sans pessimisme, les sentiments et les personnages ; stoïcien*, il croit à un destin* qui mène les hommes ; styliste, il donne vigueur et densité à des peintures intelligentes et saisissantes. À bien des égards, le tableau qu'il présente du Haut-Empire est plus dramatique que proprement historique. Il faut mettre à part son *Dialogue des orateurs* (vers 105), qui pose ou a posé de nombreux problèmes et dans lequel Tacite s'interroge sur les causes du déclin de l'éloquence*, dû essentiellement, selon lui, à la perte des libertés sous l'Empire. Cette œuvre explique sans doute pourquoi Tacite a renoncé lui-même à l'éloquence et à la politique, domaines où il brillait, pour se tourner vers l'histoire qui lui paraissait seule pouvoir concilier l'éloquence et l'action politique.

tapis (tapetum). L'art des tapis, venu d'Asie, a été transmis aux Romains par le monde hellénistique. Nous sommes mal renseignés sur leur décor (motifs géométriques, végétaux ou animaux). Les Romains les utilisaient comme couvertures, sur les lits* et sur les sièges*, pour en améliorer le confort; aussi ce sont les mêmes mots qui désignent les tentures*, les tapisseries, les couvertures et les tapis. Les tapis « de sol » paraissent avoir souffert de la concurrence des pavements en mosaïque*.

Tarquin l'Ancien, (et) **le Superbe.** → Étrusques; origines de Rome.

temple (templum), édifice réservé au culte d'une divinité, construit sur un *templum**, puis consacré* et « dédié »; mais certaines réunions peuvent s'y tenir, par exemple celles du sénat pour délibérer. Les temples romains présentent une architecture* résultant d'une double influence, grecque et étrusque. Ils sont théoriquement orientés ouest-est et, le plus souvent, de forme rectangulaire; l'essentiel du temple est la salle (*cella*) où est abritée l'effigie de la divinité en l'honneur de laquelle le temple a été construit; l'éclairage n'est assuré que par la porte d'entrée. Les temples consacrés à la triade capitoline, Jupiter, Junon, Minerve, ont une triple *cella* → **Capitole.**

Devant la *cella*, se trouve un vestibule (*pronaos*), constitué par la prolongation des deux murs de côté de la *cella* ou par des colonnades. L'édifice est haussé sur une plateforme (*podium*), à laquelle on accède par un escalier situé uniquement sur le devant du temple et dont les marches sont en nombre impair. À partir de cette architecture de base, il existe plusieurs types de temples, désignés par des termes techniques. On appelle temple *in antis*, un temple dont les murs de la *cella* se prolongent pour constituer les côtés du *pronaos*; temple *prostyle*, celui dont les côtés du *pronaos* sont formés en partie seulement par le prolongement des murs de la *cella* ou bien par des colonnades; d'après le nombre des colonnades de front, le temple est dit tétra-, hexa-, octo- ou décastyle. Si le temple est entouré entièrement de colonnes, il est appelé périptère; si celles-ci sont engagées dans les murs de la *cella*, ou si ce sont des pilastres, il est appelé pseudo-périptère. Exceptionnellement, il peut y avoir un vestibule et un escalier postérieurs : c'est alors un temple amphiprostyle.

Les sacrifices* ont lieu non pas dans le temple, mais en avant de l'escalier qui donne accès au *pronaos*, où est installé un autel*. Il arrive que les temples soient enfermés dans une enceinte (péribole) à laquelle est adossé un portique*.

Mais, en plus des temples rectangulaires, les Romains ont bâti des temples circulaires, avec ou sans *cella*, par exemple à Rome le temple rond du *Forum Boarium*, dit souvent « temple de Vesta », mais de façon erronée.

Il faut mettre à part les temples réservés aux cultes étrangers (Cybèle, Mithra, Isis...), dont la disposition est variable.

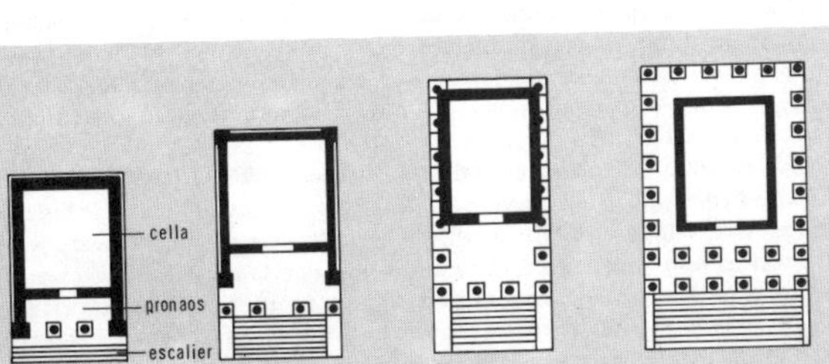

Temple in antis — Temple prostyle tétrastyle — Temple prostyle tétrastyle et pseudo-périptère — Temple prostyle hexastyle et périptère

templum (mot apparenté au grec *temnô*, couper), espace circulaire ou rectangulaire, délimité dans l'air ou sur le sol par un augure* avec son *lituus*, à l'intérieur duquel il observe les signes divins. Cette prise des auspices*, qui avait lieu avant toute entreprise d'importance, était donc nécessaire avant de décider la fondation d'une ville, la construction d'un édifice public ou religieux, d'un camp* militaire, etc. Cette cérémonie s'appelait l'*inauguratio**, et tout édifice qui l'a nécessitée est donc aussi un *templum*. Dans une ville, le *pomerium** délimitait le *templum* urbain.

Pour qu'un édifice qui est un *templum* puisse être un « temple* », il faut qu'il soit consacré et « dédié ». → **consécration**; **dédicace**.

tentures (vela). Les Romains ont fait un grand usage des tentures, qui souvent servaient de portes* intérieures. Ils en décoraient les sièges*, les lits*, les murs ; de couleurs vives et richement ornées, elles étaient un signe de luxe.

Térence (P. Terentius Afer : vers 190-159 av. J.-C.). Né sans doute à Carthage*, Térence fut l'esclave* d'un sénateur* qui le fit instruire et l'affranchit. Il fréquenta le « cercle* des Scipions* », et son théâtre reflète probablement, dans une certaine mesure, quelques-uns des problèmes abordés par les uns et les autres. Nous avons six comédies de lui : *l'Andrienne, l'Eunuque, la Belle-Mère, le Bourreau de soi-même, Phormion, les Frères.* Comme Plaute*, Térence imite la comédie nouvelle, mais, beaucoup plus que lui, il s'intéresse aux problèmes moraux (en particulier à l'éducation des enfants) et aux analyses psychologiques. Bien qu'ils soient des types conventionnels, ses personnages ont chacun sa personnalité, qui se dégage peu à peu au cours de la pièce, et cela reste vrai même pour les personnages d'esclaves. Le ton général de ses pièces est sérieux, son théâtre relève de la comédie psychologique ou même du drame bourgeois, et, comme tel, eut moins de succès que celui de Plaute. Son vers célèbre : « Je suis un homme et rien de ce qui est humain ne m'est étranger » devint l'expression de l'humanisme (*humanitas*) romain. À la fin de la République* et sous l'Empire*, il sera l'auteur dramatique le plus étudié ; et l'on sait le succès qu'il eut auprès des auteurs du XVIIIe siècle.

Tertullien (C. Septimius Florens Tertullianus : vers 160 vers 220 apr. J.-C.). Tertullien, né à Carthage*, est le premier auteur chrétien de langue latine*. Il reçut une belle formation juridique et rhétorique. On situe sa conversion au christianisme vers 195, sans en connaître exactement les circonstances. Progressivement attiré par le montanisme, secte hérétique dont l'ascétisme rigoureux le séduisait, il rompit avec l'Église vers 207. Doué pour l'action plus que pour la contemplation, il a écrit une œuvre qui est tout entière une œuvre de combat : contre les païens, contre les hérétiques, contre les juifs, contre les chrétiens qu'il estime trop tièdes ou imparfaits. Ce sens et ce goût de la polémique lui ont sans doute porté tort, car on voit souvent en lui un esprit agressif, tout d'une pièce, ne reculant devant aucun moyen pour vaincre ses adversaires (sophismes, contradictions, caricatures, invectives). En fait, la pensée de Tertullien est plus nuancée, plus souple, et présente plus d'unité qu'on pourrait le croire à première lecture. S'il n'est pas l'« auteur » du latin théologique, il en est un artisan remarquable. Il nous reste de lui trente et un traités, tous, ou presque, de circonstance. Son chef-d'œuvre est *l'Apologétique* (197) qui date du début de sa conversion.

tessère (tessera), dé ou jeton, dont la forme, la matière et les usages étaient fort variés. C'étaient, selon les cas, des dés à jouer, des billets d'entrée aux spectacles, des bons de blé, des médailles de distinction pour les gladiateurs, des signes de recommandation pour recevoir ou accorder l'hospitalité, des marques de fabrique, etc.

testament (testamentum). À l'origine, pour pouvoir tester, il fallait être citoyen* et *sui juris*, c'est-à-dire ne pas être soumis à la puissance paternelle (*patria potestas*) ; par la suite, il suffit, semble-t-il, d'avoir le *jus commercii*. On peut désigner comme héritier qui l'on veut, mais celui qui est institué héritier doit répondre à certaines conditions juridiques (une loi* de 169 av. J.-C. limita en particulier la capacité des femmes à hériter, mais cette loi fut pratiquement négligée). Il y avait plusieurs formes de testament : 1° testament *comitial* : il se faisait devant l'assemblée des curies* (*comitia calata*) ; 2° testament *peraes et libram*, « par l'airain et la balance », véritable transfert de propriété ; 3° testament *in procinctu*, « sur le champ de bataille », déclaration de volonté devant l'armée*. Mais ces différentes formes étaient plus ou moins désuètes, et on leur en préférait d'autres, créées par le droit* prétorien, qui consistaient à déclarer oralement devant témoins ou à écrire, aussi devant témoins et avec leur signature, sa déclaration de volonté.

Sous l'Empire*, l'habitude voulait qu'on léguât une partie de sa fortune à l'empereur. Le type du « chasseur d'héritage » (*captator testamenti*) cynique, paraît avoir été fréquent : c'était, en tout cas, un thème de la littérature satirique.

tétrarchie (du grec *tetra*, quatre, et *archos*, chef), **système de gouvernement et d'administration de l'Empire* imaginé par Dioclétien* en 293.**

L'Empire fut dirigé par deux Augustes (Dioclétien à Nicomédie et Maximien à Milan) et deux Césars (Galère à Sirmium, en Pannonie, et Constance Chlore à Trèves). Mais, entre eux, il y avait une hiérarchie : Dioclétien dominait ses collègues, et chaque César devait succéder à son Auguste. Dioclétien pensait ainsi résoudre les difficultés administratives et judiciaires qu'engendrait un Empire devenu trop grand pour un seul empereur et une seule administration : la tétrarchie lui paraissait devoir assurer la permanence, l'efficacité et l'unité du pouvoir impérial. Mais le système ne survécut pas à son créateur : après l'abdication de Dioclétien en 305, il se détériora rapidement, en entraînant l'anarchie et des guerres civiles*, qui ne cesseront qu'en 312, avec la victoire de Constantin* sur ses rivaux.

théâtre (theatrum). Le premier théâtre de pierre construit à Rome est dû à Pompée (55 av. J.-C.). Jusque-là, on s'était contenté de constructions en bois, souvent démolies aussitôt les représentations terminées. Le théâtre romain diffère du théâtre grec par sa disposition en demi-cercle et par le fait qu'il ne s'appuie plus nécessairement sur une colline.

La foule prend place sur les gradins disposés en hémicycle (la *cavea*). Au bas de ceux-ci se trouve l'orchestre, en demi-cercle également, réservé aux spectateurs de marque ; devant l'orchestre, la scène (*proscaenium ou pulpitum*) ; au fond s'élève le mur de scène (*scaena, frons scaenae*), figurant la façade d'un palais à trois ou cinq portes, plus ou moins richement ornée : c'est un décor permanent. Ce mur de scène atteint en hauteur le même niveau que la rangée la plus élevée de la *cavea* : le théâtre couvert est donc virtuellement concevable, mais les Romains n'ont couvert effectivement que de petits théâtres, les odéons, réservés aux concerts et aux lectures publiques*. Dans les théâtres proprement dits, on se contentait de tendre des toiles pour protéger les spectateurs des intempé-

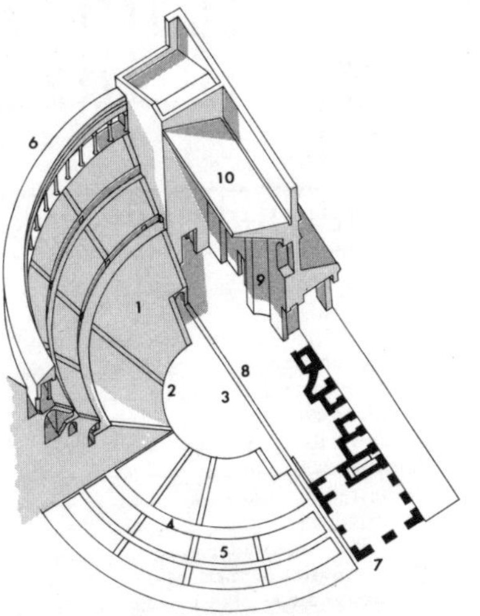

Coupe axonométrique du théâtre d'Orange. *1. Les gradins* (cavea) ; *2. Escaliers d'accès aux gradins ; 3. Orchestre ; 4.* Praecinctiones *(paliers) ; 5.* Maeniana *(section de gradins) ; 6. Portique ; 7. Entrée latérale ; 8. Scène ; 9. Mur de scène ; 10. Auvent destiné à rabattre la voix.*

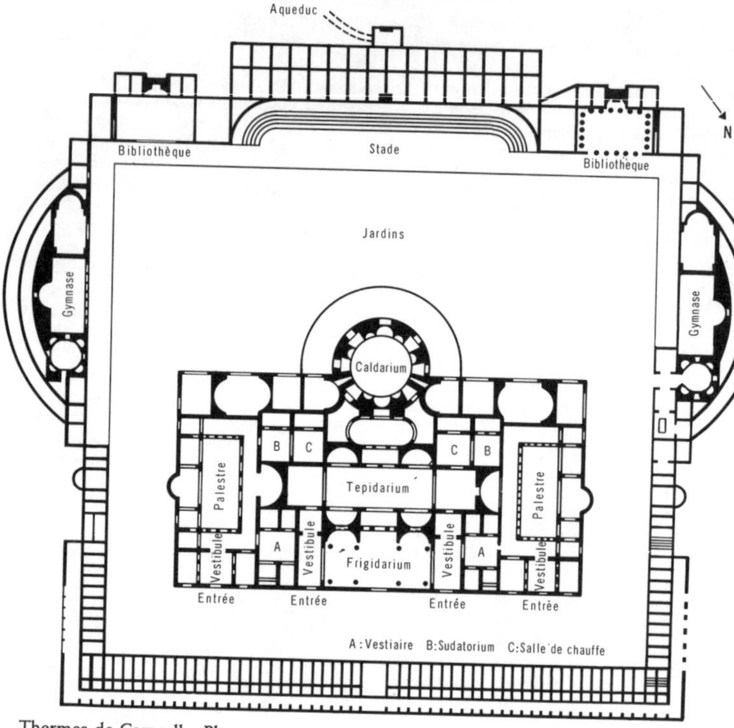

Thermes de Caracalla. Plan.

ries. Le sommet du mur de scène était incliné en avant, de manière à rabattre la voix. Derrière celui-ci, les coulisses (*postscaenium*) ; dans le sous-sol, les machineries (*hyposcaenium*). On sait que les Romains utilisaient le « rideau de scène » ; mais, contrairement au nôtre, il se baissait au début de la représentation et se levait à la fin, car le dispositif permettant de le hisser et de le descendre se trouvait encastré dans le mur du devant de la scène.

Les représentations théâtrales* (tragédie, comédie, mime, atellane) ont eu beaucoup de succès et les ruines de théâtres romains sont nombreuses dans toutes les provinces* : certains sont encore utilisés aujourd'hui. Le théâtre d'Orange est le mieux conservé de tous les théâtres antiques : il date sans doute de l'époque augustéenne.

Théodose (Flavius Theodosius : 347-395 av. J.-C.), empereur de 379 à 395. Théodose est le dernier empereur à avoir régné sur l'ensemble de l'Empire romain ; à sa mort, ses fils Honorius et Arcadius se partagèrent le monde romain (Empire d'Occident et Empire d'Orient). Sous son règne, le christianisme* devient religion d'État : les temples sont fermés ou confisqués, les cultes païens interdits, l'Église et l'empereur collaborent. Sa pénitence publique exigée par saint Ambroise, alors évêque de Milan, pour le massacre de la population de Thessalonique, est restée célèbre (390). Par bien des aspects, Théodose annonce déjà les souverains médiévaux.

thermes **(thermae), établissements de bains, publics ou privés.**

Les Thermes comprennent quatre parties essentielles : un vestiaire (*apodyterium*) ; une salle froide (*frigidarium*) où l'on prenait des bains froids ; une salle tiède (*tepidarium*) où les baigneurs étaient frottés d'huile et de parfums ; une étuve (*caldarium*). On passait normalement d'une pièce à l'autre ; mais il pouvait y avoir d'autres pièces réservées aux massages, à la gymnastique, aux frictions, etc. Les salles étaient souvent ornées de mosaïques* luxueuses et de pavements de marbre.

Certains thermes étaient divisés en deux parties, l'une réservée aux hommes, l'autre aux femmes ; sinon, des heures différentes étaient prévues.

Les chaudières (*hypocaustum*) se trouvaient au sous-sol : un système perfectionné de conduits et de canalisations permettait d'obtenir l'eau et l'air à la température voulue.

Mais les thermes n'étaient pas seulement des établissements de bains au sens strict : ils étaient aussi des lieux de rencontre, où se donnaient des rendez-vous d'amitié ou d'affaires. Les thermes les plus luxueux étaient pourvus, en effet, de promenades, de bibliothèques*, de piscines, ou de « bars ». Hygiène et vie mondaine allaient de pair. On se rendait aux thermes l'après-midi ; ils restaient ouverts jusqu'à la tombée de la nuit. Les plus célèbres à Rome* sont ceux de Caracalla. Si les maisons en ville n'avaient, le plus souvent, que des « salles de bains » (*balnea*), en revanche, les « villas » étaient agrémentées de véritables thermes.

Tibère (Tib. Claudius Nero : 42 av. J.-C. - 37 apr. J.-C.). Fils de Tib. Claudius Nero et de Livie*, qu'Octave* épousa en 38, Tibère commença une carrière politique et militaire, très jeune.

En 26, il est tribun militaire* en Espagne ; par la suite, il accomplira des missions en Arménie, en Gaule*, dans les Alpes, en Pannonie et en Dalmatie, où il fait montre de ses brillantes qualités. En 12, Auguste le contraint à épouser sa fille, Julie*, veuve d'Agrippa*. En 7 av. J.-C., il obtient son second consulat ; l'année suivante, il reçoit la puissance tribunitienne* pour cinq ans ; mais Tibère s'exile volontairement à Rhodes, las et découragé, sans doute pour des motifs familiaux et politiques. Auguste l'adopte* en 4 apr. J.-C. et le force à adopter lui-même Germanicus*. Quand Auguste meurt, en 14 apr. J.-C., le sénat* accorde à Tibère tous les pouvoirs qu'Auguste avait accumulés.

Mais affectant, sincèrement peut-être, des sentiments républicains, il rend au sénat certaines de ses prérogatives.

Pendant une dizaine d'années (14-23), l'Empire prospère sous la direction de ce bon administrateur ; mais, à partir de 23, Séjan, préfet du prétoire*, exerce une influence croissante auprès de lui ; aigri et malade, Tibère se retire en 26 à Capri, laissant Séjan exercer la réalité du pouvoir. La fin de son règne est sombre ; en 31, il fait exécuter Séjan, mais le régime de terreur continue, et c'est avec soulagement que les Romains apprennent la mort de leur empereur.

tibia, flûte, dont il existe plusieurs types, rappelant tantôt nos cornemuses, tantôt nos flageolets, tantôt nos flûtes elles-mêmes.

Avec la lyre*, c'est le principal instrument de la musique* antique ; on en joue surtout dans les cérémonies religieuses et pour accompagner les parties chantées et les récitatifs de la comédie.

Tibulle (Albius Tibullus : vers 50-19 av. J.-C.). Né près de Rome, issu d'une famille équestre, Tibulle commença une carrière politique dans le sillage de Messalla*, consul* en 31, qui, comme Mécène*, mais avec plus d'indépendance, entretenait autour de lui un cercle* de poètes.

En 29, à la suite d'une maladie, Tibulle se consacre à la poésie et chante ses amours avec Delia, Glycera et Némésis. Il sait également goûter, comme Virgile*, mais avec moins de force, l'atmosphère paisible et douce de la campagne. Au recueil d'*Élégies* écrites par Tibulle sont jointes traditionnellement des pièces de Lygdamus, qui était peut-être le frère d'Ovide*, et de Sulpicia, nièce de Messalla.

Tite-Live (T. Livius : 59 ? av. J.-C. - 17 apr. J.-C.). Originaire de Padoue, issu d'un milieu aisé, Tite-Live consacra toute sa vie aux lettres. Pompéien de sentiment, il fut toutefois dans l'intimité d'Auguste*, sans pour cela renier ses convictions.

De son *Histoire de Rome,* qui, en 142 livres, allait des origines* à l'an 9 av. J.-C., il ne nous est parvenu qu'une faible partie. Tite-Live a subi l'influence de l'historien grec Polybe et a voulu réaliser l'idéal cicéronien d'une histoire mêlant les prestiges de l'éloquence aux charmes de la poésie. Son œuvre est animée d'un patriotisme ardent et du sentiment profond de la grandeur de Rome. Elle fut assez rapidement considérée comme l'histoire romaine par excellence et on en rédigea des résumés destinés à servir de manuels (*epitomae*). Toutefois, et malgré les conseils de Quintilien*, l'historien expliqué dans les classes demeura Salluste*.

toge (toga). La toge est le vêtement* romain national et symbolise la dignité du citoyen*. Primitivement, elle était également portée par les femmes, mais, à l'époque classique, c'est une marque d'infamie pour une femme de la porter.

Elle a été, à l'origine, rectangulaire, puis taillée en demi-cercle. Ses dimensions ont varié selon la mode, mais son diamètre a parfois atteint près de 6 m. L'ajuster avec élégance devint alors une opération longue et délicate, si bien que Quintilien*, par exemple, jugea bon de donner des conseils aux orateurs* sur la façon d'obtenir des plis et un drapé élégants.

La toge est en laine épaisse et blanche. Mais les augures* portent une toge de couleur jaune, et, sous l'Empire*, la mode des toges de couleur se répand. Celle de l'empereur est rouge, comme celle des dieux. La toge prétexte (*toga praetexta*) est bordée d'une bande de pourpre : elle est portée par les enfants jusqu'à l'âge de 16 ans et par les magistrats* dans les cérémonies officielles. Dans les triomphes*, les généraux vainqueurs ont droit à une toge pourpre, brodée d'or (*toga picta, palmata*).

Symbole de la citoyenneté romaine, la toge est également le symbole de la paix : en campagne, les soldats portent la saie (*sagum*), sorte de casaque. Mais, parce que c'était un vêtement lourd et encombrant, les Romains eurent de plus en plus tendance, surtout à partir du Iᵉʳ s. apr. J.-C., à lui préférer différents manteaux*.

Trajan (M. Ulpius Trajanus : 53-117 apr. J.-C.). Né en Espagne d'une famille appartenant à l'ordre sénatorial, Trajan gravit normalement les différents échelons de la carrière des honneurs* et obtint le consulat* en 91. Quand Nerva accéda à l'Empire (96), il adopta Trajan qui lui succéda en 98. Pendant son règne, Trajan eut à lutter contre les Daces (101-107) et contre les Parthes (113-117), et son souci constant fut d'assurer la sécurité des frontières. À la suite de ses victoires, l'Empire* s'agrandit des provinces de Dacie, Arabie, Mésopotamie, Assyrie, Arménie, et atteint sa plus grande extension. Pris par la direction des guerres, Trajan ne fit que de brefs séjours à Rome ; toutefois, il s'est montré un grand administrateur, soucieux en particulier de favoriser l'agriculture* et le commerce* avec les provinces*. On lui doit de nombreux monuments : construction du forum* de Trajan, marchés*, aménagement des ports* d'Ostie, d'Ancône, etc. Empereur libéral, cultivé, respectueux des traditions républicaines, il reçut le titre d'*Optimus* (« Très Bon ») en 114.

Trasimène, lac situé en Étrurie, à l'est de Pérouse, où le consul* Flaminius fut battu par Hannibal*. Ce dernier assaillit de dos et sur les flancs les troupes romaines, serrées entre les collines qui bordent le lac au nord et celui-ci. Flaminius fut tué, les troupes romaines massacrées, mais Hannibal renvoya les Italiens* sans rançon, cherchant ainsi à se les concilier (22 juin 217).

trésor → Aerarium ; dépenses ; recettes publiques.

tribun militaire (tribunus militaris). Sous la République*, chaque légion* est sous l'autorité de six tribuns militaires, qui exercent leur commandement à tour de rôle → armée. Primitivement choisis par les consuls*, ils furent élus à partir de la fin du IIIe s. par les comices tributes*. Les jeunes gens commençaient par là leur carrière politique.

Sous l'Empire*, ils ne sont plus directement sous les ordres du général d'armée, mais dépendent du légat* de légion. Ils sont choisis dans l'ordre* sénatorial.

On est mal renseigné sur les raisons qui ont amené la création de « tribuns militaires à puissance consulaire » : cette magistrature ne fonctionna que de 444 à 367 av. J.-C.

tribun de la plèbe (tribunus plebis), **fonction créée au début du Ve s. av. J.-C. (en 491 sans doute) pour représenter la plèbe*.**

Il y eut deux, puis cinq, finalement dix tribuns de la plèbe, élus par les assemblées de la plèbe (puis les comices tributes* ?). Seuls les plébéiens ont en principe accès à cette fonction.

Les tribuns possèdent un pouvoir sacrosaint (*potestas sacro sancta*) : qui porte la main sur eux est maudit. Chargés de défendre les intérêts de la plèbe, les tribuns ont à l'origine le droit de convoquer et de présider les assemblées plébéiennes, le droit d'intercession*, celui d'édicter des ordonnances valables pour la plèbe, celui de prendre sous leur protection qui ils veulent. Mais ces droits ne sont pas valables hors de Rome* et de sa banlieue. Par la suite, les pouvoirs des tribuns tendirent à s'aligner sur ceux des magistrats* : droit de convoquer et de présider le sénat*, droit d'auspices*, d'obnonciation*, droit de coercition envers et contre tous. Peu à peu, de fonction plébéienne, le tribunal est devenu une magistrature. Sulla* restreignit ses pouvoirs, mais ils lui furent rendus ensuite.

Sous l'Empire*, les tribuns n'ont pratiquement aucun pouvoir; mais l'empereur s'est approprié la puissance tribunitienne (*tribunicia potestas*), automatiquement renouvelée tous les ans; jointe à l'*imperium**, elle lui accorde absolument la toute-puissance.

tribunal (tribunal, estrade sur laquelle siègent les magistrats). À l'époque royale, la plupart des litiges se règlent à l'intérieur de la *gens**. Quand ils opposent des *gentes* entre elles et risquent d'engendrer des troubles, ou bien lorsqu'il s'agit de procès criminels (trahison, meurtres), la compétence judiciaire appartient au roi, qui juge et punit lui-même; sans doute, d'ailleurs, s'est-il déchargé au moins en partie de ses tâches judiciaires sur des juges compétents.

Pour les périodes républicaine et impériale, il convient de distinguer quatre juridictions. → **justice administrative; justice civile; justice criminelle; justice militaire.**

tribus (tribus). Dès sa naissance, Rome* aurait été divisée en trois tribus : les *Ramnes*, les *Luceres*, les *Tities*. On ne sait si cette division tripartite a une origine ethnique (les *Ramnes* étant latins, les *Luceres* étrusques, les *Tities* sabins), si elle correspond à une division territoriale due aux Étrusques* (les *Ramnes* habitant le Palatin, les *Luceres* le Coelius, les *Tities* l'Esquilin), ou si enfin il faut y voir une tripartition d'origine indo-européenne (les *Ramnes* étant des prêtres*, les *Luceres* des guerriers, les *Tities* des agriculteurs). Il faut peut-être, du reste, renoncer à une explication unique, et ce qui est sûr, c'est que ces noms sont étrusques, mais qu'on ne doit pas nécessairement attribuer aux rois étrusques cette division en trois tribus. Elles étaient divisées à leur tour en 30 curies*. Ce nombre ne fut jamais modifié. On attribue à Servius Tullius une réforme, qui lui revient peut-être réellement, selon laquelle quatre tribus, correspondant à quatre « arrondissements » (*regiones*), auraient été mises en place à Rome : la Suburane (I), l'Esquiline (II), la Colline (III) et la Palatine (IV). Plus tard furent ajoutées à ces quatre tribus urbaines dix-sept tribus rustiques, découpées dans la campagne environnante; leur nombre augmenta au fur et à mesure de la conquête, pour atteindre, en 241 av. J.-C., leur nombre définitif, trente-cinq. Dès lors, les nouveaux citoyens* sont automatiquement inscrits dans l'une de ces tribus, qui ne correspondent plus à la réalité géographique, mais sont « personnelles » : cette répartition est faite par les censeurs*, et peut jouer un rôle politique important, étant donné la façon de voter dans les comices tributes* auxquels servent de cadre les trente-cinq tribus.

tribut (tributum), **impôt direct de caractère exceptionnel, destiné à des dépenses extraordinaires, qui a pesé sur les citoyens romains, en fonction de leur fortune.**

Après la guerre de Macédoine (168 av. J.-C.), il fut supprimé. Un impôt analogue était perçu sur les alliés ; mais quand ceux-ci eurent obtenu le droit de cité*, durant le Ier s. av. J.-C., le tribut fut définitivement supprimé dans toute l'Italie*.

triclinium, lit à trois places, permettant de prendre les repas en étant allongé.

Dans les premiers temps, seuls les hommes mangeaient allongés, les femmes étant assises ; mais cette distinction se perdit peu à peu. Généralement, on disposait trois *triclinia* autour de la table* (*mensa*). La place d'honneur est la place de droite (en regardant la table), sur le lit médian (*locus imus in lecto medio*). Vers la fin de la République, un lit semi-circulaire, le *sigma* (du nom de la lettre grecque : c), remplaça les trois *triclinia*.

Mais, comme il est naturel, le *triclinium* désigna également la « salle à manger » :

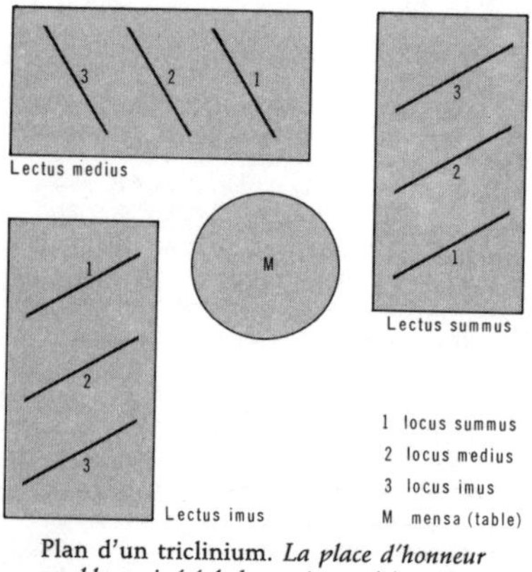

Plan d'un triclinium. *La place d'honneur semble avoir été le* locus imus *(3), sur le* lectus medius*; celle du maître de maison le* locus summus *(1) sur le* lectus imu.

chaque fois qu'ils le pouvaient, les Romains disposaient de plusieurs salles à manger, qu'ils utilisaient selon les saisons ; le *triclinium* le plus agréable était celui qui donnait sur le péristyle*.

triomphe (triumphus), **récompense solennelle accordée à un général vainqueur, accompagnée de réjouissances publiques.**

Un cortège se formait au champ de Mars, entrait dans la ville par le *Forum* Boarium*, longeait le Grand Cirque*, contournait le Palatin, prenait la voie Sacrée et montait au Capitole*. Il comprenait en tête les sénateurs* et les magistrats*, des musiciens, les dépouilles prises à l'ennemi, des statues et des images du pays et des villes conquis, les prisonniers*, et, précédé des licteurs*, le vainqueur, debout sur son char, couronné de laurier, portant le sceptre* et vêtu de la tunique* et de la toge* brodées d'or ; derrière lui, ses soldats*. Au Capitole, le triomphateur faisait un sacrifice* d'action de grâces à Jupiter. Tout au long du parcours, des acteurs* dansaient en entourant le char du vainqueur, des railleries fusaient de la foule et les soldats chantaient des refrains satiriques à l'adresse de leur chef glorieux. Ces facéties (les *carmina triumphalia*, apparentés à ceux de la *pompa circensis**) ont une valeur religieuse et morale à la fois : il s'agit de protéger le triomphateur contre les forces du mal et de le mettre en garde contre la démesure (l'*hybris*). Un banquet terminait cette journée de fête (qui pouvait se prolonger plusieurs jours), au cours de laquelle le triomphateur était assimilé, sinon à Jupiter, du moins à un être surhumain.

Le vainqueur devait d'ailleurs avoir satisfait à des exigences précises pour mériter cette récompense : il devait être un magistrat supérieur, avoir combattu sous ses propres auspices*, avoir fait une guerre* juste, agrandi le territoire, avoir tué 5 000 ennemis. Si ces conditions n'étaient pas réunies, il avait droit à l'ovation*, ou seulement à des supplications* ; ou encore, il prenait sur lui de célébrer un triomphe albain*. C'est le sénat, sauf exception, qui accordait l'honneur du triomphe. Parmi les noms célèbres de la République*, les deux

Scipions*, Paul* Émile, Marius*, Sulla*, Pompée* et César* obtinrent cet honneur.

Sous l'Empire*, seul l'empereur, en tant que commandant suprême, avait droit au triomphe ; mais celui-ci accordait à ceux qui avaient réellement vaincu les « ornements triomphaux* ».

triomphe albain, triomphe* mineur (inférieur à l'ovation*), qui n'était pas décerné par le sénat, mais que le vainqueur lui-même célébrait, sans autorisation et à ses frais, sur le mont Albain, où il se rendait en procession, pour offrir un sacrifice* à *Jupiter Latialis* (Jupiter du Latium).

triumvirat. Le premier triumvirat fut l'alliance politique illégale conclue entre Pompée*, César* et Crassus* en 60 av. J.-C. : ces trois hommes s'engageaient à mettre en commun leur influence pour satisfaire leurs ambitions et dominer l'anarchie régnante. Cet accord fut renouvelé à Lucques en 56.

Le second triumvirat fut formé par Octave, Antoine et Lépide en 43 av. J.-C. ; mais, cette fois, il s'agissait d'un titre et d'une mission officiels (*tresviri reipublicae constituendae*). Il fut renouvelé pour cinq ans en 37, mais n'accomplit aucune œuvre importante, ses membres étant entrés très vite en conflit.

trophée (tropaeum), **monument commémoratif d'une victoire.**

À l'origine ce pouvait n'être qu'un pieu ou un arbre, auquel on suspendait les dépouilles prises aux ennemis*. À la fin de la République* et sous l'Empire*, c'est une construction de pierre ou de marbre, souvent semblable à un mausolée*, comportant des statues et des sculptures (armée victorieuse, soldats vaincus, trophées) : il s'agit, en fait, d'un temple dédié aux divinités qui ont permis la victoire en transférant leur pouvoir au vainqueur. L'un des plus célèbres trophées est celui de La Turbie, près de Nice, élevé en l'honneur d'Auguste*, en 7-6 av. J.-C., pour célébrer la pacification des peuplades alpines. Le trophée est devenu un motif décoratif : armes et drapeaux en panoplie autour d'une cuirasse et d'un casque, fréquemment utilisé à la Renaissance et à l'époque classique.

tuba, trompette ou clairon militaire fait d'un long tube, terminé en entonnoir.

Les joueurs de *tuba* (les *tubicines*) forment avec les joueurs de *cornu** la fanfare militaire. Sous l'Empire*, il y a une quarantaine de *tubicines* par légion*.

Tullus Hostilius → origines de Rome.

tunique (tunica), vêtement composé de deux pièces de laine cousues ensemble, laissant un passage pour la tête et les bras ; l'ampleur de l'étoffe retombant sur les bras tenait lieu généralement de manches. Toutefois, vers la fin du IIe s. apr. J.-C., il y eut des tuniques à manches (dalmatiques). Une ceinture serrait la taille en faisant blouser la tunique. La coupe, très simple, était la même pour les hommes et les femmes ; cependant la tunique féminine était plus ample et plus longue : elle descendait jusqu'aux talons (*tunica talaris*), alors que la tunique masculine s'arrêtait aux mollets. Mais, entre les deux vêtements, les différences tendirent à disparaître.

Pour les femmes, la tunique est uniquement un vêtement de dessous, sur lequel elles portent la *stola**.

Les hommes portent la tunique chez eux, en famille, à la campagne ; mais, dès qu'ils doivent « s'habiller », ils revêtent la toge*. Il existe, en outre, deux types de tuniques masculines : la tunique à deux bandes pourpres verticales, celle à bandes larges (*tunica lato clavo*), portée par les sénateurs*, celle à bandes étroites (*angustus clavus*) portée par les Romains de rang équestre ; d'autre part, une tunique brodée (*tunica palmata*), portée exceptionnellement, lors d'un triomphe* par exemple. Les gens humbles comme les esclaves* prirent l'habitude de sortir en tunique. On pouvait porter deux tuniques, ou même davantage, l'une sur l'autre, selon la saison.

U

Urbanisme. L'urbanisme romain, héritier des Étrusques*, n'est pas seulement affaire d'architectes* ou de géomètres, dont on admire aujourd'hui les réalisations nettes et ordonnées ; une ville romaine a aussi un caractère religieux, qu'attestent des rites de fondation archaïques.

Le fondateur trace d'abord sur le sol un *templum**, qui lui permettra de prendre les auspices* et de connaître la volonté des dieux* : c'est l'inauguration* (*inauguratio*). Le second acte est l'*orientatio* : le fondateur, toujours assisté d'un augure* et d'un arpenteur*, détermine le *decumanus maximus* et l'emplacement où il sera coupé perpendiculairement par le *cardo* maximus* (cette opération se fait à l'aide d'un *groma*, alidade) : ce croisement sera le centre de la ville, où sera situé le forum*. Ensuite vient la *limitatio* : le fondateur trace un « sillon primordial » avec une charrue tirée par une vache et un taureau blancs ; mais il prend soin de soulever le soc à l'emplacement qui est prévu pour les portes*. La bande de terrain qui se trouve de part et d'autre du sillon est le *pomerium*, enceinte sacrée et fictive. Après quoi, on fixe les emplacements où s'élèveront les différents monuments nécessaires à la vie de la cité : on choisit une hauteur sur laquelle sera construit le temple* à trois chapelles consacré à Jupiter, Junon, Minerve (Capitole*) ; s'il n'y a pas de hauteur, on construira une élévation. C'est par rapport au forum que sont choisis les emplacements des monuments (temples, curie*, basilique*). Les arpenteurs quadrillent la ville en traçant des *decumani* et des *cardines* secondaires, parallèles au *decumanus maximus* et au *cardo maximus*, morcelant ainsi la ville en îlots et prévoyant les rues principales. Enfin, le dernier temps est celui de la *consecratio**, acte religieux, qui consiste en sacrifices* et en prières*. Le quadrillage des villes romaines, qui leur donne l'aspect d'un damier, est bien connu ; on le retrouve du reste dans les camps*, et aussi dans la discipline des augures quand ils découpent le ciel et la terre en droites perpendiculaires ; mais il est évident que ce n'était là qu'un idéal, réalisable dans la mesure où le terrain s'y prêtait et où l'on créait une ville nouvelle de toutes pièces. Lorsque le terrain était accidenté, qu'un village préexistait, avait grandi irrégulièrement ou était accroché aux pentes d'une colline, les Romains se contentaient d'adapter, tant bien que mal, leurs techniques aux conditions locales. Au demeurant, il existe en Italie* un type ancien de villes-forteresses qui ne répond guère aux « normes » de la ville carrée et quadrillée (Tibur, Tusculum...). Bien entendu, Rome a exercé son prestige dans tout l'Empire, et de même qu'elles ont peu à peu modelé leurs institutions sur celles de l'*Urbs**, les villes disséminées dans le monde romain ont cherché à avoir des monuments analogues : au centre, le forum avec ses annexes (le Capitole, la curie, la basilique), des thermes*, un théâtre*, un amphithéâtre*, des arcs* de triomphe, des fontaines*, et généralement, à la périphérie, des temples élevés à des divinités locales, tandis que les cultes romains demeuraient groupés au centre.

Urbs. Ce mot, qui est peut-être d'origine étrusque, signifie « ville » et désigne souvent la Ville par excellence, Rome, capitale de l'Empire jusqu'au IVe s. apr. J.-C. Mais, plus précisément, *urbs* désigne la partie qui se trouve à l'intérieur des murs. Rome englobe ainsi l'*Urbs* (divisée en quatre régions par Servius Tullius*, puis en quatorze par Auguste*) et les faubourgs (*continentia*) qui s'étendent dans la « zone des mille pas » autour de l'*Urbs*. Quelques chiffres donnent une idée de l'importance de la Ville sous l'Empire* : l'*Urbs* proprement dite couvre 1 800 ha ; la « commune de Rome » près de 25 000 ha ; la population atteint environ 1 200 000 habitants ; il y a une centaine de temples*, une trentaine de bibliothèques*, une douzaine de basiliques*, une dizaine de thermes*, trois théâtres*, deux amphithéâtres*, deux cirques*, une quarantaine d'arcs* de triomphe, quinze forums*, vingt-cinq portiques*, trois marchés*, neuf ponts* sur le Tibre, etc. Trait remarquable, l'administration municipale de Rome s'est longtemps confondue avec le gouvernement de l'État, et cette caractéristique s'est encore accentuée sous l'Empire.
→ **origines de Rome ; urbanisme.**

urne cinéraire (*olla ossuaria*). On recueillait les cendres des morts dans des urnes qui étaient le plus souvent en terre cuite, parfois en marbre, en verre ou en bronze, et de forme cylindrique ou rectangulaire, pourvues d'un couvercle et parfois décorées.

On les déposait dans un caveau, un columbarium* ou un autel* funéraire. Le nom du défunt était gravé sur l'urne ou sur le monument dans lequel on la déposait, ou encore sur les deux.
On a retrouvé, dans les tombes des monts Albains, de certaines villes d'Étrurie et à Rome même, des urnes cinéraires, dont la forme rappelle celle des cabanes des premiers habitants de Rome (de celles-ci, on a trouvé la trace dans le sol du Palatin). Le symbolisme funéraire de ces « urnes-cabanes », qui remontent au VIIIe s. av. J.-C., est évident : le mort prolonge outre-tombe son existence dans des conditions qui doivent rappeler celles qu'il a connues de son vivant.

V

Varron (M. Terentius Varro : 116-27 av. J.-C.). Né en Sabine, Varron fit une carrière politique et combattit auprès de Pompée* jusqu'à Pharsale*, ce dont César* ne lui tint pas rigueur. Érudit et encyclopédiste, il laisse une œuvre importante, qui porte sur tous les sujets : grammaire, agriculture, biographies, satires... Ses *Antiquités divines et humaines*, qui ne nous sont pas parvenues, fournirent une mine de renseignements sur le passé de Rome à tous les écrivains de l'Antiquité.

véhicules. Les Romains ont possédé une grande variété de véhicules, et à Rome* les rues* étaient déjà si encombrées que seules la litière* et la chaise à porteurs pouvaient circuler dans la journée. Parmi les véhicules proprement dits, il faut distinguer : les voitures utilisées pour les *voyages* (à deux roues, comme le cisium, le *carpentum*, élégant et commode ou encore l'*essedum* ; à quatre roues comme la *raeda* et la *carruca*, cette dernière particulièrement confortable et rapide) ; les voitures de *transport* (le *plaustrum*, robuste, les roues sans rayons, mais pleines comme un disque ; le *carrus*, fourgon militaire) ; les voitures de *sport* et de *parade* (le *currus*, à deux roues, char de cirque* ou de triomphe* ; la *tensa*, qui, dans les processions, portait les images des divinités).

Ces véhicules étaient tirés le plus souvent par des chevaux (un, deux, trois ou quatre), en particulier les voitures de voyage et de sport ou de parade : les véhicules utilisés pour les transports des marchandises étaient attelés de bœufs, de mulets ou d'ânes. La charge ne pouvait guère dépasser 500 kg environ : en effet, le mode de harnachement qu'ont connu les Anciens ne leur permettait pas d'utiliser toute la puissance de l'animal.

Litières, chaises à porteurs, voitures de voyage pouvaient être luxueuses et confortables ; sous l'Empire*, certaines sont pourvues de vitres. Ce sont, bien sûr, des esclaves* qui tiennent les rênes, mais parfois les Romains ne dédaignent pas de conduire eux-mêmes, voire les Romaines, telle Cynthie qui, nous dit Properce*, conduisait elle-même et fort vite son *essedum*, la voiture de luxe à la mode pour les promenades.

Vercingétorix (mort en 46 av. J.-C.). Chef arverne, il provoqua un grand mouvement de révolte contre César* en 52. Il lui résista victorieusement au siège de Gergovie (à 6 km au sud de Clermont-Ferrand), mais dut se rendre à celui d'Alésia (Alise-Sainte-Reine, Côte-d'Or), où son adversaire l'avait bloqué (52). Fait prisonnier et conduit à Rome, il fut exécuté lors du triomphe* de César en 46.

ver sacrum (printemps consacré), **mythe d'origine italique selon lequel, en cas de fléau, on consacrait à Mars tout ce**

qui devait naître au printemps suivant (végétaux, animaux, hommes).

Mais le dieu pouvait permettre de remplacer les sacrifices* humains par l'expulsion, hors de la cité, des enfants nés pendant ce printemps, une fois qu'ils seraient adultes. Cette migration était guidée par un animal* de Mars, un taureau ou un pivert.

Dans toute l'histoire de la République* romaine, il n'y eut qu'un *ver sacrum*, voué en 217 après la bataille de Trasimène*, et exécuté seulement en 195 et 194 : il se réduisit d'ailleurs à quelques agneaux et quelques porcs.

versification → clausule métrique; langue latine; métrique.

vestale (vestalis), **prêtresse consacrée au culte de la déesse Vesta.**

Le collège des vestales passait pour être très ancien (début de la Royauté*) : il comprit successivement quatre, six et, enfin, sept prêtresses. À leur tête, il y avait la grande vestale (*Virgo Vestalis Maxima*). Primitivement tout au moins, elles devaient être d'origine patricienne*. C'est le grand pontife* qui avait la charge de les recruter quand elles étaient encore très jeunes (entre six et dix ans) et avaient leurs parents en vie. Leur sacerdoce durait trente ans : dix ans de formation, dix ans d'exercice et dix ans d'enseignement. La discipline à laquelle elles étaient soumises était très stricte, presque ascétique. En cas de manquement au vœu de chasteté, elles étaient enterrées vives. Leur fonction essentielle était d'entretenir le feu « sacré » de Rome, qui brûlait dans le temple* de Vesta, sur le forum*, et qui symbolisait la vie de la cité. Au terme de leur sacerdoce, elles pouvaient rester vestales ou rentrer dans la vie civile. Elles avaient également d'autres fonctions : elles gardaient les pénates* du peuple romain et des objets mystérieux, des « fétiches » en quelque sorte, que personne n'avait le droit de regarder et qui assuraient la continuité de la race.

Un vêtement spécial (un grand voile blanc, des bandelettes sur la tête) les faisaient reconnaître des Romains et elles avaient droit aux licteurs*. Elles jouissaient d'un grand prestige et de privilèges divers, en particulier celui de gracier tout condamné* qu'elles rencontraient sur le chemin du supplice. Elles habitaient dans l'*Atrium Vestae*, situé non loin du temple de la déesse, et à côté de la *regia*, demeure officielle du grand pontife. Seules les femmes pouvaient y pénétrer, lors des *Vestalia* (en juin). Les vestiges actuels de la maison des vestales datent de l'époque des Sévères.

vêtement. La « garde-robe » d'une Romaine comprend essentiellement des tuniques*, des *stolae** et des manteaux* ; celle d'un Romain, des tuniques*, des toges* et également des manteaux. Ces vêtements sont conservés dans de grands coffres (*arcae*) ou des armoires (*armaria*).

vétéran (veteranus, de *vetus*, vieux). Est vétéran tout militaire (du simple soldat au centurion*) qui bénéficie d'un congé honorable (*missio honesta*) après avoir achevé son service militaire, dont la durée a varié selon les époques et les corps (entre seize et trente années). Le jour de la libération était célébré avec solennité. Les vétérans avaient droit à certains privilèges ; ils étaient parfois établis dans des colonies* → armée.

vétérinaire (medicus pecorum). La médecine* vétérinaire a connu un grand développement à l'époque hellénistique et romaine. Parmi les auteurs qui s'y sont intéressés, on cite Épicharme (IIe s. av. J.-C.), Paxamos (Ier s. av. J.-C.), les encyclopédistes Varron* et Pline* l'Ancien, Virgile*, Columelle (Ier s. apr. J.-C.), plus tard Palladius (IVe s. apr. J.-C.). Mais ces auteurs se contentent de décrire les manifestations des maladies, avec plus ou moins de précisions, parfois aussi les remèdes employés ; ils ne cherchent pas leurs causes.

Le domaine le plus exploré a été l'hippiatrique (art de guérir les chevaux) ; en effet, la pathologie et la thérapeutique équines furent assez bien connues.

vie mondaine → cena; cercles littéraires; lectures publiques; thermes.

vie politique → élections; parti politique; vote.

vigintisévirat. On désigne sous ce terme six commissions réunissant au total

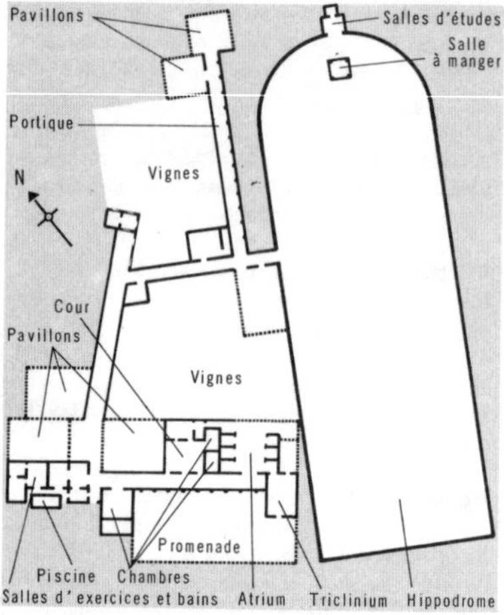

Plan d'une villa urbaine, celle de Pline le Jeune, en Toscane *(reconstitution de Winnefeld). « Mon domaine est situé au pied de l'Apennin, le plus sain des massifs de montagnes... Tout est en paix et en repos... »*

vingt-six membres (*vigintiseviri*). Ce sont des emplois subalternes, dont les titulaires ne paraissent avoir reçu l'investiture des comices tributes* qu'assez tard. Ces commissions comprennent : 1° dix juges civils (*judices decemviri litibus judicandis*) ; 2° quatre préfets, adjoints des préteurs* (*quatuorviri jure dicundo*) ; 3° trois commissaires de police, chargés des arrestations, des incarcérations, des exécutions, etc. (*tresviri capitales*). 4° trois contrôleurs de la monnaie* (*tresviri monetales*) ; 5° quatre agents voyers, adjoints des édiles*, pour la ville (*quatuorviri viis in urbe purgandis*) ; 6° deux agents voyers pour les routes jusqu'à un mille de l'enceinte de Rome (*duoviri viis extra urbem purgandis*).

Il n'était pas nécessaire d'avoir accompli l'une de ces petites magistratures pour aborder la carrière des honneurs* ; néanmoins, elles étaient considérées comme une sorte de noviciat.

Sous l'Empire*, elles sont réduites à quatre, et constituent, après la suppression des quatre préfets *jure dicundo* et des deux agents voyers *extra urbem*, le vigintivirat. Toute carrière sénatoriale commence alors par l'exercice de l'une de ces magistratures.

vigintivirat → vigintisévirat.

villa. Par ce terme, les Romains désignaient soit la ferme (*villa rustica*), soit l'habitation du maître dans sa propriété (*villa urbana*).

La *villa rustica* est conçue pour l'exploitation d'un domaine et comprend donc toutes les commodités souhaitables pour cela. Lorsque le maître ne possédait pas de *villa urbana*, il logeait dans les meilleures pièces.

La *villa urbana* était généralement construite dans un endroit agréable : c'est une demeure de luxe et de plaisance. Elle ne répond pas à un type précis, mais reproduit ordinairement, avec plus de liberté, les divisions essentielles de la *domus**. Souvent le maître aménage des jardins*, des parcs, des gymnases, des piscines. Les plus riches villas sont décorées somptueusement de peintures* et de mosaïques*. Celles de Cicéron* et de Pline le Jeune* sont parmi les plus célèbres.

ville → Italie ; provinces ; urbanisme ; Urbs.

villes fédérées (civitates foederatae). Après l'échec de la ligue latine → **Latins**, Rome continua de conclure des alliances avec certaines villes conquises. Leur statut n'est pas uniforme et varie selon les clauses ou traités. Les cités les plus favorisées ont conclu avec Rome un *foedus aequum* (par ex., Naples, Préneste, la plus grande partie des cités d'Ombrie et d'Étrurie), voire *aequissimum* (Camerinum en Ombrie, Héraclée en Lucanie). Ces cités conservent leurs institutions, leur langue, leurs tribunaux, le droit de battre monnaie ; les habitants ont le droit de cité* incomplet (sans le droit de vote). Les cités avec lesquelles Rome a conclu un *foedus iniquum* (les plus nombreuses), sont dans une situation inférieure : elles renoncent pratiquement à toute indépendance, bien qu'elles conservent une administration autonome. Leurs habitants obtiennent moins facilement la citoyenneté complète. Toutes les villes fédérées doivent fournir des contingents de troupes, qui ne servent pas dans la légion, et constituent les *socii Italici* → **guerre sociale**.

Proche de la condition des villes fédérées est celle des cités dites libres (*civitates liberae*) : elles ne sont soumises à aucune obligation financière et ne subissent pas sur leur territoire la présence de garnisons et de magistrats romains (les curateurs*). Mais Rome est toujours en mesure de modifier ces conditions. En 196 av. J.-C. Flamininus octroya ce statut aux cités grecques. La situation des cités fédérées en Italie* et dans les provinces* est comparable.

vin (**vinum**). Les Romains fabriquaient plusieurs sortes de vins : le vin de paille (*passum*) ; le vin miellé (*mulsum*) ; les vins artificiels, à l'absinthe, à la rose, à la violette, au poivre..., qui sont en quelque sorte des apéritifs ou, plus souvent, des médicaments ; les vins de fruits (de coings, de grenades...) ; enfin, le vinaigre étendu d'eau (*posca*), qui constituait une boisson rafraîchissante, souvent utilisée par les soldats en campagne.

Les Romains, qui prisaient le vin, le buvaient de préférence frais, et parfois coupé d'eau*. Son prix, d'ailleurs, n'était pas très élevé. Parmi les grands crus, on cite ceux de Capoue, Pompéi, Messine et surtout de Falerne. Le vin était conservé dans des amphores (*amphorae*), sur lesquelles une étiquette (*pittacium*) indiquait la provenance, l'année*, le nom* du propriétaire, etc. À table, on le passait généralement dans un filtre pour avoir un vin plus limpide.

On s'est souvent demandé pourquoi le vin était interdit aux Romaines : il semble, en réalité, que cette interdiction ait visé uniquement les vins fermentés.

Virgile (**P. Vergilius Maro : 70-19 av. J.-C.**). Né à Mantoue, d'une famille de petite bourgeoisie, Virgile fit ses études à Crémone, Milan et Rome (54). Mais il était trop timide pour entreprendre une belle carrière d'orateur* ; il préféra la compagnie des philosophes* et des poètes. Un recueil connu sous le nom d'*Appendix Vergiliana* (« Supplément à Virgile »), dont certaines pièces sont peut-être authentiques, nous permet de nous faire une idée de la poésie qui a séduit alors Virgile, et qu'il a sans doute pratiquée (épigrammes, poèmes dans le goût alexandrin). Vers 48, Virgile se rend à Naples, auprès du philosophe épicurien* Siron, et renonce momentanément à la poésie. À la mort de son maître, il retourne au pays natal (44) et fréquente le cercle* qui se forme autour d'Asinius Pollion*, gouverneur* de Cisalpine. C'est à cette époque qu'il commence à écrire ses *Bucoliques* (44-39), dix pièces d'inspiration pastorale, dans la tradition du Syracusain Théocrite (IIIe s.), qui mettent en scène des bergers : ceux-ci chantent des vers improvisés sur un thème choisi, par couplets alternés (chants amœbées). Derrière les conventions, la signification profonde du recueil n'est pas toujours aisée à saisir. Une grande sérénité domine l'ensemble : les bergers chantent le retour de l'âge d'or et rendent hommage à un jeune dieu, où l'on reconnaît Octave*. Mais, en 38, la situation politique s'assombrit et Virgile en est affecté. Il commence une œuvre plus ample, *les Géorgiques*, poème en quatre chants : I, préceptes généraux ; II, viticulture et arboriculture ; III, élevage* ; IV, apiculture*. Virgile s'inspire d'Hésiode et d'Aratos et rivalise avec Lucrèce* quand il décrit le spectacle de la nature et les hommes au travail : au sein de la nature, l'homme peut trouver le bonheur. *Les Géorgiques* sont achevées en 29 et, élargissant encore le champ de son inspiration, Virgile entreprend *l'Énéide*, poème épique en 12 chants, qui est à la fois une *Odyssée* (chants I-VI) et une *Iliade* (chants VII-XII), retraçant la « Geste du peuple romain » depuis la chute de Troie jusqu'à la bataille d'Actium* ; c'est le poème de la grandeur de Rome, guidée par la Providence dans l'accomplissement de son destin* → **Énée ; paix romaine**. Virgile mourut au cours d'un voyage en Grèce, alors que *l'Énéide* n'était pas achevée. Auguste* s'opposa au vœu de l'auteur, qui, jugeant son épopée imparfaite, désirait qu'on la brulât.

virtus. Ce mot est l'un de ceux qui, avec *pietas** et *fides**, expriment le mieux l'idéal moral des Romains. *Virtus*, dont le radical est *vir* (l'homme, le héros), désigne donc d'abord une attitude digne d'un homme, au sens le plus exigeant (virilité, droiture, initiative, dynamisme) ; c'est le courage, en tant qu'il est d'abord mépris de la mort et de la douleur, et qu'il suppose une conduite qui atteigne ce but. Par opposition à la faiblesse féminine (*impotentia muliebris*), la *virtus* est maîtrise de soi, discipline morale et intellectuelle, sens de la dignité. Le mot a pu s'employer au sens général de « vertu » et désigner toute espèce de qualité ou de mérite ; il appartient au vocabulaire de la philosophie, en particulier de la philosophie stoïcienne*.

Virtus a été divinisée, mais est alors considérée comme une divinité guerrière. Elle possède plusieurs temples à Rome, et son culte est souvent associé à celui d'*Honos* (Honneur).

vote (suffragium). Ce n'est qu'à la fin du IIe s. av. J.-C. que fut introduit le vote écrit (ou secret) : jusqu'alors on votait oralement. Dans les comices législatifs, on inscrivait sur des tablettes soit *Uti rogas*, « oui », soit *Antiquo*, « non » ; dans les comices électoraux, le nom du candidat choisi ; dans les comices judiciaires ou dans les jurys, la lettre A (*absolvo*) pour l'acquittement, la lettre C (*condemno*) pour la condamnation, et rien pour un supplément d'information (*ampliatio*). Au sénat, on votait par *discessio*, c'est-à-dire en allant se placer derrière l'orateur que l'on approuvait.

Dans les comices*, tous les citoyens*, il s'en faut, ne votent pas ou n'ont qu'un droit de vote théorique, et ce pour plusieurs raisons. La première est due à l'éloignement d'un grand nombre d'entre eux : il leur était difficile de venir à Rome d'une province* ou d'une colonie d'Italie* lointaine. D'autre part, les listes n'étaient pas tenues rigoureusement à jour. Elles étaient établies tous les cinq ans seulement, et toutes sortes de raisons pouvaient faire que les citoyens fussent mis dans l'impossibilité d'exercer leur *jus suffragii*, faute d'être inscrits sur les listes des centuries* et des tribus*. Enfin et surtout, le mode de votation dans les comices centuriates* et tributes* faisait que la majorité légale ne correspondait pas à la majorité numérique. Dans les comices centuriates, on votait successivement, en commençant par les centuries* équestres, puis la 1re classe, la 2e, etc. → **centurie prérogative.** Le scrutin était en quelque sorte à deux tours : la majorité qui se dégageait d'une centurie engageait toute la centurie ; et chaque centurie représentait une voix. Le président arrêtait le vote, dès que la majorité de 97 voix était atteinte.

Or, même après les réformes des centuries au IIIe s., les centuries équestres et la première classe représentent à elles seules 88 voix sur 193, c'est-à-dire qu'il leur manque 9 voix (9 centuries) pour obtenir la majorité. On voit donc que, même si les centuries les plus riches n'exprimaient pas toutes le même suffrage, la marge était suffisante pour que les classes les plus pauvres n'eussent pas l'occasion de voter.

Dans les comices tributes et les assemblées de la plèbe*, le vote n'était pas successif, mais simultané : tous les électeurs votaient donc effectivement. Mais, là aussi, chaque tribu dispose d'une voix. En 241 av. J.-C., il y a un total (jamais dépassé) de 35 tribus : 4 « urbaines » (les plus peuplées et comptant une forte majorité de pauvres) et 31 « rustiques » (composées des classes possédantes, riches ou moyennes). En effet, les censeurs* répartissent, comme il leur plaît, les citoyens dans les tribus : les affranchis* et les pauvres sont inscrits dans les tribus urbaines, considérées comme moins honorables. À titre de sanction, ils peuvent même rétrograder un citoyen d'une tribu rustique dans une tribu urbaine. Très vite donc, les comices tributes n'ont plus été une assemblée démocratique.

- Z -

Zama, ville située à une centaine de km au sud-ouest de Carthage* (Numidie), où Scipion* l'Africain battit Hannibal*, qui perdit 20 000 hommes, tués et autant de prisonniers (29 oct. 202). Cette bataille mit fin à la seconde guerre punique*. Le traité de paix, signé en 201 fut très dur pour Carthage.

p.23 acteurs de théâtre : perruque noire (jeune), blanche (vieux), rousse pour les esclaves.

Impression : Aubin Imprimeur Ligugé, Poitiers
Dépôt légal : mai 1992 — N° L 56237
IMPRIMÉ EN FRANCE *(Printed in France)* — 799.096-02 - Juin 1998